JN087898

中国超新星爆発とその行方

朱建榮 ZHU Jianrong

中国 超新星爆発とその行方

装丁　柴田淳デザイン室

目次

第十一章　香港と新疆──「国民国家」に脱皮する陣痛　*311*

序文　ウクライナ戦争と中国の試練

『中国　超新星爆発とその行方』の執筆は、コロナ感染症が蔓延する最中の2021年春から始めた。一年後の春、いよいよ仕上げというところで、ロシアの侵攻によるウクライナ戦争が勃発した。この戦争は様々な分野、角度から中国の内政、外交、台湾政策、米中・日中関係にインパクトを与えているので、関連する内容を補足し、この序文を追加することにした。

ウクライナ戦争は、「人類歴史の行方にかかわる」と『サピエンス全史』著者でヘブライ大学のユヴァル・ノア・ハラリ教授は展望した（英誌『エコノミスト』2022年2月9日）。岸田首相は22年3月末、防衛大学校卒業式の訓示で「展開次第で、世界と日本が戦後最大の危機を迎える」と語った。このような深遠な影響を及ぼす戦争を抜きにして中国の行方を見ることができないのは、自明の成り行きである。

ロシアとウクライナは、いずれも中国にとって大きな存在である。ロシアとは世界で最も長い国境線を有し、軍事から外交、経済に至るまで幅広い協力関係がある。近代以来ロシアに散々痛めつけられ、100万平方キロ単位の国土を「奪われた」との苦々しい記憶と感情がある一方、今の中国共産党政権は、旧ソ連からの理論・思想的な指導、幹部育成・物的支援など全面的な助けがあって出来上がったという、畏敬・感謝すべき側面もある。ウクライナに関しては旧ソ連の解体後、中国最初の空母遼寧号の原型となった「ワリヤーグ」号の供与など軍事装備・技術・人材面の支援を得たこと以外にも、中国が推進する「一帯一路」構想のハブの拠点であり、穀倉地帯である同国には多大な経済利益を有している。中国はロシアとは「戦略的パートナーシップ」の関係であり、ウクライナとは２０１３年、「友好協力条約」を締結している。したがってこの二つの国の間の戦争は、中国とそれぞれの国との関係を危うくする可能性がある。

ウクライナ戦争は中国で絶大な関心が持たれ、意見も大きく分かれている。これほど見解が対立し、激論が交わされたことは、文化大革命と改革開放時代の初期以来とも言われる。年配者、北方の住民はロシア支持が多いのに対し、若い世代、南方と沿海部の住民の多くはロシアによる戦争行動に反対で、ウクライナ側に同情的である。上海の復興公園で見知らぬ二人の老人がこの戦争の是非をめぐって激しく口論し、最後に片方の人の耳が大けがするほどのもみ合いになった。中国国民の間では今、「ロシアとの伝統的友好を守る」、「米国との対抗上、ロシアが重要」、「どんな理由があっても戦争はダメ」、「侵攻国の肩を持つのは中国のイメージに傷がつく」といった真っ向から対立する考えが併存し、当局の管理しにくいネット社会で噴出している。

興味深いことに、開戦一カ月後にウクライナで行われた世論調査では、中国の立場について、「親ロ」と答えたのは17％、「親ウクライナ」は15％で、63％は「中立」と答えている（Euromaidan Press、22年3月23日）。ウクライナからも、中国の民衆は一体どちら側に与しているか判断しかねるぐらいの世論情況である。

中国政府も今回の事態の対応にてこずっているようだ。北京冬季五輪の開会式にプーチン大統領がやってきて、中国との関係強化に関する共同声明を発したが、ウクライナへの全面侵攻に関してはおそらく説明・協議がなかった。6000人以上の中国人留学生やビジネスマンの撤退が戦争勃発後に慌てて実施された。国連安保理の批判決議にインドとともに棄権票を投じた（事前に説明を受けていれば、「棄権」はロシアへの裏切り行為になる）。秦剛・駐米大使も「（侵攻を）事前に知っていたら止めに入った」と3月中旬の米「ワシントン・ポスト」紙への寄稿で述べ、その疑惑を払しょくしようとした。

戦争開始後、中国首脳部は緊急の政治局会議を開き、ロシアの軍事侵攻を支持すべきではないとの意見で一致した模様だ。開戦翌日の2月25日、王毅外相はさっそくウクライナ問題に関する五つの見解を表明し、「各国の主権と領土保全を尊重・保障し、国連憲章の趣旨と原則を確実に遵守することは中国の一貫した明確な立場で、ウクライナ問題にも当てはまる」との立場を第1項目に挙げた。ただ、「NATOが5回にわたって東方拡大する中で、ロシアの安全保障上の懸念も配慮されるべき」として、問題の起因も考えるべきと主張した。

中国は、内心ではロシアのウクライナ侵攻に賛成していないが、公に名指しの批判をすることは極力避けた。それは、以上で述べた「問題や原因は複数あり、一点張りの批判はできない」との背景分析があるとともに、永遠の隣国である大国ロシアとの長期的関係への配慮、そしてロシアがこのまま倒れたら米国は最大の競争相手と見なす中国に一段と締め付けを強めてくるとの判断があったからだと思われる。

しかし、ウクライナ戦争が中国に与えた衝撃は、やはり全方位的に大きい。軍事面では、21世紀型ハイテク戦争における米国の優位とロシアの劣勢を見せつけられた。経済面では国際決済網からの締め出しがいかに破壊的な打撃になるかも目の当たりにした。このままでいくと、10年後のロシアは「ビッグサイズの北朝鮮」になると中国のネットに書き込みがあった。何よりも、21世紀現在、大量の民間人を巻き添えにする戦争の手段に対する全世界の拒否的反応、中国国内でも戦争反対、台湾問題の平和的解決という強い声が現れたことから見て、今回の戦争は中国の内政と外交、更に一般国民の価値観に変化をもたらす新しいきっかけになるに違いない。

ただ、この戦争は中国の更なる台頭、米中競争という基本構図を変えるものではない。開戦一か月後に公表された米国防総省の「国家防衛戦略」も、ロシアを「深刻な脅威」としながらも、中国を「最重要な戦略的競争相手」だと明記した。したがって、大半の日本人の想像を超えた中国の急速で、全面的で、大きなスケールで、全世界にインパクトを与える台頭とその行方に関する検証、という本書のメインテーマは依然有意義だと考える。欲張って歴史と現在、未来の時空軸で幅広い分野の分析を行い、少し分厚い本になったが、辛抱強く読まれてそれなりに収穫があったと思っていただける本であることを願う。

第一章　「超新星爆発」が進行中の中国

米国の「中国パニック」

中国は今や、好き嫌いを通り越して、世界と日本を問わず、最もホットな話題の一つである。国際関係、世界経済、ハイテク、宇宙開発、軍事力など国力を測るあらゆる領域において、中国の存在と影響力は急速に拡大している。中国を見る目にここまで余裕と冷静さを失い、パニックに陥る米国は初めてだ。

２０２１年7月と8月、中国は二回にわたって、極超音速（ハイパーソニック）兵器の実験をし、地球を一周して目標に（30数キロ離れて）着弾したと米国で報じられた。中国自身は「宇宙船の再利用可能技術を検証する実験」と努めて淡々と説明している。弱いときは強く見せ、本当に強いときは弱いように見せる、これは「孫子兵法」の戦術だ。今まで、中国は「謙遜」した低姿勢をあまり見せなかったから余計、関心が高まる。

米軍制服組トップのミリー統合参謀本部議長は直後の9月、中国の実験は「スプートニク・

ショックに近いような衝撃を受けた」と認めた。米軍事専門家は「物理学の常識を超えたもので、まさにゲームチェンジャーのような脅威だ」と述べた。スプートニクは１９５７年に旧ソ連が米国より率先して打ち上げた人工衛星のことで、米国が宇宙開発技術で先を越された象徴的な出来事だった。中国の極超音速兵器実験は、川の水面で石切をやるように、地球の大気圏を滑走するような方法を取ると言われる。しかし川でどんなに上手な人がやる石切も最大限で数十回しか飛ばないのに対し、中国のこの秘密兵器は大気圏を延々と「石切」して地球を一周するものだ。

もう一つの新しい話題だが、米国防総省ペンタゴンのソフトウェア部門責任者ニコラス・チャイレン（Nicolas Chaillan）が辞職した直後、21年10月10日付英国紙「フィナンシャル・タイムズ」（ＦＴ）は彼とのインタビュー記事を掲載した。チャイレンは、「中国はすでにＡＩ（人工知能）分野で米国との競争で勝利し、更にその日進月歩の技術進歩をもって全世界の主導的地位を収めようとしている」との危機感をあからさまにし、自分の辞任は米軍の技術革新があまりにも遅いことに抗議するためと説明した。「これらの新興技術はＦ35戦闘機などのハードウェアよりはるかに重要」「今後15年から20年の間、我々は中国と競争する機会をすでに失った。自分から見てこの闘いはすでに決着がついた。そのために戦争するかどうかは別だが」と彼は更に警告した。

米国人は大げさな表現をよく使う。軍事予算をより多く獲るためにライバルの脅威を強調することもある。しかしそれを割り引いても、中国の全方位的な急速な台頭が、長年世界に君臨してきた覇権国家米国のエリート層を驚かせ、国内の党派、階層、分野を超えた中国警戒論、一種の「反中国大合唱」に結集させるに至ったのは事実である。

十人十色の「中国像」

この中国の急成長、急膨張をどう解釈すればよいか。若いときに台湾から中国大陸に亡命し、今は中国の経済政策決定に影響力を有する林毅夫（りんきふ）氏は、「中国がわずか30年余りの間に世界の最貧国の一つから米国に迫る経済大国になった。その原因を解明できればノーベル経済学賞が取れるだろう」と語ったことがある。

北京の政府系メディアは、「中国の特色ある社会主義体制のおかげだ」と自賛している。それも一因であろう。ただ、それが主因なら、毛沢東時代から中国は常に「特色ある社会主義体制」であり、旧ソ連とも異なる社会主義の道を歩んできた。それなのに長きにわたって、様々な客観的理由（負の遺産が大きすぎたこと、朝鮮戦争後の西側諸国による厳しい封じ込め政策など）があるとはいえ、経済の立ち遅れ、民衆生活の貧困から抜け出せなかったことを説明できない。

鄧小平時代以降、中国は「みにくいアヒルの子」から白鳥に一変した。市場経済を導入し、日本など先進諸国から援助を受け、現行の国際経済システムの下で発展したことは要因の一つとして挙げられる。ただ、それだけを強調しすぎてもいけない。同様かそれ以上に欧米モデルを導入した国はほかに百以上あるが、ほとんど成功していない。今は逆に、「教師」であるはずの先進諸国が「弟子」の中国による急速な追い上げ、追い越しに危機感を募らせている。

中国の台頭について、米国はじめ、西側先進国はつい数年前までそんなに評価も心配もしていなかった。どうせコピー、物まねだろうと思われていた。しかし近年、中国が欧米の常識を超えた発展、躍進を見せると今度は、政府による企業への巨額な財政支援やら、国内市場保護やら、海外からの情報窃取やら「アンフェア」な手段を使ったものだと簡単に決めつけられてしまう。これらの手法を中国は多少なりとも使っているのは間違いない。しかし日本の台頭もこれらの手法をふんだんに使い、「アンフェア」だと、20世紀80年代まで欧米から散々批判された。第二次大戦後、急成長を遂げたドイツ、フランス、日本はいずれもこのような「国家資本主義」的な手法を多く使った。さらに遡れば、今の先進諸国はほとんど戦前まで、「アンフェア」の程度をはるかに超えた野蛮で他国に対する収奪の手法、すなわち帝国主義、植民地主義の方法で原始的蓄積を重ねて発展の土台を作った。

中国はまた、経済成長、国民生活水準の向上を遂げながら、人権問題や民族問題などを抱えている。これらの点に関して西側先進国の人々が違和感を持ち、批判の声を出すことは理解する。私も長く日本に住むと、中国の多くの問題に怒り、批判的になる。とはいえ、個々の問題とマクロ的な全面的急成長は分けて考える必要がある。「一党独裁だから悪い」という直線的発想では、中国の実態、ダイナミックな変化、特にその将来の可能性を客観的に把握できない。そもそも「欧米モデル」をもって中国の躍進に当てはめて批判・批評すること自体、思考停止ではないかと問われている。

天文学的現象との相似性

私は近年、中国の「超常軌的」発展の背景と原因についてずっと考え続け、関連の著書や資料も幅広く集め、読み漁った。なるほどと頷けるものもあれば、首を傾げるもののほうがもっと多いが、納得できるような体系的に説明された理論にも方法にもまだ出会っていない、というのが実情だ。

それぞれの角度から中国の「秘訣」を解剖・分析し、筆者もある程度評価する専門家たちの観点はあとで紹介するが、自分はそのような理論的作業ができない以上、アプローチする角度を変えようと考え始めた。

筆者は歴史研究者としてスタートしたので、今日の中国を2000年余りの歴史の中の歴代王朝と比較する視点を取り入れてみた。漢王朝初期の「文景の治」、唐王朝初期の「貞観の治」などの勃興期と比較して、いずれも急速な台頭である、という共通点があることに注目した。中国は歴史が悠久で国土が広いがゆえに、他の国が考えられないほど「急激に」「突如」強大化する潜在力と可能性を持ち合わせている。しかしこれらの古代の治世はいずれも数十年、歴史のスパンとしては短い期間で終わった。そこにどんな共通性と特異性が存在するか、もっと考えたくなった。

そこで今日の中国について「急速な台頭」、「内外への影響力の急拡大」、「予測不能な行方」という三つのコンセプトを集約して新しいアプローチをしてみようと考えた。世界のベストセラーで、オバマ元米大統領も絶賛したSF小説『三体』（中国　劉慈欣著、早川書房に2019年に日本語版）を二回も読んだが、もともと天文学も好きなタイプなので、ある日、ある天文学的な現象が中国のこの三つのコンセプトを包括的に表現できるのでは、とふと思いついた。

「超新星爆発」である。

超新星爆発とは、質量の大きな星が恒星進化の最終段階に達して起きる大爆発のことだ。大爆発により突然明るさを何万倍もいっぺんに増す。まるで新しい星が突然誕生したかのように見える現象と定義される。

今日の中国はまさに「超新星爆発」の現象に似た特徴を持ち合わせているように見受けられる。超新星大爆発は、そのエネルギーが届く宇宙空間の隅々まで、あらゆる星に巨大な影響を及ぼした。地球の歴史上、二十億年前から数億年前までの間に、超新星爆発によって生態系が一変し、元の生物が滅び、別の生物が成長・制覇する転換点になったことが複数回あったと地球史研究家は言っている。

ジャンボ飛行機の離陸

では今日の中国は、「超新星爆発」の現象とどこまで似ているのか。

第一、中国は確かに「一瞬」にしてここまで膨張したように感じられる。

人類社会は二百万年以上の歴史を持つ。原始社会においては数万年から十数万年ごとに社会構造に緩慢な変化が発生した。約1万年前から、千年単位で変動し、小国（氏族）の林立、都市国家の出現、緩やかな政権連合が相次いだ。四大古代文明の勃興後、ローマ帝国、秦漢王朝以下は百年単位の王朝交替が起こった。そして大航海時代以降、人類社会の進化・変動が加速し、なお、200から300年の間に、欧州発の近代資本主義政治と経済システムが世界の隅々まで進出した。

国単位で見れば、近代欧州では一つの強国が台頭し、覇権国に至るまでおよそ百年かかった。

日本は明治維新後、東洋の老大国中国に日清戦争で勝ち、続いてヨーロッパ列強の一つだったロシアを日露戦争で撃破し、米英と渡り合えるようになるまで50年しかかからなかった。第二次大戦の敗戦で国土が荒廃したが、それでもわずか二十数年後の１９６８年、ドイツを抜いて世界二位の経済大国に再び躍進した。

それに比べても中国の世界舞台への進出と影響力の拡大は更に目まぐるしく眩しいもので、まさに超新星爆発のようなものだった。

中国の封建皇帝社会は二千年も続いたが、「中華」という範囲内でしか影響がなく、自給自足の小農経済がその基本的形態だった。辛亥革命以後、世界から注目される事件が度々発生したが、世界史的に見て常にわき役的な存在に留まり、影響力が限られていた。１９７２年2月に訪中したニクソン大統領は、「世界の構図を変える一週間」と北京の宴会スピーチで話した。それも今から見れば、主に超大国の米国がもう一つの超大国の旧ソ連に対抗するために中国を利用した側面が強かった。中国国内は依然文化大革命と鎖国政策が続き、経済の遅れ、生活の貧困が変わらぬままだった。

一般的に１９７８年末に開かれた中国共産党11期「三中全会」で路線転換し、鄧小平時代に入ったとされる。「改革」（これまでの制度・タブーを次々と破ること）と「開放」（自国に有利なものなら外部からどんどん導入すること）という二輪駆動で、それ以降の二十数年間、中国経済は平均10％以上の高成長が続いた。ただ全世界に注目させ、震撼させるのは21世紀に入ってからだった。

筆者は以前から、中国経済の急台頭を、一機のジャンボ飛行機のテイクオフと譬えている。確かに1980年代初期から急成長が始まったが、なにしろそれまではほぼ停止状態だったため、地面の滑走路で年率10％以上で加速度的に動き出しても、とっくに空を飛んでいる他の飛行機（先進国）から眺めれば、まだ地面を這うようにのろのろ行く存在だった。日本などの先進国は、余裕と自信をもって中国に「がんばれ」と声をかけ、「中国が崩壊すればそれこそ世界の災難」との認識で経済支援も惜しまなかった。

ところが、中国号ジャンボ飛行機は21世紀に入って、それまで二十数年間の助走を経ていよいよ離陸した。そのスケールの大きさ、その離陸後も続く加速度により、わずか20年の間に、世界の、メイン舞台の中央に躍り出た。

譬えてみれば、世界最高水準のオリンピック大会のマラソン競技で、中国はずっと最後尾を走っていたが、最後の5キロに突然、他の選手が予想できないような猛スピードで、はるかに先行していたランナーをごぼう抜きしたようなものだった。無名選手が急に世界チャンピオンになることは「すい星のように現れる」と表現されるが、中国が世界主要国の最前列に躍進したことはまさに「超新星爆発」のようなものだ。

既存の国際秩序に衝撃を与える中国の台頭

一国の急速な台頭は、ほかの国との相対的距離を変えるもの、ないしそれまでの国際秩序を乱すものだ。各国間の相対的距離（経済力、技術力、軍事力で測るもの）は通常、そんなに早くは変わらない。既存の国際秩序への挑戦となるような大変動は、なおさらめったに起こらない。第

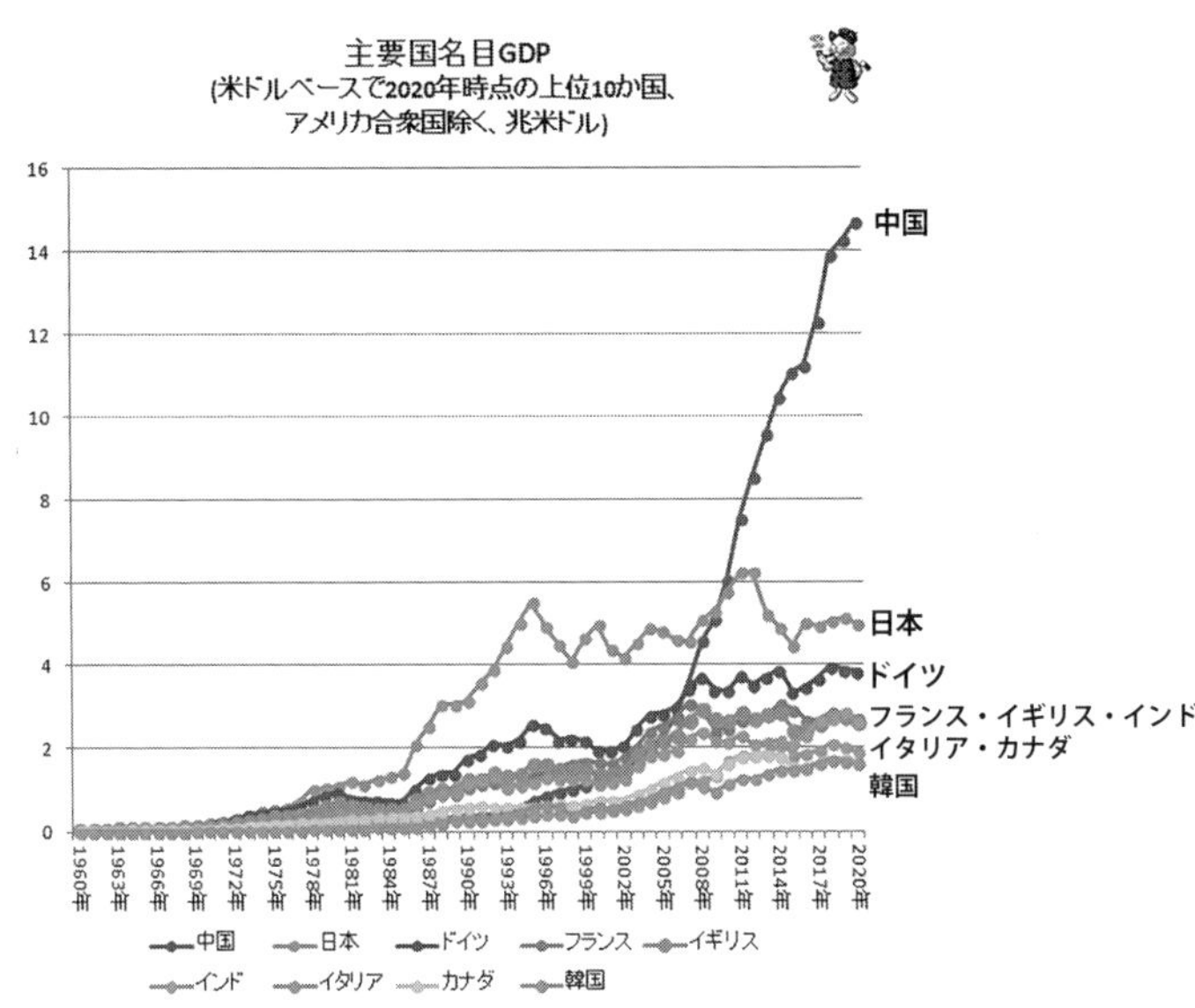

図表1　主要国名目 GDP（米ドルベースで 2020 年時点の上位 10 か国、米国除く、兆米ドル）。ガベージニュース 2022 年 1 月 3 日サイトから引用。

二次大戦後、旧ソ連が米国と二強時代を作ったこと、日本が世界の経済秩序で中心プレイヤーになったことぐらいだろう。

中国の台頭は全国際社会に衝撃を与える21世紀の最大の出来事になった。この間の中国の経済規模（ＧＤＰ）の伸びは他の国とその相対的関係を急激に、大幅に変えた。

図表1を見れば分かるが、中国ＧＤＰの伸びを示すラインは世界の主要国の伸びと比べれば、米国を除くすべての国との相対的地位、順位をわずか数年間の間に大きく変えた。

第二次大戦後の長い間、中国はインドと同様に、人口が多いが、一人当たりＧＤＰが低く、ＧＤＰ規模はそれほど大きくなかった。１９８０年に中国の一人当たりＧＤＰ（３０６・９ドル）

は、インド（276・3ドル）とほぼ同水準だった。しかし2020年の時点で、中国はGDPの規模や一人当たりのGDPはいずれもインドを5倍以上上回った。

21年末時点で、中国のGDP（名目）はドルベースで17・73万億ドルに達し、1980年より36・2倍増え、全世界経済に占めるシェアも2・7％から18％に上昇した。そして米国のGDPに占める割合は77・1％と4分の3を超えた（日本はピーク時、米国のGDPの70％に達した）。国際的には、一国のGDPが別の国の75％以上に達すると、接近する速度が大幅に上がると言われる。なお、世界銀行が採用する購買力平価（PPP方式）の統計方法だと、14年10月の時点ですでに米国を抜き、現在はその120％近くになっている。中国に追い越されるという米国の焦りは想像にかたくない。

実は他の先進国にこんなに早く追いつくことを中国自身も想定していなかった。中国の国家統計局が発表した02年版白書は、「中国のGDPは21世紀の半ば頃、日本を追い抜いて世界二位の経済大国になる可能性がある。ただ（百年かけて）世紀末になっても、米国を超えて世界一の経済大国に躍り出ることは考えにくい」との見通しを示した。著名なソ連ロシア専門家の陸南泉（りくなんせん）氏も、1988年に著書で、「中国経済は50年後にソ連を超える可能性がある」との「大胆」な予測を書いていた。30年後の今、ロシアのGDP総額は中国の一地方、広東省に及ばなくなっている。

日本を短期間で大逆転

離陸後のジャンボ飛行機中国の凄さは世界の目を白黒させた。その経済規模は、21世紀最初の

年	中国	日本	中国 / 日本の % (倍率)
1990	396.58	3,196.56	12.40（日本の 9 分の 1）
1995	731.02	5,545.57	13.18（日本の 8 分の 1）
2000	1,205.52	4,968.36	24.26（日本の 4 分の 1 近く）
2005	2,290.09	4,831.47	47.40（日本の半分近く）
2010	6,033.81	5,759.07	104.77（日本を逆転）
2014	10,524.21	4,897.00	214.91（日本の 2 倍強）
2020	14,722.84	5,048.69	291.62（日本の 3 倍近く）
2021	17,728,02	53741.30	329.88（日本の約 3.3 倍）

図表２　中国と日本の名目 GDP の比較　（同年の為替レートによるドル換算。単位 : 10 億 US ドル）。著者作成

10年間でイタリア、イギリス、フランス、ドイツ、日本を次々と抜き去って世界2位の経済大国となった。

上の図表2は、中国の歴年のＧＤＰと日本との比較と相対的位置を示すものである。

このドラマチックな変化に関して、ロレンス・サマーズ米国元財務長官は10年の時点ですでに次のように分析した。「イギリス産業革命の間、社会は猛烈変化したが、一人の人間の生活水準は自分の生命周期において倍に上がるのが上出来だった。しかし今日の中国では近代化の大波の中で、一人の中国人の生活水準は生命周期、すなわち一生のうちに、7倍上がる計算である」。

日本にとって中国とのこの相対的位置の急変化はまさに「未曽有」のこと

だ。１９９０年頃はまだ取るに至らない９分の１だったのに対し、20年後の２０１０年は追い抜かれ、更に10年後の20年はその３分の１以下になった。このような劇的変化に対し誰もがショックを感じ、にわかに受け入れられないものがある。日本社会の対中認識、対中感情の急激なアップダウンに関して、個々の原因が多く指摘されるが、このような力関係（経済力、軍事力に加え、近年は技術力の面でも逆転が起きている）の変化という背景があるのではないだろうか。

「爆発」のスケールの大きさ

「超新星爆発」の影響は中国の経済・技術の各分野にも幅広く示されている。

まず製造業を見よう。近代以来、それが先進国の強みの象徴だったが、世界銀行の統計によると、18年の中国（台湾と香港を除く）の製造業規模は４兆ドル超に上ったのに対し、同年の米国製造業の規模は２・２兆ドル超（中国の55％）、日本は１兆ドル超（中国の４分の１）、ドイツは８０００億ドル超（中国の５分の１）であり、すなわち米日独という先進国３か国の製造業規模は合わせても中国に及ばない、というターニングポイントとなった。20年のコロナ禍の中で中国製造業は一層躍進し、医療物資はじめほぼすべての分野で投資、売り上げを伸ばしたのと対照的に、先進国の製造業は停滞し、萎縮したため、中国との差は一段と開いている。中国の製造業規模がＧ７の総和を上回ることも目の前に来ている。

次に外貨準備高を見る。22年３月末時点で、中国は３兆１８８０億ドル（金を除く）であり、世界２位の日本の２・３５倍相当。そしてほぼ２位以下20位までの国の総額よりも大きい。

中国の高速道路は１９８８年に最初の一本（上海郊外のわずか60キロ）が開通したが、その総延長は20年末に16万キロ超となり、米国の７万５０００キロ、日本の７０００キロ強を一気にはるかに抜き去った。

中国の高速鉄道（時速２００キロ以上）は日本やドイツ、フランスの技術を導入して08年に最初の路線（北京・天津間）を開通したが、21年末時点で、運営キロ数は４万キロ超で、全世界の高速鉄道の７割近くを占めている。

中国の太陽光発電もダントツ世界一。20年の全世界における太陽電池の全出荷量（結晶シリコン系と薄膜系を合せた）の67％を中国が占め、シェア上位５社は中国企業が独占している。

自然科学分野の学術論文数でも中国は米国を抜いて世界一位になった。文部科学省科学技術・学術政策研究所が21年８月に公表した報告書「科学技術指標」によると、注目度が高い上位10％に入る影響力の大きな論文数では、中国が米国を抜き世界１位（17～19年の平均、世界の24・８％）になった（２０００年の段階では中国は世界９位だった）。日本は過去最低の世界10位で、前年からまた順位を一つ下げた。

意外に知られていないのは、映画興行収入のランキングでも、中国は20年、米国を抜いて世界一位になっている。わずか10年前の中国は海賊版映画の天国だったが、今や老若とも映画館でチケットを買って観覧するようになっている。

21年中、中国は「天和」号宇宙ステーションの運用を開始し、「天問」号火星探索機を着陸させ、「羲和（ぎか）」號太陽探査衛星を打ち上げた。ほかに量子通信など「未来を制す」技術分野でも世界の最先端を走っている。

ＰＫＯ派遣人数が世界トップ

国際社会における中国の影響力も急速に拡大している。

中国は米国などと共に国連安全保障理事会の5大常任理事国の一つだが、長年にわたって経費支出、人的貢献などほぼあらゆる面で「ただ乗り」と揶揄された。しかし今日は見違えるほど変わった。習近平主席は21年10月25日、中国の国連議席回復50周年の記念大会で演説した中で次のように自賛した。

中国は延べ5万人余りを国連平和維持活動に派遣し、すでに第二の国連分担金国、第二の平和維持資金拠出国になっている。中国は国連ミレニアム開発目標を率先して実現し、２０３０年持続可能な開発アジェンダを率先して実行し、世界の貧困削減に70％以上貢献した。

国際機関のトップに中国出身者が次々と就任している。21年現在、国連傘下の15の専門機関のうち、国際連合食糧農業機関（ＦＡＯ）、国際電気通信連合（ＩＴＵ）、国連工業開発機関（ＵＮＩＤＯ）など4機関のトップが中国人。少し前まで、中国出身者（香港を含む）は世界保健機関（ＷＨＯ）事務総長、国際刑事警察機構（インターポール）の総裁を務めた。

特に国連平和維持活動（ＰＫＯ）への参加において中国は積極的で世界最大規模である。21年5月28日、中国国防部報道官が行った発表によると、

・1990年以降、中国の軍隊と警察は前後して約30項目の国連平和維持活動（PKO）に参加し、延べ5万人余りの平和維持要員を派遣した。
・近年、中国はPKOへの支持と参与を強化し、中国の平和維持部隊の構成は単一軍種を中心としたものから複数の軍種へと拡大し、任務の類型は支援・保障から総合・多機能へと転換し、行動目的は武力衝突の制止から恒久平和の建設へと拡大し、平和維持能力はさらに向上した。
・中国部隊は国連PKOに参加して30年以上の間に、1・7万キロ以上の道路、300以上の橋を新設・修復し、地雷および各種未爆発物を1・4万発以上排除し、各種物資・器材を120万トン以上輸送し、総輸送距離は1300万キロ以上、患者を24・6万人余り受け入れ、停戦の監督、情勢の安定、民間人の保護、安全護衛、支援・保障などの面で重要な役割を演じている。
・中国軍は前後して90余りの国、10余りの国際・地域組織と平和維持交流と協力を展開している。

中国が世界最多のPKO要員（大半は軍人）を派遣していることは、歴史研究者の筆者に、近代以降の日本の国際進出の過程を連想させる。1900年の義和団運動を鎮圧した「8カ国連合軍」は英仏がリーダーだったが、総数4万5000人のうち、日本は2万人余りという最多の軍隊と18隻の軍艦を派遣した。1918年から22年まで、英仏米日など七カ国の軍隊がロシア革命に介入するため共同出兵したが、日本は他の出兵国より10倍以上の7万2000人の大軍を送りこんだ（「シベリア出兵」）。当時の帝国日本が抱いた野望の一面はさておき、今日の人民解放軍のPKO派遣と共通するのは、なるべく多くの軍人を国際紛争の場に送り出して「国際経験を積む」という狙いだった。

経済貿易・金融面でも世界最前列へ

経済貿易・金融面における中国の影響力の拡大も目を見張るものがある。現在の世界の輸出の7割弱はこの20年間、新たに生まれたが、そのうち4分の1は中国と米国による貢献である。WTOの統計によれば、2000年代初頭、貿易総額で見て米国と中国は3倍の開きがあったが、21年になると、第1位は中国6・05兆ドル（世界総額の17％）、第2位は米国4・6兆ドル（同13・4％）となった。また、最大貿易相手国が中国である国の数は米国より2倍以上になっている。

中国主導の世界規模の経済協力プロジェクトは言うまでもなく、「一帯一路」イニシアチブであろう。これは外交の章で詳しく検証するが、「中国版マーシャルプラン」と呼ばれたり、「新帝国主義の拡張」と批判されたりするところから見ても、その影響は幅広く、かつ深遠なものである。

国際金融協力の面でも中国は主導権を発揮している。一番有名で影響力が大きいのはアジアインフラ投資銀行（Asian Infrastructure Investment Bank、略称：AIIB）だ。AIIBは、14年10月24日に、中国、インド、シンガポールをはじめとする21ヵ国の代表が北京で設立に関する覚書に調印してスタートした。本部は北京に置く。イギリス、フランス、ドイツなどヨーロッパの主要国も入り、22年3月現在、メンバーの数は108カ国に達している。日本の主導でアジア開発銀行は1966年に発足し、本部はフィリピン首都のマニラに置く。歴代総裁のほとんどは日本人が務めたが、メンバーは現在67か国／地域である。それに比べ、AIIBはすさまじい発展の勢い、影響力である。

ほかにBRICS5カ国（ブラジル、ロシア、インド、中国、南アフリカ）が14年7月に共同

	金融機関名	設立時期	資金規模
1	アジアインフラ投資銀行（AIIB）	2015年12月	1000億ドル
2	BRICS開発銀行（NDB）	2014年7月	1000億ドル
3	シルクロード基金	2014年12月	400億ドル ＋1000億元
4	中国・ASEAN投資合作基金（CAF）	2010年	100億ドル
5	中国・ASEANインフラ専門融資	2015年	100億ドル
6	中国・アフリカ発展基金（CADF）	2006年	50億ドル
7	アフリカ中小企業融資枠	2011年	60億ドル
8	中国・アフリカ産能合作基金	2016年1月	100億ドル
9	中国・アラブ産業投資基金（CAIF）	2013年	100億ドル
10	中・中東欧投資合作基金	2013年5月	15億ドル
11	中・中東欧金融会社	2016年11月	100億ユーロ
12	中国・欧亜経済合作基金	2014年9月	50億ドル
13	人民元海外基金、開発銀行、輸出入銀行の特別融資枠	2017年5月	6800億元
14	中国保険投資基金	2016年1月	3000億元
15	上海協力機構（SCO）開発銀行	準備中	未定

図表３　一帯一路関連の金融機関と投資ファンド
出所：朱炎「『一帯一路』構想は何を目指すか」、朱建栄編著『米中貿易戦争と日本経済の突破口』（花伝社、2019年８月）94頁。

設立した新開発銀行（New Development Bank, ＮＤＢ）がある。各１０００億ドルの資本金と外貨準備基金を持ち、「ＢＲＩＣＳ銀行」とも呼ばれる。総裁、取締役会長、理事会会長はそれぞれインド、ブラジル、ロシアから選ばれ、本部は中国上海に設置されている。

01年6月、中国とロシアが主導し、中央アジア諸国とともに設立された上海協力機構（略称：ＳＣＯ、本部は北京）は19年まで、インドとパキスタン、イランの新しい加盟でメンバー国は九つ、ほかに複数のオブザーバー国、対話パートナー国がある。05年10月に開かれた政府首脳（首相）理事会でＳＣＯ（各国の）銀行連合体の設置と協力内容に関する協定が調印された。10年11月の同理事会では中国の温家宝首相が「ＳＣＯ開発銀行」の設立を提案した。その後、ロシアの警戒などにより実体の設立が遅れたが、実際の金融協力は進んでいる。21年10月28日に青島で開かれた「中国・ＳＣＯ諸国の金融協力と資本市場開発フォーラム」で、初の海外投資ファンドの設置が宣言された。

ほかに、中国政府は14年、インフラ建設、エネルギーなどで「一帯一路」構想を資金面で支える目的で政府系投資ファンド「シルクロード基金」（Silk Road Fund）を設立。政府の外貨準備、政策金融機関などが資金を拠出し、資金規模は４００億ドル（約4兆5千億円）にのぼった。第1号の投資案件はパキスタンの水力発電事業だったが、更にイタリア、ロシアなどでも活動を展開している。

在日中国人学者がまとめた中国の対外的金融枠組みは、図表3の通りである。

説明不能な「モンスター」

ハンガリーの経済学者、ノーベル経済学賞候補にも挙がったコロナイ・ヤーノシュは、中国の急成長と世界への影響力の拡大はこれまでの常識では解釈不能と認め、「モンスター」と呼んだ。そして「中国というモンスターが覇権の野心を持って膨張し、世界に脅威を与えている」「権威主義の怪物は、世界の自由を脅かしている」と述べている（『朝日新聞』２０２1年11月6日朝刊）。その見方は欧米先進国の価値観、経済学原理および旧東欧のトラウマによってなされたもので、先入観による側面もあるが、「中国の躍進」ということに対する解釈も対応も手を焼いているため、「モンスター」と評したのだろう。これは別の意味で、「超新星爆発」という現象に対する描写や説明に似ている。要するに、中国という国とその動向は、西側先進国の「常識」、言い換えれば欧米の数百年来の理論、物差しで測れない、ということだ。

ただ、「超新星爆発」という表現はもしかすると、日本を含む外部世界と中国自身の両方から顰蹙を買うかもしれない。日本や米国などには、中国がここまでパワーを持ち、世界の行方を左右しそうな影響を及ぼしていることを直視したくない人は結構多い。日本の主要メディアでは、中国の成功、他の国を上回る業績とそれに対する各国（特に途上国）の称賛評価についてもあまり取り上げられない。結果的に、国民の大半には「間もなくバブル崩壊」「権力闘争が激しい」「内部で不満が溜まり、一触即発」といった中国イメージが定着している。

今の中国は特にＩＴ分野などで日本を引き離す勢いを見せている。主要メディアはその事実を認めながらも、「しかしそれは独裁、強権政治に利用されている」と解釈する向きがある。中国のＩＴ（情報化）技術の発展の話題になれば、「国民をすべて監視下に置く監視カメラ」が必ず言及される。実際はニューヨークやロンドンには中国各地よりもっと多くの「監視カメラ」が設置されているし、日本も近年その設置が急増している。日本各地の犯罪の多くは今や「監視カメラ」によってより簡単に割り出されている。しかし日本のそれは（犯罪対策とのニュアンスで）「防犯カメラ」と呼ばれるが、中国の同じ装置は（国民監視とのニュアンスで）「監視カメラ」と呼ばれる。常識的に考えて、中国は独裁、抑圧ばかりであれば、どうしてここまで自由の空間をベースとする情報技術が発達したのか。また、14億人の「監視」は果たして可能か、また何の意味があるのか。14億人の監視をどれぐらいの人数が行うのか。それに対する答えは難しいはずだ。

中国の道路での大量のカメラ設置について専門家の意見を聞くと、異なる管轄部門による重複設置（という「縦割り行政」）の一面と、「ビッグデータ」の収集という重要な役割が付与されている。「ビッグデータ」は個人向けではなく、社会、経済、流行ないし疾病の趨勢を把握し、その推移を予測するのに不可欠だ。米中両国は「ビッグデータ」の収集でも激しい競争を展開している。中国の動向だけをネガティブに捉える伝え方は、結果的に情報化時代の方向性をミスリードし、第4次産業革命に向けた日本自身の努力を怠らせることになる。

「超新星爆発」に譬えた別の意味

実は「超新星」説は中国からも必ずしも喜ばれない。この説のもう一つの最重要のポイントは、大爆発が短期間に生じ、その後また次の変化が生じるのが必至で、しかも変化の行方を断定的に予測できないということだ。空中分解してふんわりとみえる星雲になるかもしれないし、ブラックホールになるかもしれない。

今日の中国は上昇気流に乗っており、特に新型コロナウイルスを克服する過程では欧米先進国よりいいパフォーマンスを一時期見せた。まさに自信が満ち溢れる高揚期にある。それを背景に、「中国の政治体制は素晴らしい」との宣伝がよく聞かれ、「だから今の政治体制は（半ば）永遠に続く」とのニュアンスが伝わってくる。

だが、「超新星爆発」説は、今の中国の躍進は独特な歴史、文化、近代以来の予想外の「充電」のうえ、一定の条件下で発生したものとして、より客観的にその謎の解明に努める必要があるとともに、未来については今日の延長線上にないとの認識も前提になる。そもそも政治経済と社会に永続的なものはないし、「変わる」のが必然的である。中国自身には、当面の成功に酔いしれることなく、不可避の変化と立ちはだかる挑戦を迎える心構えをし、危機感とオープンマインド、柔軟性をもって未来志向に向かってほしい、と促したい。論語が曰く「人無遠慮、必有近憂」。遠い将来を考慮しないと、必ずや近くに憂いが生じる。老子は「物極必反」と言う。物事は極点に達すると必ず逆の方向へ転化する。

一番自信に満ちた時に受ける耳障りな話は、わざと冷や水を浴びせるものとして誰からも嫌われる。中国に対する賛否両論がはっきりと分かれる昨今において、本書は必ずしも心地よいものではないかもしれない。複合的視点、未来への視点を提示することにより、中国の現状認識とその行方に関心ある読者にとっていくらか参考になり、日中関係、日本の在り方を考えるうえでも新しい視点やヒントが生まれるきっかけになれば本書執筆の本望である。

第二章　核融合の仕組み――中国パワーの形成

「超安定構造」だった古代中国

では、中国はどうやってこんなに眩しいレーザー光線を発出するようになったのか。

超新星爆発の仕組みとして、①核爆発型超新星、②重力崩壊型超新星、の二種類がある。前者は連星で起こり、白色矮星に伴星から降り積もった物質がある質量を超えたときに内部で爆発的な核融合が生じ、星全体がふっとぶ形で生じる。後者は星の進化の末期で、中心部で鉄の光分解が生じたときに星内部に衝撃波が生じて起こる、という(『新語時事用語辞典』の説明を借用)。

これまでの中国の歴史を鳥瞰すれば、長い封建時代が続き、金属疲労と自壊作用が、時間が経つにつれて「重力崩壊」を引き起こした経緯がある。これは超新星爆発の②のパターンに近い。一方、西洋からの近代化の波が中国に巨大な衝撃を与え、それが「質量を超えた伴星からの物質」による外因に当たり、①のパターンに近い。

中国は秦の始皇帝の時代から二千年にわたって皇帝を頂点とする封建王朝体制が続いた。王朝は十幾つも交代したが、ほぼ同じパターンの繰り返しだった。ある勢力が反旗を挙げて旧王朝を倒して新王朝を誕生させるが、大体、政権初期は旧王朝の失敗を教訓に改革措置を導入する。しかし途中から中央政権が弱体化し、内憂外患に押され、王朝は終焉を迎える。次の王朝も同じ運命が重複する。このような循環が「中国社会の超安定構造」と呼ばれた（金観涛『興盛與危機：論中国社会超穏定結構』北京・法律出版社、２０１１年）。

この「超安定構造」に最初の衝撃を与えたのはアヘン戦争だった。しかし二千年の歴史で鍛えられた強靭な内部構造（哲学思想、統治方式、小農経済の基盤など）によって、相次ぐ打撃（アロー戦争、中仏戦争、日清戦争、義和団運動と八カ国連合軍の出兵など）でよろよろしながらも、アヘン戦争から数えて70年後にようやく終止符が打たれた。

清王朝の崩壊が中国の国力を一層弱めたが、一世紀後の「超新星爆発」との関連でいえば、科挙試験、官僚制度に吸収されていた知識人のエネルギーが行き場を失い、欧米から（多くは日本経由で）押し寄せられた新しい思想に飛びつき、新文化運動、五四運動を通じて発酵し、新しいマグマを形成していったことだ。吉田松陰に相当する中国近代の啓蒙者梁啓超は、これで何にでも新鮮感が湧き、探究心と行動力が旺盛な「少年中国」に生まれ変わったと比喩した。二千年も沈殿した内在的エネルギーはここで新しい化学反応を起こしていく。清王朝の滅亡は、21世紀の中国にとってまさにこのような巨大な反発力形成の新しい土台を作ったのだろう。

台湾大学教授、「中央研究院」特別研究員朱雲漢も、「国家の衰弱と内部分裂の局面は、統一した秩序の再建と、近代国家建設に関する中国の政治エリート層の強い危機感と渇望を刺激し、帝国主義の侵略も、国家観念の形成及びナショナリズムの凝集を加速させた」と指摘している（『高

思在雲　中国興起与全球秩序重組』、中国人民大学出版社、2015年)。

蔣介石と毛沢東の両時代の貢献

1912年元日、アジア最初の共和国である中華民国が誕生した。孫文、蔣介石へと続くこの時代は、軍閥の割拠、経済の衰退と貧困、軟弱な外交力と軍事力、とのイメージがまとわりつくが、在米中国人の著名な歴史学者黄仁宇(こうじんう)は、21世紀の中国にとっての歴史的役割を次のように分析した。

「今日から見れば、蔣介石と国民党政権がこの過程で行った貢献は、新中国のために、国家レベルの新しいシステムを創出したことである。それには、統一した軍隊、徴兵制、通貨、税制及び新しい教育制度が含まれる。また、対日戦争の間、機会を得て不平等条約を廃止し、その後の独立自主の基礎を作った」(『我相信中国的前途』、北京・中華書局、2015年)。

中国の近代史に有名な「五四運動」がある。それは狭義的には1919年5月4日、北京大学の学生を中心に行われた反日街頭デモに端を発し、全国的な規模に拡大した民族主義的大衆運動を指すが、広義的には、その前段階で興った中国版ルネサンス(新文化運動)も含まれ、更に事件後も続いた各地の組織的な運動に引継がれ、中国人の民族意識に初めて明確な方向を与えたものになった。

この広義の「五四運動」の時期は、二千数百年前の戦国時代の「百家争鳴」に匹敵する「思想自由」の時期であり、内外のあらゆる思想、主義、主張が紹介され、激論が交わされた。欧米近代社会の民主主義思想と理念はその間、中国に全面的に紹介され、それが知識人の意識形成に深遠な影響を及ぼした。それは見えない形で今日に至って現代中国人の思想と政治・社会を支える精神的な支柱の一つになっている。

その過程でロシア革命の影響が一番強かった。数十人の共産主義信奉者が上海に集まり、中国共産党を結党した。孫文の「聯ソ・容共」方針によって、中国共産党は国民党に「寄生」する形で初期の生存と発展を遂げた。蔣介石政権の政治軍事体制も旧ソ連から学んだものが多かった。奇しくも当時の中国で対決した二つの軍隊——蔣介石の率いる政府軍と中国共産党の赤軍にいずれも、ソ連軍から学んだ政治委員制度が設けられていた。

ただ、誇れる長い歴史と自前の哲学、思想を有する中国は、外部のものをそのまま鵜呑みにすることは絶対にしない。西洋の思想・理念が大量に持ち込まれた結果、西洋の思想と中国伝統の結合、という新しいエネルギーが形成された。「各種の主義主張が中国で併存し、様々な方法で社会的な支持基盤を求め、政策と政治面の実現を求めることが常態になった」（鄭永年『中国模式経験与困局』、浙江人民出版社、2010年）。その過程で「共産主義と民族主義の結合」という中国共産党の「特色」も形成された。

筆者は、21世紀の中国の躍進にとって精神的、思想的な原動力は二回の「思想的融合」によるものと見る。一回目は孫文・蔣介石時代に、思想的多元化が形作られる中で、「共産主義と民族主義の結合」が出来上がり、中国共産党という旧ソ連共産党と本質的に違う巨大政党が作られたこと。

次は鄧小平時代において、「中国の特色ある毛沢東時代の社会主義体制」の上に、欧米先進国から吸収した法律、経済理念と企業制度などを導入し、それが第二次核融合となり、いよいよ超新星爆発を引き起こす条件が揃った。

中国共産党が全国を制覇し、１９４９年、中華人民共和国を樹立した。毛沢東時代（１９７６年の死去まで）は政治の混乱（文化大革命）、無謀な人海戦術（大躍進運動）、鎖国、貧困といったイメージが先に浮かぶが、前出の歴史学者黄仁宇は、21世紀の中国の躍進にとっての毛沢東時代の貢献は、新たな下部組織を構築し、更に大衆運動を何度も発動することにより、「新しい国家レベルの体制もあれば、新たに形成した基層組織もあり、上意下達で上下が連動するシステムが出来上がった」ことを挙げている。確かに社会の隅々まで行き渡る有効な下部組織があって、青写真なく試行錯誤の連続だった鄧小平時代の改革開放路線を持続させる基盤はここでできたのである。

それとともに、毛沢東の新中国は、中国大陸の統一を実現し、独立を確保する点においても、21世紀の中国にとって重要な遺産だったと言えよう。

朝鮮戦争参戦の再評価

現代中国史の展開を見るうえで、朝鮮戦争参戦の深遠なインパクトに触れたい。

アヘン戦争以来、中国は対外戦争で負け戦が続き、第二次世界大戦で形の上で戦勝国になったものの、中国にだまって米英ソが裏で結んだ「ヤルタ協定」によって、各国とも中国領と認めていた外モンゴルが分離され、中国東北部もソ連の勢力圏に入った。日中戦争中主にゲリラ部隊だった中国共産党の軍隊は第二次大戦後、米国の武器装備で武装された国民政府軍を打ち負かし、天下を取ったが、その実力は、日本を壊滅させた米国や、スターリンのソ連から内心は軽視されていた。この中国のイメージを一変させ、世界最強の米国からも無視できない存在と印象付けた転換点は、毛沢東の朝鮮戦争参戦の決断と、戦場における米軍との互角の戦いだった。

中国人民義勇軍は戦争初期に、相手の傲慢に付け込み、不意打ちの攻撃で戦線を再び38度線に押し戻しただけでなく、その後、米国はかつての対日作戦をはるかに上回る物量作戦と圧倒的な先進兵器を駆使しても、中国軍の防御ラインを切り崩すことができなかった。朝鮮戦争は米国にとって「初めて勝てなかった」戦争になり、国連軍総司令官だったマッカーサーに「中国陸軍と戦うのは狂気の考えだ」と言わせたほどだった。

60年代に入って、ベトナム戦争がエスカレートしていく中で、中国陸軍との対戦をいかに避けるかは米国の政策決定における主要な検討事項の一つだった。戦場で真っ向から戦ったのは米軍（南ベトナム軍や韓国など一部の参戦軍を含む）と「ベトコン」（北ベトナム正規軍が中心）だったが、後者の背後で中国と旧ソ連が力強く支援していたことはよく知られる。とりわけ戦争が激化した1965年以後の数年間、北ベトナムを主に支援したのは中国だった。まさに「中国」ファクターの存在が、戦争の方向を決定づけ、米国を勝ち目のない戦争の泥沼に溺れさせたのである。

筆者は著書『毛沢東のベトナム戦争　中国外交の大転換と文化大革命の起源』（東京大学出版会、2001年）の中で、米中間が最初に交わしたその裏合意について、おそらく研究書としては初めて検証した。64年夏のトンキン湾事件、65年春の「北爆」を経てベトナム戦争に対する米軍の大規模介入が避けられない情勢になっていた裏では、敵対関係にあったはずの米中両国の首脳同士は、パキスタンやイギリスなどのルートを通じて相手の思惑を探り、自分側の意思を伝えあっていた。5月に入って双方の間で、米軍は「南打北炸」（南ベトナムで直接に参戦するが北ベトナムに対しては空爆のみ）で、中国軍は北ベトナムを防御するが、南ベトナムには軍人を派遣しない、という暗黙の了解が交わされた。これで米軍側は、南ベトナムの「ベトコン」の本巣である北ベトナムに決定的打撃を与えられない、手足を縛られる戦争を強いられた。結局、1972年、北ベトナムと和平協定を結び、その3年後、インドシナからの完全撤退を余儀なくされた。

このように、朝鮮戦争で見せた中国軍の実力的、精神的両面の力が、新中国の安全保障にとって最強の砦になった。巨大中国の本土がその後の数十年間、戦争に巻き込まれなかったことも、21世紀に入ってからの「テイクオフ」にとって重要な環境整備の一環となったと言える。

毛沢東時代の功罪

毛沢東時代の中国には他方、権力闘争、社会の混乱、経済の失敗という影の一面が多かったことは言うまでもない。国造りの視点から見れば、7割が失敗だった。後に中国自身が認めたように、文化大革命は中国にとって大きな災難であった。中国経済は1950年代、日本と戦後復興の速度を争うほどの勢いがあったが、60年代以降は完全に脱落し、毛沢東が死去した76年頃は、新興国として台頭した東南アジア諸国の経済発展にも大きく水を開けられた。

一方、長い歴史的スパンで見れば、その間に、21世紀の中国躍進にとっての遠因、背景的要因もいくつか出来上がっていた。前述の、国家の意思が隅々まで貫徹できる体制づくり、という点以外、以下のような特徴が形成されたと指摘することができる。

第一に、朝鮮戦争以降、米国による厳しい封じ込め政策を受け、後に旧ソ連とも絶縁した中で、中国は「自力更生」の路線を歩むことを余儀なくされた。それが結果的には、中国が世界的なサプライチェーンに参加できない代わりに、すべての経済分野において自国の産業と技術を確保できた。当時の産業と技術はレベルが低いものの、「ある」のと「ない」のとでは決定的に違っていた。中国でよく使われる譬えはスズメで、「スズメは小さいが、内臓は鷹と同じようにすべての機能がそろう」ものだ。全分野、全要素の工業基盤をベースに、鄧小平時代になると、躍進の最低限の基盤が出来上がっていた。

第二に、ハイテク技術を開発する技術人材が蓄積されたこと。米ソと対抗するのに、中国も先端兵器を手にする必要があるとして、核兵器、長距離ミサイル、人工衛星、原潜などを毛沢東時代に開発した。これらのハイテク開発を引率した中心人物の多くは、欧米留学からの帰国者だった。そのすそ野に、中国自身が育成する人材も輩出するようになっていた。

第三に、文化大革命の大失敗は幸か不幸か、「文革世代」を作った。一番苦しい、厳しい時代を生き抜いた人は意志と耐える力が鍛えられ、後に大化けする力を有する。戦後日本の高度成長を支えたのが「団塊世代」と言われるのと同じように、80年代、90年代の中国の復興期を支えたのも文革世代だった。

中国人は「天命」をよく信じる。古代では、天災地変が起こると、天の申し子とされる皇帝は謝罪詔書を出さなければならなかった。この「天命」は1976年の中国にも現れた。世界最大の隕石が遼寧省に落ち（3月8日）、20万人以上の死者を出した百年ぶりの唐山大地震が発生した（6月）。その傍ら、新中国の建国三巨頭、周恩来首相（1月）、朱徳元解放軍総司令官・全人代常務委員長（7月）、毛沢東主席（9月）が相次いで辞世した。毛沢東死去後一か月未満に、いわゆる「四人組」が追放され、現代中国最大の政変が発生した。

その後の二年間は、華国鋒政権が毛沢東路線の継承を中心とする政策を続けたが、1978年12月、中国共産党第11期三中全会が開かれ、経済発展を中心とする路線への転換が決定され、実権を握った鄧小平はそれ以降、改革開放政策を指導していく。それまで蓄積された様々な要素がかみ合って、その上で鄧小平の「魔の手」によって中国はいよいよ超新星爆発の時代を迎える。

前出の在米中国人歴史学者黄仁宇は、1912年以後の中国を一つの経済・政治・社会の進化のプロセスと見る。孫文・蔣介石時代では現代国家の上部構造が形成され、毛沢東時代では民衆まで意思が伝わる下部構造が出来上がり、その上で鄧小平時代では、司法、銀行、税収、物流といった近代的市場経済を支える「中部構造」が構築された。このような上中下の三者からなる国家の統治構造の形成と密接な呼応が中国を予想以上に躍進させた、としている。

中国を超新星爆発させる上で、種々の要素が揃っても、決定的な核融合反応を起こさせたのが鄧小平時代であることに異論はなかろう。この時代は中国では、鄧小平死後の、彼の路線を継承した江沢民、胡錦濤という両政権も含むと理解される。大雑把に、毛沢東時代は30年（1949年の建国から78年）、鄧小平時代も30年（1978年から胡錦涛政権の退陣まで、実際は33年）

と呼ばれる。

鄧小平時代の30年はいかに各要素を核融合させたのか、その間にどういう光と影の二面性があったのか。これを理解すれば、習近平時代の多くの政策措置に関しても再解釈、再評価できるようになるし、中国の行方を見極める上でもヒントが読み取れると思われる。

歴史と文化からのアプローチ

歴史的背景、文化的素地といった超新星爆発をもたらす各要素から「中国の成功」を解析する研究者もいる。イギリス人学者マーティン・ヤックス（Matin Jacques）が09年、『When China Rules the World: The End of the Western World and the Birth of a New Global Order』（中国が世界を支配する日：西側世界の終焉と新国際秩序の誕生）という話題作を出版した。その中で著者は、中国が文明型国家であるがゆえに成功し、「世界に西側文明など複数の文明があるが、中国は唯一の文明型国家である。中国人は国家を監督者、管理者、文明の化身と捉え、その職責は国家の統一に対する保証と見なす。中国の国家の合法性は歴史に由来するもので、西側の人間がイメージする国家とは異なる」と指摘した。ただ、著者は、中国の「民族国家」の特性と「文明国家」の特性の間に衝突が時々生じ、それが中国を「予測困難な違う方向」に引っ張っていくとも指摘し、「中国人の自信と優越感は現有の国際秩序へのある種の挑戦を起こす」とも予測した。

その見解に近く、あるいはそこからヒントを得て、21年4月、中央政治局の定例学習会で講師を担当した張維為（ちょういい）・復旦大学教授は、中国は「民族国家」と「文明国家」を融合させた「文明型国家」（Civilizational-State）に進化しているとして、それが現代中国の躍進を構造的に支えたとの論説を展開している。彼は「文明型国家」中国を構成する八つの要素として、①超大型の人口規模、②超広大な境域と国土、③超悠久な歴史伝統、④超重厚な文化蓄積、⑤独特な言語、⑥独特な政治体制、⑦独特な社会構造、⑧独特な経済構造、を挙げている。（『中国震撼　一個〝文明型〟国家的崛起』、世紀出版集団・上海人民出版社、２０１１年）。

今日中国の躍進を「文明型国家」モデルで解釈することは、その自然、歴史、文化、政治、経済の背景に視野を広げさせるのに意味がある。現代中国で経験した多くの試練（天安門事件や、経済過熱、格差の拡大など）は、鄧小平ら指導者が歴史的経験、蓄積と知恵を持っていなければ、乗り越えられなかったかもしれない。中国ストーリーは別の国で複製するのも難しい。

社会学者の橋爪大三郎氏は、大澤真幸・元京都大学教授との対談でも興味深い見方を示している。欧米の西側世界は強烈な宗教意識に由来した価値観で中国を批判するが、「中国共産党の支配を理解するには、大陸における中国の帝国としての歴史を理解しないといけない」。「政治的な民主主義と、経済的な資本主義は車の両輪で、これがかみ合って近代化が進む。これ以外のやり方はない」という「私たちの常識が揺らぎ始めている」。自由主義＋民主主義＋資本主義がセットで走り出したのは、二百年あまり前のフランス革命あたりからだった。その前に絶対王政という、「専制的な権力が揺りかごになって資本主義が育てられていた前段階があったことを忘れてはいけない」。

中国の伝統王朝も絶対王政と似ていたため、「専制的な権力と経済的な繁栄が二千年も結びついてきたという、歴史的な経験値がある」。「だから、中国から見ると、政治的な民主主義と経済的な繁栄がカップルになる必然性がない」。「中国からすると、西側に対するオルタナティブ・チョイス（代替案）を提案しているつもりなんか全然ない」「単に昔からのやり方をやっているだけ」。「いずれにせよ、中国の現在の成功を見ると、僕らが考えていた社会科学の常識が引っくり返ることばかりで、驚きの連続です」。（「意外と知らない中国式の『国家資本主義』その本質」、東洋経済オンライン、21年11月11日）

この文明史的な洞察と分析に基本的に賛同するが、ただ、中国が躍進したからこれらの「文明」要素を並べることには、後出しじゃんけんのきらいもある。それを「必然的」、絶対的なこととして、「発生しないことが不思議だ」と断定して見てしまうと、疑問も生じてくる。なぜこの成功は鄧小平時代の前に起こらなかったのか。なぜ重厚な文明の蓄積があるにもかかわらず、少なくてもアヘン戦争以来、20世紀末までのおよそ１５０年間、中国は逆に世界に大幅に遅れてしまったのか。文明論、運命論的な解釈はこれらの疑問に答えなければならない。

ノーベル賞学者の自己批判

やはり文明論など、歴史的蓄積を鄧小平時代がいかに核融合させたのか、という化学反応のプロセスをもっと見る必要がある。

著名な経済理論の学者、ノーベル経済学賞受賞者ポール・サミュルソンは、比較優位の理論を長年唱えてきたが、『経済展望評論（Review of Economic Perspectives）』誌への寄稿（２００５年）では、中国のケースはこの理論を揺るがしかねないと自分への疑問を提起し、「以下の三つの要素が我々に、21世紀に入って中国が世界経済で突如台頭した現実に直面し、過去の歴史および蒼白な理論が十分な解釈を提供できるか自問させた」と書いた。

第一の要素、これは正真正銘の巨大国家だからである。世界人口総数の5分の1を占める。産業革命以来、19世紀の米国の台頭を含めても工業国クラブはこれほど人口の多い入会者に出会ったことがない。

第二の要素は中国の独特な歴史にある。四千年の文明を遡らなくても、１９７８年以降の中国は、完全に閉鎖していた国を対外開放にしたこと、国家の主導を市場主導へ移行し、農業社会から工業化へ、自給自足から世界市場依存へ、というような革命ともいえる三つの重大な転換を遂げた。「鄧小平と彼の後継者が指導する中国は19世紀の米国の西部に似ている。法整備はまだ萌芽の状態にあり、けん制勢力はほとんど存在しない。かつての米国西部と違ったのは、中国は巨大で強力な政府をもっていることだ」。

第三の要素は独特なタイミングである。中国のテイクオフはネットとジェット飛行機の時代に現れた。物資と資本、人員の流動はかつてない規模であり、このような流動性は主に新型の交通機関、国際貿易の自由化、およびＷＴＯ（世界貿易機関）の推進によってもたらされた。中国も２００１年ＷＴＯに正式に加盟した。

この滑走路に上がった飛行機は、莫大な規模（世界最多の人口）、独特なエンジン（スーパー資本主義）を持ち、最も良いテイクオフのタイミングに間に合った。

サミュルソンは最後にこう綴った。

「19世紀は我々にとって屈辱的な世紀だった。20世紀は復興の世紀だ。21世紀は我々がリードする世紀になる」。北京ではこのような豪語を何度も耳にした。（中略）中国の台頭は今世紀の重大な経済事件であり、我々の経済と日常生活のほぼあらゆる方面に影響を及ぼし、そして影響を一段と大きくしていくだろう。（中略）今後、中国の影から逃れる場所はほとんどない。「中国が目覚めた時、世界が震える」。これはナポレオンの名言だ。巨人はすでに立ち上がった。地響きで伝わってくる衝撃波はその接近を宣言している。

中国の真似できない「スケールの大きさ」に触れる時、あるエピソードを思い出す。エズラ・ボーゲル氏がかつて『ジャパン・アズ・ナンバーワン』（原題：Japan as Number One: Lessons for America、１９７９年出版）を出したが、１９８９年、『中国の実験――改革下の広東』（日本語訳、日本経済新聞社、１９９１年）を出版した。「なぜ日本についてのことを書いたのに対し、中国については広東省という一地方しか取り上げなかったのか」との記者の質問に対し、ボーゲル氏は、「中国は大きすぎる。中国社会の一角しか書けないからだ」と答えた。

ちなみに、「超新星爆発」は「太陽の8倍以上の恒星」というスケールの前提条件もあるという。中国の台頭はそのスケールの大きさも必須条件であり、その内外へのインパクトも常識を超えるものがあるということになる。

前出した台湾学者朱雲漢は、「改革開放が中国にもたらしたのは千年以来未曽有の大変化であり、世界にもたらしたのは歴史の座標軸が回転し始めることだ。中国の発展の経験は人類社会のあらゆる歴史記録を打破し、西側の主流的社会科学による様々な解釈モデルと理論予測を転覆した」と指摘し、その上で、21世紀の人類社会は、米国の一極体制の衰退、現在の民主化の波の後退、資本主義のグローバリゼーションが袋小路に陥り、西側中心の世界の没落、という四つの「激変」が生じており、中国の台頭がこの趨勢を加速させたと分析し、「西側文明に基づいて『進歩』と『落後』を判断する過去の座標軸が問われており、西側文明への融合は必ずしも『進歩』ではなく、自国の文化伝統と新たに結合したモデルは必ずしも『落後』したものではない」と強調した（前出『高思在雲　中国興起与全球秩序重組』）。

鄧小平時代の躍進を支える八本の柱

次は鄧小平時代の戦略、政策と内外背景、という直接的な要因について見ていく。

米国の未来学者ジョン・ネイスビッツ（John Naisbitt）は１９８２年、未来社会を予測する名著『Megatrends: Ten New Directions Transforming Our Lives』（Warner Books、日本語版は竹村健一訳『メガトレンド』、三笠書房、１９８３年）を出して世界的に話題を呼んだ。21世紀に入ってから中国の二つの大学で教授を務め、彼の名前で命名する研究所「ネイスビット中国研究所」も開設したが、09年、『中国のメガトレンド』（中華工商聯合出版社）を出版し、その中で中国の躍進を支える８つの支柱をまとめた。

①思想解放：企業、地域、個人の発展につながるものなら何でも導入、実験が許される政策

②政府の政策と決定の貫徹を確保する「上令下達」と、民衆の意見や不満を集約する「下意上達」

システムの同時存在と結合

③政府は大枠を作り、枠の中では自由な探索を認めるやり方：「森」を企画し、「樹木」を自由に成長させる仕組み

④「試点」と呼ばれる政策の実験を大胆に行い、その経験と教訓を総括してから全国的に広げる「石橋を叩いて渡る」実践方法

⑤文化と芸術、学術の発展とそれによる社会への役割の重視

⑥思い切った対外開放政策を実施し、「世界に融合する」方向を貫いたこと

⑦社会政策と経済政策における「自由」と「公平」のバランスの追求

⑧「模倣」から「創新」へいち早く脱皮し、「イノベーション国家」に向かっていること。

彼の夫人ドレス・ネイスビッツも『中国のメガトレンド』の共著者で、中国滞在の経験に基づき、世界各国の優れた点はすべて導入しながらも、鵜呑みせず、一つのイデオロギーにとらわれず、自国の実際状況（国情）に合わせて模索し、それに適した方法を見つける点が、宗教などイデオロギーにこだわる欧米と違って中国が成功したポイントだと指摘した（『対話 中国模式 趙啓正とネイスビッツ夫妻の対話録』、北京・新世界出版社、10年）。

「崩壊論」を捉え直す

しかし鄧小平時代はすべてが賛美されるものではない。民主化運動を武力で弾圧した天安門事

件は、歴史の汚点として残るだろう。ただここでは別の角度で、長年にわたって中国論の主流を占めた「中国崩壊論」を紹介し、鄧小平時代の光と影の両方を改めて見直したい。それが賛否両論を呼ぶ習近平時代に断行された一連の措置と関係があるからだ。

「崩壊論」の代表者は、米国在住中国系弁護士・ジャーナリストのゴードン・チャン（章家敦）。彼が01年7月に出版した「The Coming Collapse of China」は3か月後、『やがて中国の崩壊がはじまる』との書名で日本語版も出て、序文では「日本よ、中国の崩壊に備えよ……」と警鐘を鳴らした（草思社　01年10月）。彼は米国議会の公聴会で証言したり、『ニューヨーク・タイムズ』など主要誌に寄稿したりしたが、唱えた「崩壊論」は主に以下の観点である。

①「驚異の経済成長」をとげたと言われる中国は「張り子の虎」にすぎない。火のついたマッチ一本で爆発する「ガソリンの湖」になる。
②幹部の腐敗、瀕死の国有企業、法輪功の抵抗、各地で頻発する労働者・農民のデモ、チベットやウイグルの分離運動、台湾の独立など、解決方法のない問題が山積。
③中国共産党は究極のジレンマを抱え、WTO加盟から5年以内に一党独裁体制は終焉を迎える。

同様の「中国崩壊論」の言説は、日本でも満ち溢れていた。例えば、自分の書棚の隅に置いた書籍『データで読み解く中国経済―やがて中国の失速がはじまる』（川島博之、東洋経済新報社、12年11月）は、自称「システム分析」の手法を用い、中国経済は、過去20年間にわたり謳歌してきたバブルが崩壊し、低成長を余儀なくされる「失われた20年」が始まったと分析し、貧富の格差が拡大し汚職がはびこるという奇跡の成長の「からくり」を暴いている。

ここで揶揄するつもりで「崩壊論」を取り上げたのではない。次章との関連でいえば、実は習近平がトップの座につく前後、汚職腐敗、利益集団の横行、民衆の不満は外部に伝えられた情報よりももっと深刻な状況にあった。建国世代の親を持つ習氏はこれらの内部情報を知り尽くしていたし、人一倍の危機意識を持っていたと考えられる。5年間の副主席の「雌伏」期間中に、「共産党が中国を救う」と信じて疑わない彼は、自分の手でこれらの問題にメスを入れ、「社会主義中国を救う」と決意を固めたと想像できる。

だから、新政権になって、一連の電撃的な新政策、新措置が矢継ぎ早に打ち出されたのである。

第三章　習近平時代――未知への新しい長征

雌伏時代の沈思

習近平氏が２００７年秋の党大会で政治局常務委員会入りし、翌年春の全人代で国家副主席に就任した時点で、ポスト胡錦涛の次期指導者に内定された。後継者は正式に就任するまで大抵、低姿勢を保つ。習氏もその間、目立った行動が見られなかった。記憶に残るのはその間の11年、副主席として訪米し、かつて一か月以上滞在経験のあったイリノイ州に寄って旧友と懇談したことだ。中国にとって米国は最重要な外交相手国で、次期指導者がトップの座につく前に訪米するとの慣例は胡錦涛、習近平の両時代に続いた。

02年、次期総書記と国家主席に内定した胡錦涛氏も訪米した。ちょうど筆者はジョージ・ワシントン大学の客員研究員としてワシントンＤＣに滞在していたので、米側の友人から次のようなエピソードを聞いた。「９・11」事件直後の親密な関係を演出するため、ジュニア・ブッシュ大統領は、胡氏が首都の中央通りでオープンカーに乗って自分も同行して行進しようと提案した。

米国人の感覚で言えば、米国民に「次期の中国リーダー」を知ってもらう、という完全な好意による提案だったが、かたくなに断られた。中国文化の感覚では、トップの地位に正式に就任するまで、低姿勢を貫き、我慢が要諦で、特に現職指導者に不快感を与えたり、反対勢力に揚げ足を取られたりするような真似を絶対やってはいけない。江沢民主席も訪米したことがあるが、首都の目抜き通りでオープンカーに乗るような待遇は受けなかったから、胡氏としては前任者を超えるようなパフォーマンスはなおさらタブーだ。

ブッシュ大統領の好意が断られた理由について当時内外でいろいろと穿鑿されたが、中国の政治感覚では賢明な決定だった。その後、胡錦涛氏は無事に中国のトップに昇格した。

専門家によれば、習氏は02年から03年、すなわち胡錦涛政権ができた時点で、有力な後継者の一人に絞られていた。その間、彼は行動や公式発言においては努めて控えめだったが、「政権構想」を何も考えないわけではなかった。02年11月の浙江省党書記就任後、さっそく現地でブレーン集団を作り、党機関紙『浙江日報』の一面に「之江新語」という特集欄を開設し、03年2月から07年3月まで、合わせて232本の論評を掲載した。コラム執筆者の署名は「哲欣」となっている。これらの言説は『之江新語』の題名で14年8月に習近平の著書として出版され、複数の外国語にも翻訳されており、実質的に「習近平思想」のひな型になった。ただ、彼がトップの座につくまで、その真の作者が習近平であることは公表されていなかった。

父親習仲勳の烙印

習近平氏の信念、発想と行動パターンはその父親から受けた影響が大きい。父親習仲勲（しゅうちゅうくん）は建国世代の指導者の一人で、党中央宣伝部長、政務院（後の国務院）秘書長、１９５８年から副首相兼国務院秘書長といった要職を歴任した。しかし62年、権力闘争に巻き込まれて失脚し、党内外の全職務を解任された。その後、78年までの16年間、長年の監禁生活を含め、ずっと日の目を見ない人生を送った。それゆえ、文化大革命が終わって名誉が回復された後、開明的指導者胡耀邦総書記に協力し、多数の打倒された幹部の復活を果たした。深圳を経済特区とする構想も彼が提起したと言われる。

父親から少なくとも二重の影響を受けた。一つは建国世代がゆえに持つ現政権に対する熱愛と執着。社会主義の道を信じて疑わず、総書記に選出された12年11月の第18回党大会で、「社会主義のみが中国を救うことができる」と宣言した。オックスフォード大学の中国史専門のラナ・ミッター教授も「習氏は新自由主義改革による平等性の毀損という、極めて現代的な問題に取り組み、毛沢東主義だった初期の中国を成していた使命感を取り戻したいようだ」と指摘している（21年9月12日付ロイター通信記事）。そのような信念に由来して、この政権と政党を継承し強化するためには他の人より倍の情熱、決意を持つことが後の一連の行動で証明された。

今は米政府の対中政策立案者であるカート・キャンベル（Kurt Campbell）は21年3月11日、ワシントンＤＣにあるジェームズ基金会が主催するシンポジウムで次のような話を披露した。習が国家副主席として訪米した際、彼はバイデン副大統領に伴って全日程に同行したが、近距離で観察した結論として、「習氏は建国初期の共産主義社会に強い未練が残っており、『中国の最後一人の真の共産主義の信奉者』であると思うように至った」。

習氏の信念形成における父親の影響は、イデオロギー面だけではない。習仲勲氏は貧困地域だった陝西省の出身で、沿海部と内陸部との経済・社会面のギャップが極めて大きいことを熟知し、また古都長安近くの生まれのため歴代王朝の伝統的統治方式も見聞している。毛沢東が権力を掌握し、新中国を立ち上げたのはレーニン・スターリンの理論を鵜呑みにしたのではなく、「マルクス主義を中国革命の実践と結合させた」現実主義によるものだと認識している。また、自分が冤罪をかぶせられて苦難を嘗め尽くしたため、毛沢東ら指導者を尊敬するが盲信もない。そして、権力闘争の厳しさ、容赦のなさを心得ている。これらの政治信念と知恵、手腕が習近平氏に受け継がれた。

そこで習氏は有名な「自分の足に見合った靴が最適」という持論をもっている。13年3月23日、国家主席としてロシア訪問中、モスクワ国際関係学院で講演した際、「靴が足に合うかどうか自分が穿いてみて初めて分かる。一国の発展道路がその国に適合するかどうかも、その国の人民が最も発言権がある」と公式に発言している。あくまでも中国の実情（発展レベル、文化、思考様式など）に合わせて、マルクス主義の原則論を（大義名分として）守りながら、歴史上有効だった統治方式も「借用」し、「中国の特色ある社会主義」の発展モデルにこだわる、ということだ。ニュアンスが違うが、「白猫でも黒猫でもネズミを掴むのはいい猫」という「猫論」を有する鄧小平と同じように、自分の信念、哲学を持っていることだ。

親から受けた第二の影響、恩恵と言ったほうがいいかもしれないが、習仲勲氏が文革中に失脚した多くの高級幹部の名誉回復のために奔走したことは、後に政権中枢に復帰した多くの幹部に、「恩義」を感じさせ、彼の息子を政権のトップに押すことに少なからぬ力を貸すことになった。

またその関連で、これら「老幹部」の子弟たち、中国では「紅二代（こうにだい）」と、海外では「太子党（たいしとう）」と呼ばれる人たちも、習政権の樹立と、彼が断行した反腐敗運動を強く支持する中心勢力になった。親の陰徳が支えるところがあったのだ。

第三は、父親が失脚後16年間も憂鬱な日々を送ったこと、彼自身も文革中、中学生ながら散々批判されて4回も投獄されたこと、その後6年間辺鄙な農村で働いたこと、といった影響が身に染みている。この過程で習氏は我慢強い、劣勢の時は譲歩・妥協も心得る、目標と理想をなし遂げるのに人の何倍もの決意と気力を持つ、というような人格を形成したと考えられる。

このような背景の要因が分かれば、習近平時代の多くの政策決定を比較的合理的に解釈できるようになる。

中国国内の異なる評価

習近平時代はすでに10年も続いた。国際社会の評価が二分化していると同じように、中国の中でも受け止め方がまちまちのようだ。多くの政府役人は口先で支持を言いながらも、内心怖がっている。あとで詳しく検証する「反腐敗闘争」の矛先は、まさに現役役人を含む既得権益層に向けられているからだ。いわゆる太子党グループは習氏のトップ就任を支持した重要な勢力だったが、後にその特権と既得権益が次々と剥奪されていった。

太子党グループはその後分裂し、ほとんど習氏と距離を置くようになった。その中の左派グループは、「習氏が真の毛沢東路線に戻っていない」として陰に陽に現行路線を批判しているため、彼らが運営する左派のネットサイト、例えば「烏有之郷網」、「毛沢東旗幟網」、「紅色中国網」、「中国工人網」などは相次いで閉鎖された。そのうち、国家主席だった李先念（りせんねん）の秘書、国家統計局長などの要職を歴任した者が中心となって開設した「毛沢東旗幟網」は12年4月に閉鎖された。これは同年夏、「大地微々網」の名前で再開したが、間もなく再び閉鎖。14年11月、「毛沢東思想旗幟網」で復活したものの、三度目の閉鎖。さらに15年10月、「撃水中流網」の名前で登録したが、四度目の閉鎖。17年7月、極左的な内容の自制などの条件を受け入れて再開されている。ほかの左派サイトも似たような状況である。他方、右派グループは、文革路線と徹底的に決別し、西側の「普遍的価値観」を取り入れるべきと主張し、現体制と袂を分かっている。かつての支持基盤が離れた結果、習政権は福建、浙江、上海などかつて任職した地方から多くの幹部を抜擢し、新しい支持基盤を形成している。

　経済界の受け止め方は複雑だ。この10年間、中国経済が引き続き大きく伸びており、企業家たちも潤ったが、近年、経営環境の悪化、思想教育の強化、「共同富裕」論の強調に対し、締め付けと感じている人は多い。特に大手ＩＴ企業が21年夏の段階で相次いで巨額の罰金を科せられたのを見て、動揺が広まった。ただ、海外を見渡して中国より「まし」な投資・経営環境はないので、現地で頑張る以外にないという心境のようだ。

　知識人の感覚も、企業家たちに似ているが、もっとプレッシャーを感じている。この40年間、知識人が先頭に立って欧米先進国の理念、地域、情報を持ちこみ、西側世界の自由に対する憧れが普遍的だが、現在の思想教育強化に戸惑いを感じている。一方、米国の対中バッシングは中国を自由、民主主義の方向に誘導しているのではなく、中国を叩き潰すためとの認識も広まっており、大半は様子見しているようだ。

それに対して一般民衆、特に低所得層、農村と内陸部では、習近平体制に対する支持は圧倒的に高い。政治教育などは彼らとあまり関係がない分、締め付けが悪いと思わないし、それより、役人の腐敗対策、貧困解消に対して現政権が本気に対処してくれていると見て評価し支持している。

中国の未来を占ううえで、若い世代の政治傾向は特に注目される。ネットの世界で政府や役人の多くのやり方を公然と批判する一方、コロナ対策における政府の対応を高く評価している。米国の中国バッシングを背景に、当局が香港に導入した「国家安全維持法」に対する支持率はかなり高い。台湾問題に関しても、米国の「陰謀」、蔡英文政権の言動に強く反発し、統一への支持はもちろん、「武力統一」に対する支持の声も高まっている。もっとも若い世代の世論は内外情勢の変化に伴ってアップダウンが激しい特徴がある。

歴史に残る足跡

以上のような分析は多くの世論調査やデータに裏付けられるが、主に筆者個人の受け止め方だ。次は北京大学国際関係学院の院長を長く務めた古い友人の賈慶国（かけいこく）教授の現政権評価を紹介したい。彼は共産党員ではなく、無党派人士として全国政治協商会議の常務委員になっており、中国の伝統的知識人を代表するような冷静さ、広い視野の持ち主と評価されている。習近平政権の10年について歴史がどう評価するか分からないが、中国の現代化の道のりに三つの大きな成果を成し遂げたと賈氏は語ってくれた。

一つは反腐敗闘争。先進国ではない発展段階の国々において、ここまで徹底ぶりを見せた前例はほかにない。それが民衆の政府信頼度回復、行政の効率向上、長期的には法治国家作りにとって、効果をもたらしている、という。「反腐敗闘争」の実態については後に検証する。

二つ目は2020年に達成した「全面小康社会」の目標だ。15年の時点では、中国にはまだ国連基準でいう貧困層の人口が5000万人以上いたが、最後に残った貧困層は主に山奥や自然環境が極めて厳しい地域に住む人たちで、対策は以前に比べて数倍も難しくなった。それでも残りの5年間、毎年1000万人の貧困脱却という具体的目標を掲げ、莫大な資金とエネルギーをつぎ込み、ついに20年までに、すべての貧困層をなくすという歴史的偉業を達成した。低所得層はまだ6億人いると李克強首相は言っているが、衣食住という基本的ニーズも満たされない最貧困層を消滅させた意義はやはり大きい。この30年の間、中国では8億人以上が貧困から脱却し、これは全世界の同統計の3分の2以上を占めると国連報告書は述べている。

もう一つは環境対策。中国の工業化の規模と勢いは世界に前例がないが、それと比例的に、環境汚染の発生と拡大の速度、スケールも類を見ないものがあった。特に21世紀に入ってからの最初の15年間、環境汚染が世界でも最も深刻な状況だった。どの先進国も工業化の過程で環境汚染が発生したが、問題は発展を維持しながら環境汚染の問題をいかに早く解決するかである。日本も高度成長期は、環境汚染が深刻だった。だが国を上げての環境対策に成功し、今や美しい日本と称賛されるようになった。一方の中国は、まだ工業化の発展過程にあり、環境対策に向けた国民の意識が薄く、地域差が大きく（内陸部にいくほど環境保護よりまず経済成長という傾向がある）、投下資金も十分ではなかった。それでも、厳格な環境政策の導入、問題が発生したら現地責任者を追究する問責制度の徹底、そして国民意識の喚起、大量の環境対策ＮＰＯ（非営利団体）の活動などにより、短期間に目に見える成果を上げた。北京は一時期、青空が出るのが珍しいぐらい大気汚染が深刻だったが、今は明らかに改善された。北京冬季五輪はかつて大気汚染が最も深刻だった工業地帯で催行されたが、環境汚染へのクレームがほとんど出なかった。世界保健機関（ＷＨＯ）の採点によると、全世界で大気汚染が最も深刻な都市の四分の三は今、インドに集中しており、中国は大幅に減少した。もっとも中国の地方にはまだ環境汚染が存在するところがあり、公害被害者に対する補償、賠償などの問題も未解決だ。

賈教授が挙げたこの三つの成果に関して私も賛同する。中国の現状を見るうえで、数十年ないし百年以上で達成した先進国レベルの基準では測れないし、一部の色眼鏡をかけた決めつけはなお、客観的な評価につながらない。中国はわずか20、30年前までは世界の最貧国の一つだった。今、新興国と呼ばれるが、まだ途上国の発展段階だ。中国の発展と変化は、他の途上国とも比較し歴史の進行の中で評価されるべきだ。

「ゼロコロナ」政策を取る背景

以上の3点以外、中国のコロナ対策、および長期ビジョンである新しい三段階発展戦略を打ち出したことも、マクロ的に中国の現状と行方を見るうえで重要だ。

コロナウイルスの発生原因はいまだに結論が出ていない。研究所から作り出されたといった説は99％の専門家から否定されている。バイデン大統領の命令で米国の情報機関が90日間総力を挙げて行った調査でも、最後の結論は「永遠に分からないかもしれない」というものだった。その後、デルタ株、オミクロン株など次々と変異し、対策むなしく世界を何度も席巻したところから見ると、人間の能力をはるかに超えたウイルスの自然変異の結果である可能性が一番大きいだろう。

このような前代未聞のウイルスが発生した直後、中国の対応の初動に遅れがあったことは事実だ。中国政府感染症担当部門が20年1月3日の時点でWHO等に通報したものの、1月20日になって初めて国内に緊急事態宣言が発布された。1月中旬には地方政府の政治イベント（毎年春に開かれる全人代に向けた地方の人民代表大会等）が優先開催され、その間一週間ほど感染者数が公表されなかった。同年2月の政治局会議で、習近平主席は「感染症の対応に誤りがあった」と認め、「中国の統治能力にとって大きな試練であり、一連の対応で至らない部分が明るみに出た」との認識を示した。

客観的に見て、初動遅れの原因をもっぱら政治に帰すべきではない。中国の専門家たちは03年に勃発したSARS（新型肺炎）の経験則から得た三つの目安（最初の感染者が出た海鮮市場との関連、発熱症状、PCR検査結果）に基づいて判断していたため、1月17日になって初めて「人から人への感染があり得る」との統一見解が見出された。市民がパニックに陥り、病院に押し寄せ、現地の医療体制が崩壊したのも感染拡大に拍車をかけた。東北大学の押谷仁教授はNHKの番組で、仮に日本でこのような未知のウイルスに遭遇したとすれば「我々も同じ対応で同じ失敗をしていただろう」と語っている。日本は武漢の教訓から医療体制の崩壊を避けることを優先にすべきとの経験を総括し活用した。それに比べ、米国はじめ多くの先進国は中国の混乱発生後、一カ月以上の準備期間があったにもかかわらず、同じ「初動遅れ」の轍を踏み、中国をはるかに上回る被害に至った。インドに至っては21年に入って、パンデミックが発生する世界的現状と教訓を前にしながら、選挙を念頭に置いた大規模な宗教行事の挙行などで最悪の事態を招き、ピーク時には一日50万人を超える感染者が出てしまった。

その後、中国は徹底した「ゼロコロナ」政策を実施し続けた。１０００万人単位の都市のロックダウンと一斉ＰＣＲ検査の実施など、外部から見れば「やりすぎ」のように見えるが、中国の専門家によると、医療施設が先進国に比べまだ決定的に不足する中国では、徹底した対策を取らなければ、農村地帯の広い国全体はたちどころに大混乱、医療崩壊の事態に至る。それを防ぐための「必要悪」なのだ。国際的な総合科学雑誌『ネイチャー（Nature）』22年5月10日発売号に掲載された中国復旦大学の研究者チームの研究論文によると、中国がゼロコロナ政策を放棄し、感染力の高いオミクロン変異株を放任した場合、5月から7月の間に大流行が発生し、感染者数は1億１２２０万人、入院者は５１０万人に達し、１６０万人が命を落とす可能性があるとシミュレーションした。

国産ワクチンはオミクロン株に対する効果が低いとも指摘されるが、年配者を大事にする儒教的伝統が残る中国では、基礎疾患を有する比率が高い高齢者に対する配慮は特に必要だ。だから一部の大都市で一時的に封鎖措置を断行しても、14億の総人口との関係を考えれば「局地を犠牲にして全体を救う」ことになる。これが中国的な発想なのだ。まさにこのような発想とＩＴ技術を駆使した対策によって、コロナが蔓延した二年間、中国は感染者数を最小に止め、経済成長を最大にできた。

欧米や日本の「ウィズコロナ」政策もそれぞれの国内事情を踏まえて政府と専門家によって共同で導かれた結論だ。ウイルスの変異がまだ続いている中で、性急に各自のやり方に優劣をつけるより、互いに情報と経験を密に交流し、医療条件が悪い大半の途上国にもっと協力して貢献すべきであろう。

「権威主義体制の二面性」

巨大国家は往々に機敏な調整、小回りの修正が不得手だが、一旦動き始めると勢いが止まらない。20年1月末以降、わずか十日間で二つの感染治療専門の大型野戦病院（火神山医院千床・雷神山医院千六百床）を立ち上げ、直ちに運用した。2月中旬まで新疆を含む全国各地から346チーム、計4万2000人の医療関係者が、武漢を中心とする湖北省に支援にやってきた。この総力戦により、武漢のロックダウン発表からちょうど二カ月後の3月23日、李克強首相が「全国の新型コロナウイルス感染が制圧された」と宣言し、4月8日、コロナ禍の震源地武漢でも封鎖が解除された。5月初めのGWには一億人以上が旅行に出かけた。

そのコロナ対策に中国政治体制の「二面性」が見えると、20年1月27日付NYタイムズ紙は次のように書いた。「中国は行動の鈍い巨人のような存在だ。なかなか動こうとしないが、一旦動き出したら驚くほどの勢いがある。習近平の権威主義政治体制の二面性を象徴する事象だ」「中国の特徴はあらゆる国より速いスピードですべての人間と資源を動員する力を持っていることだ。その反面、いつも何かを覆い隠そうとする」「中国は見た目よりずっと分権的だ。地方の役人は大きな裁量権をもっており、国は多くの『小さい』ボスからなる連立政権のようなものだ。習近平はこれを克服しようと、権力の再結集を図っている」。この分析はほぼ的を射ている。

新型コロナウイルスとの戦いの第一ラウンドで中国と諸外国の間で明暗が分かれた。同年4月3日から19日まで、シンガポールの二つの世論調査機関（Blackbox Research と Toluna）が23の国と地域で世論調査を行い、各国のコロナ対策とそれに対する国民の評価を問うたところ、中国民衆の当局に対する満足度は85％に達し、一番高かった。二位も同じ社会主義体制を取るベトナムで77％だった。台湾は50％、日本は16％だった（20年5月14日付シンガポール『聯合早報』）。

コロナ対策における初期段階の成功は、中国の政治と社会にも大きな波及的影響を及ぼした。国民の大半、特に若い世代は国の対策を評価し、政権への支持と信頼度が上がった。これは当局が香港問題などで強気の対応をする背景の一つにもなった。米中緊張のエスカレートに対し、これまで国民の大半は中国の孤立、経済の混乱などをより心配したが、今は「米国に早く追いつき追い越す」ことにもっと期待を寄せるようになった。

ただ、感染力は強いが重症率が低いオミクロン変異株になってから、依然として「ゼロコロナ」政策を貫き、上海に2か月以上事実上のロックダウンを敷いた。現地住民ないし全国各地から強い不満と反発がＳＮＳを通じて噴出した。それ以後、当局は「ゼロコロナ」政策は堅持していると言いつつ、感染者が出ても封鎖範囲を大幅に縮小し、経済と社会活動の再開に重点を置いた。

ここからも、中国という巨艦が軌道修正するときの特徴が垣間見える。前のスローガンとつじつまを合わせながら、緩やかにカーブを描いて方向転換する。形式上の「堅持」と現場の「調整」が並行する中国流のこの種の政治運営の特徴を見極めることも重要だ。

新しい「三段階発展戦略」

もう一つ、新しい「三段階発展戦略」の決定も、中国の行方に重大な影響を及ぼす出来事だ。もともと1980年前後、鄧小平によって発案され、複数回の党大会で肉付けされた「三段階発展戦略」がある。それは20世紀末（1999年）までに経済規模を四倍増とすること、次は2020年に「小康社会（まずまずゆとりある社会）」を実現すること、更に「21世紀の半ばごろに社会主義の『現代化強国』を作り上げる」という目標だった。

この長期戦略の制定に、実は日本も貢献した。1979年12月末に訪中した大平正芳首相（当時）は人民大会堂で鄧小平氏と会見した際、「中国が宏大な近代化構想を打ち出したことは素晴らしい。では具体的にはどういうビジョンなのか」と質問した。それを受けて鄧氏は一分間以上長考してから、上述の「小康社会」の目標と三段階の発展構想を語った（このやり取りは『鄧小平文選』第2巻に収録されている）。これが「三段階戦略」を制定するきっかけだった。1988年、鄧小平氏は来訪した竹下登首相（当時）と会見した際、「我々の四倍増計画は大平さんの啓発を受けて制定したものだ」とわざわざ言及した。

しかし鄧小平時代の「三段階戦略」は、世紀末までの四倍増は明示したが、「小康社会」という2020年の目標は大まかなイメージに過ぎず、「21世紀の半ば頃」の目標はなおさら中身が詰められておらず、「夢のまた夢」の部類に属するものだった。

習近平時代になって、2020年の目標実現は手が届くところまで来たので、その具体的数値化とともに、「長期戦略」の思考に長ける国柄、一党独裁による政権の連続性により、それ以降の長期ビジョンについて本格的に制定するのは必然的成り行きになった。

17年10月18日、第19回党大会の冒頭、習近平総書記は「小康社会の全面的完成の決戦に勝利し、新時代の中国の特色ある社会主義の偉大な勝利をかち取ろう」と題する5万字に上る政治報告の全文を3時間半かけて読み上げた。報告の中で、毛沢東時代は中国を立ち上がらせ、鄧小平時代は中国を豊かにさせたが、今後の主要任務は中国を強大にすると言及されたように、毛沢東・鄧小平の両時代の後を継ぐ「習近平新時代」の幕開け宣言でもあった。

この政治報告で新しい「三段階発展戦略」とその具体的ビジョンが正式に提起された。新しい三段階発展戦略とは、

1　2020年まで：小康社会の全面的完成、
2　2035年まで：先進国の仲間入り、
3　2050年まで：社会主義の現代化強国という「中国の夢」の実現

という内容である。

現状認識と「習近平思想」

政治報告が提示した中国の発展段階の定義、任務などをまず見ていこう。

「全面的小康社会」実現後の新時代の「主要矛盾」に関しては、「中国の特色ある社会主義が新

時代に入り、わが国の主要な社会矛盾はすでに人民の日増しに増大する素晴らしい生活への需要と発展の不均衡・不十分との矛盾へと変化している」と定義された。

建国以来の「主要矛盾」の定義の変化を振り返ると、1956年の八全大会の定義は「国内の主要矛盾は、人民の経済と文化の迅速な発展に対するニーズと、当面の経済と文化が人民のニーズを満たせない状況の間の矛盾」だった。1981年6月の11期6中全会で採択された定義は「我が国が解決すべき主要矛盾は、人民の日増しに増大する物質文化のニーズと遅れた社会と生産の間の矛盾」となっている。

それに比較して今回の定義について、ロイター通信記者のダミル・サゴジ（Damir Sagolj）は17年10月18日北京発記事では、「国内の経済と社会の均衡がとれた発展が最優先、民衆の満足度を最重視する「人間中心主義（以人為本）」発想の現れ」と評した。この定義の提示は、民衆の願望、ニーズにいかに答えるかを執政与党の優先任務とすると同時に、物的需要とともに精神的要求にも応えなくてはならないとの認識に芽生えたと見ることができよう。

政治報告では、中国は今、「社会主義の初級段階である」との位置づけが行われた。改革開放以来、中国には天地を覆すような変化が生じたが、依然として世界最大の発展途上国であり、先進国とは異なる政治運営と経済発展の方法をとる、との考えだ。実際に、16年の時点で中国のGDPは日本の2倍になったが、1人当たりGDPはまだ世界の93位だった。都市と農村の格差（1人当たり可処分所得の比例は2・7：1）と地域間格差（中・西部地域の所得は沿海部の半分以下）はまだ大きく、都市化率は先進国の80％以上に対し、中国はまだ57・35％だった。

中央党校の専門家は、政治報告が（依然社会主義初級段階にあり、世界最大の発展途上国であるという）「2つの『変わりはない』」を強調したのは、冷静な自己認識を示したものと指摘した。朝日新聞の中国特集記事も、「目の前の矛盾の解決手段は柔軟に選べる」という「現実路線の特徴」が示されたと解説した（朝日新聞朝刊21年6月20日）。

政治報告の第3章「新時代の中国の特色ある社会主義思想と基本方針」では、以下の8項目から構成される「新時代」の理論、方針、政策を全般的に説明している。

①総任務：「社会主義現代化と中華民族の偉大な復興を実現し、小康社会の全面的完成を土台に、二段階に分けて今世紀中葉までに、富強・民主・文明・調和の美しい社会主義の現代化強国を築き上げる」こと。

②新時代の主要な社会矛盾（前述）。

③総体的配置（「総体布局」）は経済、政治、文化、社会、生態文明の「五位一体」の推進。推進の拠り所（「戦略布局」）は全面的小康社会の実現、全面的な改革深化、全面的な法治、全面的な共産党の自己改革。

④改革深化の総目標：中国の特色ある社会主義制度を充実・発展させ、国家統治体系・統治能力の現代化を推し進めること。

⑤法治推進の総目標：中国の特色ある社会主義法治体系を整備し、社会主義法治国家を建設すること。

⑥解放軍強化の目標：「党の指揮に従い、戦闘に勝利でき、優れた気風をもつ」人民軍隊を建設し、人民軍隊を世界一流の軍隊に築き上げること。

⑦新型国際関係と人類運命共同体の構築を促す中国の特色ある大国外交。
⑧中国共産党指導の堅持。

この「新時代の中国の特色ある社会主義思想と基本方針」は「今後30年の行動指針」と位置付けられている。今後、これらの内容を中心に、「習近平思想」としてまとめられる可能性もある。

2035年と2050年目標の解読

2035年の目標について清華大学の胡鞍鋼(こあんこう)教授などは、「これまで2050年に掲げていた目標の15年繰り上げ達成を意味する」「米国の総合国力を全面的に追い抜く時期を想定して35年の目標を設定」と解説している。

その具体的数値目標について、計画制定に参加した専門家は次のように披露している。

◇GDP総額は2020年の2・1倍、21兆元(約4200兆円)になる。20年以降の5年ごとの平均成長率は、それぞれ5・5%、5%、4・5%と見込まれる。
◇一人当たりGDPは2万5000ドル以上、現在の台湾と韓国とほぼ同じ水準になる。
◇消費率(GDPに占める消費の割合)は現在の39%から60%近くまで引き上げ、消費総額のうち、サービス消費の割合は今の44%から60%に上がる。
◇3億人近くの大学教育を受けた労働人口を有し、世界最大の消費市場を持ち、「中国製造」は「中

国のための製造」に代わる。（劉俏「中国経済能否再創造一個奇跡？」、北京大学「一帯一路」書院サイト、21年9月28日）

その目標が実現すれば、現在の日本の6倍以上の経済力、14億人以上が現在の韓国と台湾とほぼ同じ生活水準になることを意味する。

そして第三段階の目標に関しては政治報告で次のように提示された。

「2035年から今世紀中葉までは、現代化の基本的実現を土台に、さらに15年奮闘して、わが国を富強・民主・文明・調和の美しい社会主義現代化強国に築き上げる。その暁にはわが国は、物質文明・政治文明・精神文明・社会文明・生態文明が全面的に向上し、国家統治体系・統治能力の現代化を実現し、トップレベルの総合国力と国際的影響力を有する国となり、全人民の共同富裕が基本的に実現し、人民がより幸せで安心な生活を送っているであろうし、中華民族はますます溌剌（はつらつ）として世界の諸民族の中にそびえ立っているであろう」。

「共同富裕」とは社会主義の理想とされており、格差社会という資本主義の構造的問題を克服して全国民が平等で豊かな社会で暮らすとの理想である。今の世界では、北欧の社会民主党系政党が執政する国ではこの「理想的社会」に一歩近づいているが、中国は2050年頃までにそれを基本的に実現することを、習近平指導部はここで明確に打ち出した。

2050年の段階では中国が経済、政治、社会、環境のあらゆる面で他の国に負けない「社会主義強国」になる、との目標だ。習氏が何度も口にした「中華民族の偉大なる復興」の具体的指標がこれに当たると考えてよい。

中国は米国同様、巨大な国土と人口を抱えているため、全国民の人心を掴むのにシンプルで扇情的なスローガンがよく使われる。オバマ元大統領の決めフレーズは「Yes, we can」。トランプ前大統領は「米国・ファースト」。バイデン大統領は「ビルド・バック・ベター（より良い再建を）」だった。それに相当するのが「中華民族の偉大なる復興」であろう。

今から30年以内に達成したい第三段階の目標について、中国社会科学院の専門家チームは次のような具体的説明、解釈を行っている。

◇達成目標は経済面の「富強」だけでなく、政治における「民主」、文化面の「文明」、社会面の「調和」、生態環境面の「美麗」も列挙され、「五位一体」のものになっている。

◇中国の一人当たりＧＤＰは、２０３５年までは先進国グループの「仲間入り」を目指すが、２０５０年の段階では先進国の先頭レベルの水準に達する。すなわちどの先進国にも負けない生活の豊かさを実現することだ。

◇経済規模に関しては、２０５０年の時点で中国のＧＤＰは断トツ世界一位を占め、全世界の経済に占める比重は（20年時点の約15％から）29％－37％の幅に到達する。（「全面建成社会主義現代化強国」、中国社会科学網サイト、17年10月27日）

興味深いことに、北京のリベラル的国際関係学者、中国人民大学米国研究センター主任の時殷弘教授は、「中国首脳部は内心、今後の約20年以内に達成したい目標は少なくとも八つある」と述べ、以下の各項目を列挙した。

①ＧＤＰ（国内総生産）の世界一
②国民の一人当たり所得は世界の「中より上」のレベル
③軍事装備と戦力は（米国に並ぶ）世界の「トップクラス」
④ハイテクの研究開発と応用も世界トップかトップクラス
⑤台湾海峡両岸の統一
⑥西太平洋の西部地域で、米国に対する軍事的優位、少なくとも一部の優位を獲得（「沖縄、日本を含まない」と追加説明）
⑦インド洋東部海域に、簡単に打破できない軍事的プレゼンスの構築
⑧世界の外交舞台や威信とイデオロギーなどの影響力において「トップクラス」の優位を獲得。
（「北京学者掲示中国八大戦略目標」、『多維新聞網』サイト21年4月21日）

時代が生み出したストロングマン

中国のことわざに「君子藏拙（くんしぞうせつ）」（能ある鷹は爪を隠す）があるが、習近平政権になって、復興の夢や世界一の目標を隠さずに語るようになった。国内向けのメッセージとはいえ、このような目標提示に、米日などは相当のプレッシャーを感じるだろう。伝統的な強国として心穏やかでないことは想像される。

習政権がこのような超大国を目指すストロングマンになったのは時代・情勢の要請とキャラク

ターという二つの側面の背景があると考えられる。

まず挙げられるのは、時代と情勢の要請だ。鄧小平時代に作られた重厚な国力はここまで来た。ジャンボ飛行機として空を飛翔する中国は、意図しなくても従来の国際秩序に衝撃を与える。経済面では日本が1970年代に集中的に対外進出を開始したのと同じように、「一帯一路」で世界にまい進した。国内の発展目標として2020年に「全面的小康社会」を実現した後、35年まで、その更なる高度の段階「共同富裕」を目指すのも成り行きである。アヘン戦争以来列強に苛められた「屈辱」を一掃しようとの全国民的な悲願を叶えさせるのが共産党だとPRするとともに、米国による「苛め」（中国の台頭を抑え込むためと理解されている）に対抗するためにも強大国家になる以外に道はないと、国民の理解と支持を求める意味がある。

習氏個人のキャラクターが新しい時代の特徴を作った一面もある。後に検証するが、反腐敗闘争では江沢民、胡錦涛、温家宝ら前任指導者が踏み込めなかった聖域にメスを入れた。毛沢東に並ぶ決断力と強い意志があると海外の反体制学者も認める。反腐敗闘争の徹底で報復・巻き返しの蠢きがあることを承知の上で陣頭指揮を執る。また、すべて自分が先頭に立って切り込む性格の持ち主で、党中央に十幾つものタスクフォースに当たる指導小組を設けて自らトップを務めた。

中国では定期的な国民総選挙がない分、最高首脳は十年、二十年先を構想し、その実現のためのロードマップを書き、具体的措置を順序を追って進めることができる。習氏は親譲りの政治家気質もあるようで、毛沢東、鄧小平に並ぶ、ひいては超える「中華民族の偉大なる復興」を自分で引っ張っていく気概だ。

マジョリティ優先の発想

「超新星爆発」によって国力ができたこと、そこに高邁な志と行動力を備えたリーダーが現れたことに対し空前の圧力を感じる米国、日本などでは中国の実際の発展に対する認識が不十分のまま、習政権の内外政策に接して、「独裁者」「終身制の皇帝を目指す」と批判し、すべて今のトップが悪いとのイメージが作られた。

習近平政権に関する評価はやはり歴史に任せよう。これまでの指導者のうち、韓国の朴正熙、台湾の蔣経国はいずれも生前、独裁者など悪名高いレッテルが貼られていた。しかし時間が経ってから、経済発展に成功し、民主化へ転換する基礎を打ち立てたと再評価された。反対に、旧ソ連のゴルバチョフは「ペレストロイカ」と称した民主化を押し進め、一時期内外から絶賛されたが、今や本国では9割以上の人から悪評を受けているそうだ。

習近平時代に関する評価も10年、20年経たないと定まらない。大鉈を振るって反腐敗闘争を進めたが、国内の権力層内部でも多くの敵を作った(第四章参照)。国際社会に積極的に進出したが、既得権益を持つ国からは当然快くは思われない。特に米国は中国の台頭を自分の覇権的地位への挑戦と見なしている。この種の心理は是非の判断を大きく左右する。また、欧米の文化や先進国の立場に立って自分の価値判断や物差しで中国の現状を当てはめたら問題だらけに映るのも当然だ。筆者も現在の中国は大半の分野においてまだ発展途上にあり、変化と進歩が速いものの、先進国の発展レベルに到達するのに時間がかかると見ている。

一方、中国の現状認識に関しては、やはり今の発展段階と現実に即し、更に中国文化を理解して判断を下す必要がある。この角度から見れば、習近平政権が取る全ての政策の出発点と基本点は、中国の現実、特に現実の中の立ち遅れた部分の改革と改善に置いていると捉えれば理解されやすい。

端的に言えば、今日の中国のガバナンスは、「マジョリティ」を重視し、そのために「マイノリティ」を犠牲にしても仕方ない、との発想とやり方である。だから億単位の貧困層をなくし、全国民の義務教育・医療保険も実現した。その反面、体制批判の人に対しては口封じをした。先進国は「マジョリティ」の問題（衣食住、教育など）をほぼ解決した上で、「マイノリティ」の要求（体制批判を含む権利、ＬＧＢＴなど）をもっと重視するようになっている。これは社会の進歩の現れだ（もっとも近年、下流社会の拡大、大量の感染者と死者を出すなど「マジョリティ」の問題も顕在化している）。中国は伝統的に、法治が弱いが官僚制度によるガバナンスが強いと言われる。現在、1億人の党員を有する史上最大の与党パワーを持っている。ここで経済発展、環境保護、民族融合といった「マジョリティ」の課題に優先的に取り組むと、どうしても「マイノリティ」への配慮不足ないし無視の問題が生じる。現代化の「一流の国家」を目指す以上、中国は今から「新時代」に合わせて、国際的な潮流も理解して「マイノリティ」の尊重・保護に努めなければならない。

一方、先進国側も、自分の物差しに今の中国を当てはめて批判することの限界、および日進月歩に変化している中国社会の今をもっと全般的に把握すべきだ。今の中国における権利の主張と抑え込みの構図は、新しい「モグラ叩き」のゲームに譬えたい。このゲームの中で叩く棒（当局の取り締まり）は一本だが、モグラの頭（民衆による批判の動き）は同時に20匹出てくる。外部では「一匹叩かれた」ことだけを報道するが、マクロ的に見て、モグラの20匹の同時台頭こそ中国社会の前進を着実に押し上げている（第五章で検証）。

「百年歴史決議」の評価

この中国は今、「富強」「民主」「文明」「調和」「美麗」という「五位一体」の「社会主義現代化強国」の2050年の実現目標を打ち出した。日本を含む西側諸国は自分の「常識」により、それは「無理」「嘘」との反応を出す人が多い。中国でも懐疑的、半信半疑的に思う人は少なくない。

しかし現指導部は「絶対に成功させろ」という大号令を発し、その達成の第一ステージに当たる2035年までのロードマップを具体的に提示し、第三の歴史決議を採択し、「過去」を片付けて「未来」へ動き出した。

21年11月の六中全会で採択されたのは中国共産党史上第三の歴史決議で、「党の百年奮闘の重要な成果と歴史的経験に関する中共中央の決議」との名称で、「百年歴史決議」と略称される。前の二回の歴史決議は、1945年、1981年に採択された。それらに比べれば、字数がもっと増え、習近平が党総書記に就任してからの内容が3分の2を占めるものなので、「3期目続投のための工作」と多くの海外メディアで解釈された。しかし彼の続投にはライバルがおらず、無理強引に「百年歴史決議」を採択する必要性、必然性があまり感じられない。異論もほとんど聞かれず、中央全会で一致して採択されたことから見て、やはり中国的な意義があった。

「百年歴史決議」はちょうど1921年の誕生から結党100周年に当たり、百年の歴史を振り返り、経験総括を行う節目のタイミングだ。何よりも、未来へのビジョン（17年の党大会で決定された2050年までの「新しい三段階発展戦略」）を実現するための、歴史的経験と教訓の総括が必要と認識されている。巨大な中国共産党は未来に向けたステップを踏み出す際、「過去の問題や意見相違をめぐる論争を再燃させない」「総括」の作業をするとともに、新しい路線と方針を全党員に周知させる、というのが通常のやり方だ。

そこで、今後につながる「百年の歴史経験」が今回の決議で十項目にまとめられた。共産党指導の堅持、人民至上、理論の革新、（外交上の）独立自主、中国独自の道、天下を思う胸襟、開拓・革新、闘う精神、統一戦線、自己革命、という内容だ。「中国の特色ある社会主義」の神髄がこれに集約されたと言える。

今回の「百年歴史決議」は、歴史評価において妥協の産物だったと、事情通の友人に教えられた。21年2月に党中央宣伝部の企画で出版された『中国共産党簡史』は前の歴史決議（1981年）に比べ、文化大革命の問題点を薄く表現し、「社会主義建設が紆余曲折の中を前進」の一節の中で軽く扱ったため、毛沢東の失敗を薄めたのではとの批判が出た。そこで今回の決議は、大躍進運動と文化大革命の失敗について厳しい評価を下した1981年の決議の表現を踏襲するものになった。天安門事件についても「反革命暴乱」と一時期呼ばれたが、今回の決議では「重大な政治風波（騒ぎ）」との（鄧小平氏が認定し、江沢民時代に行われたややニュートラルな）定義を復活し、その上で、党と政府が「動乱に断固と反対した」と表現した。

鄧小平時代については、実際は経済発展と腐敗の蔓延という「光と影」の両面があった。しかし今回の決議はあえて後者に触れなかった。鄧小平時代に地位と富みを得た既得権益者（主にすでに距離が開いている太子党グループ）をこの時点で追い詰めて大論争を起こすのを回避するためだった。これも一種の妥協である。

これらの妥協と引き換えに、習近平氏の三選と彼の「新時代路線」への支持が取り付けられた模様だ。

最大公約数は5年後

六中全会が22年秋の党大会と連動して、習総書記の三選、「新時代」の路線にゴーサインを出したのは、次の一期5年を現指導者に預ける、という妥協、取引だったということだ。

米中対立が激化する中、習近平主席を核心とする体制の下で一致団結する以外に選択肢はない。この点は指導部内ではコンセンサスを得た。国民の大半も、米国による苛めを目の当たりにし、また中国の「国情」（法治が実現せず、地域と所得の格差、民族問題などが存在）を熟知しているため、近年、欧米への憧れ熱が急激に冷めている。西側流の民主化を導入すれば「万病を直す良薬」になるとの甘い考えを持つ人がぐっと減り、逆にそれにより、中国は大混乱ないし分裂、内戦になると考える人は大幅に増えている。

だから、２０３５年と２０５０年の努力目標を、党内外はほぼ一致して支持している。ただし、その実現に向けた方針、路線、および現指導部の手腕、やり方については異論もあるようだ。そのような思いを持つ人は党指導部内、政権の行方に隠然たる影響力を持つ長老たちと、建国世代の後継者たち（いわゆる太子党、「紅二代」）にもいると推察される。それで指導者の三選と「新時代の路線」にゴーサインを出した代わりに、一期五年という「期限付き」だったと言われる。5年間あれば、それが吉と出るか凶と出るかがはっきり見えてくる。その時点すなわち27年の党大会で、民意の変化、経済と社会改革の進展に基づいて三期目の指導部を再評定する、ということだ。

現首脳サイドは3期目の任期延長への支持と、新時代路線への批准を、とりあえず「期間限定」で取り付けた。そこで今後5年間、不可能と見えるような課題に本格的に挑戦し、実績を作らなければならない。格差是正、既得権益層へのメス入れ、真の法治国家作り、中国流の「全過程民主主義」の実現、自由と権利を民衆に真に実感させること、国際社会で普遍的な共感を得ること。どれ一つをとっても、映画「ミッション：インポッシブル」のような困難を極める作業だ。いずれにせよ、中国の未来を決定する分かれ目は今後5年間だ。

中国の可能性を先入観抜きで見守ろう

中国は、大方の予想を裏切る国である。20世紀において義和団運動が招く八カ国連合軍の北京占領（1901年）、軍閥割拠（10年代後半以降）、国土の主要部分の陥落（日中戦争）、大規模な内戦（40年代後半）、文化大革命（60年代）などの荒波を経験した。ほかの国ならこのうちのどれか一つに遭遇しただけでも崩壊、空中分解しただろう。しかし中国は一連の苦難と試練を耐え抜いただけでなく、一層強大になり、今日の中国という「超新星爆発」現象まで引き起こした。今後の中国の行方についても、ただ頭を振って否定ばかりをしたり、西側の既存の物差しで当てはめたりするより、まずその新しい理念、方針、現実の日進月歩を理解することだ。

中国は21年春、大手ＩＴ企業への規制、教育改革などを打ち出し、一時的な混乱を招いた。長期目標と絡めて鳥瞰すれば、その狙いと位置づけはもう少し分かりやすくなる。第一、「共同富裕」は35年までの実現を目指す戦略目標の一環である（アリババの問題は第六章で説明する）。第二、長期目標に向けて方針、措置と指標を一斉に提示し、一部の地域でさっそく実施に移したが混乱が発生した。第三、首脳部はそもそも一朝一夕の達成を期待していないし、最初の段階では一定の混乱の発生と、既得権益層の抵抗も想定しているので、21年夏以降、「性急にするな」と戒めた。第四、試行錯誤し、4、5年のスパンで経験や教訓を総括してから、本格的に全国で展開する、という結論が導かれた。その後、一部の「性急な措置」にストップがかけられた。よって、一時的な混乱や悲鳴を根拠に成功か失敗かを決めたり、権力闘争との関連など穿鑿したりすること自体、あまり意味がない。

習近平体制の今後について、橋爪大三郎教授らは「イスラームの独裁権力とほぼ同じで、正統性にチャレンジするほかの相手がいないという点では、習近平は絶対で安定している。でも、正統性を証明し続けなければならないという点では、非常に不安定である。そういう二重性を持ったまま、世界のトップに躍り出てしまった存在だと思う」と分析している（前出『東洋経済』記事参照）。

「正統性を証明しなければならない」から、21年秋の第20回党大会では、習近平氏の指導的地位が継続されるだろう。かといって終身制指導者になることはないとほとんどの中国人学者は見ている。文革の教訓をまだ記憶する中国人はそれに対する抵抗が強い。首脳部も「後継者育成が必要」と明言している。

２０３５年まではまだ長く、遠い。まず次の5年間を見ていこうではないか。その意味で、習近平氏の三選が決まった以上、彼の全権、全責任で指導する「新時代の大改革」が成功するかどうか、次の5年にかかっている。この5年の成功なしには、35年もない。

第四章　反腐敗闘争――「荒治療」背後の危機感

民衆の不満が腐敗に集中

２０１２年の第18回党大会から始まった習近平時代のこれまでの10年について、振り返れば、着手された最大の政治行動の一つが「反腐敗闘争」だったと間違いなく挙げられよう。

習氏のトップ就任当時、中国民衆の最大の不満は役人の汚職腐敗に向けられていた。トランスペアレンシー・インターナショナル（Transparency International, 略称：ＴＩ）が13年3月に発表した「12年の世界腐敗指数報告書」によれば、１７６の国と地域のうち、ニュージーランド、デンマーク、フィンランドが一位に並列。中国のクリーン指数は１００点満点の39点で、順位は80位（前年は75位）だった。

中国民衆がもっとも反発する問題は何か、との15年春のアンケート調査の結果（図1）によると、84％の回答者は「公務員の腐敗」を挙げ、ダントツの「問題の深刻さ」の一位だった。

習近平氏は07年に党の政治局常務委員、翌年春に国家副主席に抜擢されてから、政権の中枢に

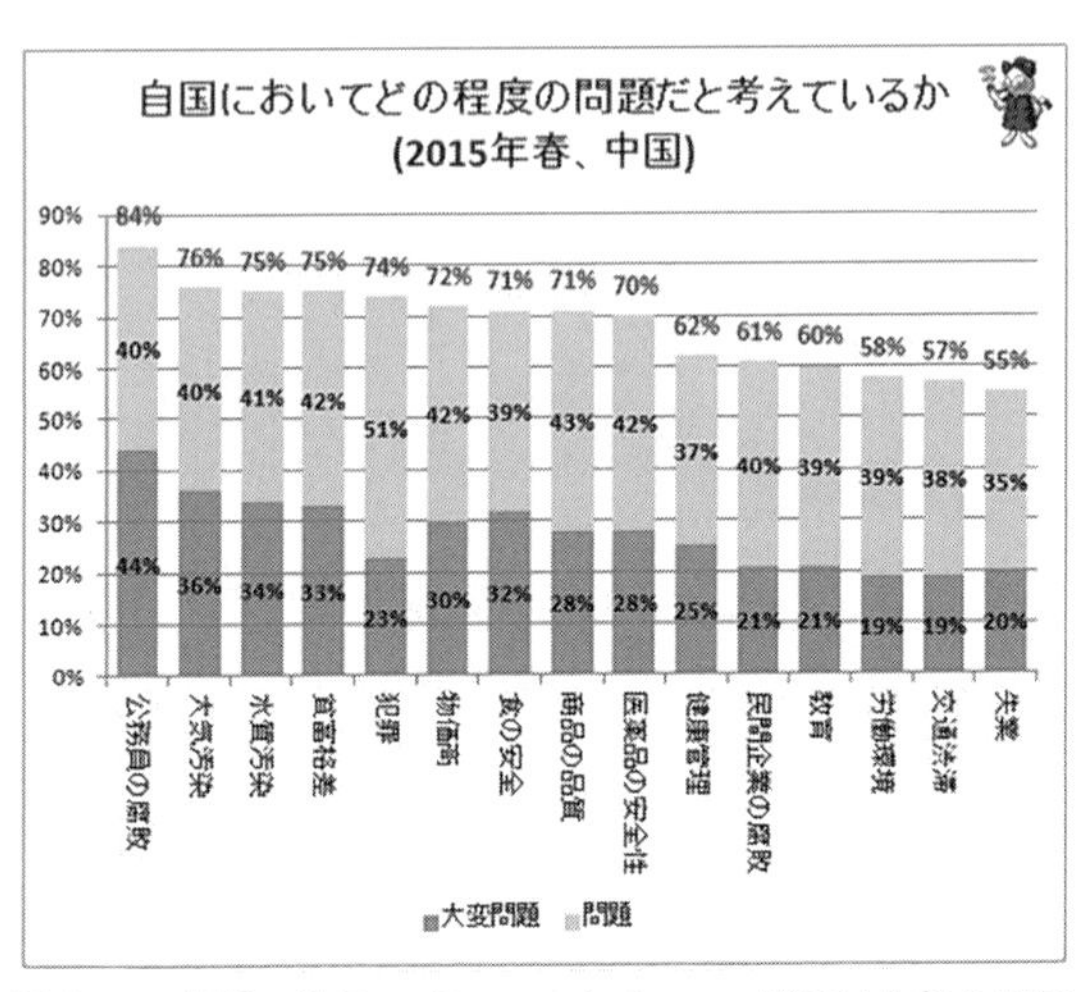

図表1　出所：米 Pew Research Center が 2015 年9月に発表した調査報告書

ずっといた。汚職腐敗問題に関する極秘、内部情報を多く把握していた。「太子党」仲間の大半は、自分のおやじ世代が創設した現政権を守る共通点がある。彼らは、党や政府、軍の高級官僚の腐敗に対する不満を共有し、それに関する隠密な情報を習氏に伝えていたことも想像される。そこで習氏は就任早々、空前規模の「反腐敗闘争」を起こした。

12年11月、党の総書記に就任した直後に開かれた党中央政治局第一回集団学習会において、習氏は真っ先に反腐敗闘争を優先課題と提示し、「腐敗問題がますます深刻化すれば、最終的には必ず党の滅亡、国の滅亡をもたらすことになる」と警告した。翌12月、党中央政治局会議で公金の無駄遣いや官僚主義的な態度に関する八つの項目を戒める決議（「中央八項規定」）が採択され、更に翌年1月、「トラ」（高級幹部）も「ハエ」（下級幹部）も一緒にたたく大規模な「反腐敗闘争」への着手が宣言された。

「常識」を超えた「反腐敗闘争」

「反腐敗闘争」がその後、あのような規模で容赦なく行われたことは、大方の予想を超えた。古今内外を問わず、ニューリーダーは政権を掌握する過程でよく「反腐敗」「清廉な政治をする」と標榜し、見せしめ的に腐敗の事件や人物を取り上げる。反腐敗との名義で政敵を粛正する前例も多数ある。だが習近平時代のやり方はこれらの「前例」「常識」をはるかに超えたものだった。

腐敗取り締まり担当の責任者の一人、中央紀律検査委副書記、国家監査委副主任 肖培が21年6月29日に発表したところによると、それまでの10年間、省部級（日本でいう省庁の次官以上、自治体の副知事以上の高級役人）幹部３９２人、局長級幹部2万２０００人、県（市町村相当）と課長級幹部17万人余り、郷鎮幹部61万６０００人が取り調べの対象になり、併せて３８０万件余りの案件が立件調査され、４０８万９０００人の役人が処罰された、という。

そのうち、海外でもよく知られる大物として、元中央政治局常務委員で、司法・公安部門の元締めだった周永康、前総書記の右腕で政治局委員・閣僚級の令計画、政治局員で重慶市党書記の孫政才なども検挙され、逮捕され、有罪判決を受けた。

解放軍首脳陣への切込みも予想を超えるものだった。軍事委副主席（ナンバー2）の徐才厚が摘発されたのは政治幹部だったから、見せしめ的な意味を持つと当初は解釈された。ところが次には軍制服組元トップの郭伯雄も摘発され、更に、胡錦涛時代の中央軍事委員会メンバー（軍

図表２　胡錦涛時代の中央軍事委員会首脳陣の集団写真だが、ほとんどの人が「被抓」（逮捕）と表示された、というネット上に伝わる写真。

の最高首脳部）のほぼ全員、つまり数年前までの解放軍首脳陣が一斉検挙されたのだ。ちなみに、１００万人以上を有する武装警察は中央軍事委員会と国務院の二重の指導を受け、「第二の軍」と呼ばれるぐらい巨大な組織だったが、その首脳陣（司令官、政治委員、政治部主任など）は全員検挙された。その後、武装警察は二重所属を解消され、習近平・軍事委員会主席の直接掌握下に置かれることになった。

　それに関して、「習近平氏は自分の支持基盤、人脈（福建省、浙江省、上海市から抜擢された幹部のこと）を庇った」として、「反腐敗闘争」はとどのつまり権力闘争だとの説も一時流れた。しかし21年に入って、浙江省書記時代の習氏を理論づくりの面で支えた杭州市党書記周江勇（しゅうこうゆう）の摘発などで噂が消えた。

大規模摘発の背景と理由

習氏の「反腐敗闘争」への取り組みの背景と狙いについて、日本の研究者の間では、①権力闘争説、②「政策課題解決のためのリーダーシップの強化」説、③「民衆からの正統性獲得」説、などが挙げられている（滝田豪「中国の反腐敗キャンペーン」、『産大法学』54巻1号）。ある研究者は、『反腐敗闘争』の重点が、明確な違法性を伴う収賄行為を立件することよりも、党中央や上級党組織の方針や命令から逸脱する行為を摘発することにあること、及び、その目的は、下級幹部に対する監視と統制を強化し、以て経済発展パターンの転換と党・政府−大衆関係の改善という二つの最重要課題に対処することにある」と分析した（角崎信也「習近平政治の検証③：『反腐敗』」、日本国際問題研究所ＨＰ、『China Report』Vol.6）。

ここまでやらなければならないのは中国の独特な政治風土とも関係する。日本や欧米先進国の政治家や高官は選挙によって選ばれ、また任期の制限が規定される場合が多いので、「しがらみ」は相対的に少ない。だが中国の人事は主に上級機関、主管部門、上司によって決められるので、「人脈」によって派閥、グループが形成されやすい。その一部は建国世代の長老も絡むため、江沢民、胡錦涛ら前任の指導者はなかなか思い切ってメスを入れることができなかった。

それに対し、習近平主席と、同じ建国世代の二代目である王岐山（おうきざん）国家主席のコンビは本格的な取り締まりを決意した。二人は、摘発の対象の多くは広い人脈、支持者があり、一部の長老からも庇護を受けているのを承知している。そのため、中途半端な摘発は真の成果を上げられないし、後になってのやり返し、報復もすさまじいことを覚悟のうえで着手した。

図表3　周永康の人脈図　出所：中国のSNS

図表3は中国のネットで伝えられた周永康の人脈図である。周は、家族、公安警察、四川省（かつてトップを務めた）、石油産業系統、少なくともこの四つの分野で巨大な人脈ネットワークを持っていた。最後に、この人脈は芋づる式に一掃された。

反腐敗闘争の歴史的流れを知るために、江沢民、胡耀邦時代の動きも調べたところ、習政権とは決定的な違いがあることに気付いた。

胡錦涛主席、温家宝首相のコンビからなる前政権に、筆者は割に好感を持っている。胡氏の穏やかな性格と表情、「科学的発展観」を提唱した実務的な政治姿勢。温氏は、西側の体制を念頭に置いた「民主化」への肯定的発言（その実現に「時間がかかる」とは断っていたが）もした。彼らの路線の延長線上に、確実に（西側基準の）民主化、近代化を実現するのではとの期待も、中国知識人の多くは抱いていた。その後の中国政治は厳しさを増し、大物政治家が次々と失脚する「激烈さ」と比べれば、胡錦涛、温家宝時代は「牧歌的」に感じられ懐かしまれている。

しかしその後次々と摘発された巨悪の面々、軍や武装警察、司法の首脳陣に蔓延した汚職腐敗、既得権益を守るのに手段を選ばない利益集団の不正を目の当たりにして、別の捉え方を持つ必要があると感じた。

胡錦涛・温家宝時代を捉え直す

温家宝ら指導者が中国の民主化、近代化、腐敗退治を真に望んでいたことは間違いない。しかし今になって振り返ると、目の前の山積する問題、特に長老たちや様々な利益集団が絡む腐敗の問題になると、無力感からか、保身のためか、結局そこから目を逸らして高邁な理想論を述べただけではないかと思わざるを得なくなった。

12年10月26日付『ニューヨーク・タイムズ』紙は、温氏が指導部入りした後に、一族が巨額の財産を蓄えているとして「企業や規制関連の記録を検証したところ、（温）首相の夫人を含む一部親族が、強引な手法で少なくとも27億ドル相当の資産を蓄えた」と報じた。中国政府はこの報道を否認し、記事へのアクセスも遮断した。温氏本人は後に党中央政治局に書簡を送り、自分の家族を厳正に調査するよう申し入れたとも伝えられた（12年11月5日付香港『ＳＣＭＰ』紙記事）。『ニューヨーク・タイムズ』は更に13年11月14日の紙面で、米国税務当局が、ニューヨークに本社を置く世界有数のグローバル総合金融サービス会社ＪＰモルガン（JPMorgan Chase & Co.）が、リリー・チャン（Lily Chang）という中国人が経営する「フルマーク・コンサルタンツ（Fullmark Consultants）」という名前のコンサル会社と交わした業務委託契約で、毎月7万５０００ドルを支払っていたことを調査中とスクープした。このコンサル会社は社員が二人、責任者リリー・チャンは温家宝氏の娘温如春（おんじょしゅん）の別名だとも明らかにされた。

彼の夫人などの家族に関する様々なうわさは後々までくすぶったが、私は温家宝氏本人の潔白を今でも信じている。しかし監督責任もさることながら、その首相在任中に、後に摘発された党指導部内、軍首脳部内の深刻な腐敗と不正、利益集団の結託などを知らないはずはない。

となれば、別の解釈は成立するかもしれない。すなわち、胡政権の二人のトップは問題の深刻さを知りながら、正面から摘発にかかわることをしなかったことだ。腐敗蔓延の背後に、巨大な「関係網」（人的ネットワーク）、長老などの存在があり、自分の力では解決できないという無力感によるかもしれないが、結果的に、未来の民主化に「夢」を託すことで、命を賭けて「虎」級の巨悪に立ち向かうことをしなかった。もっとも、一部の「狐」「ハエ」レベルの摘発はしており、後に紹介するネット世論による汚職腐敗の摘発をも奨励した。

それに比べれば、習近平氏は、「中国共産党は中国を救える」との信念の持ち主であり、また一般の予想をはるかに超える決意と行動力を持って正面から立ち向かうことになった。

習政権が進める反腐敗闘争は、権力闘争をするための大義名分に過ぎないとの批判がある。しかし最大のライバル薄熙来（はくきらい）は習氏のトップ就任前から失脚している。薄一党に近い周永康などが後に追及されたのは芋づる式の結果だった。それより、軍首脳部内で一人二人の悪役を摘発してから他の勢力と妥協し、権力基盤を安定にするのは政治家の一般的なやり方だが、習氏は、血なまぐさい報復、巻き返しを覚悟のうえで徹底追及を断行した。暗殺未遂事件の噂は何度も伝えられた。これは権力闘争説で解釈できる程度のものではない。

不可解な警察トップの相次ぐ失脚

国家副主席で腐敗取り締まり作戦の責任者である王岐山氏は、中国共産党の手で「不敢腐、不想腐、不能腐」（腐敗する勇気も腐敗する考えも湧かず、腐敗しようとしてもできない）という腐敗活動を有効に封じ込め、監視下に置く仕組みの構築を公言した。中国国民の大半も、今回の「反腐敗闘争」を肯定し、現政権の業績の一つと評価している。しかし途上国の発展段階で、真の法治が徹底されず、選挙などによる民衆の監督が確立されていない中で、腐敗の根絶は理想論、夢に終わる可能性が高い。時間が経つにつれて、透明性のない取り締まりに疑念、不満を持つ人も増えている。どんなに叩いても、金太郎飴のように、汚職腐敗の幹部が次々と出てきているのではないか。中国の国営メディア（新聞、雑誌など）ではこのような不満が伝えられないが、そのような不信感を爆発させる「噴火」がSNSで起こった。

21年10月2日、新華社は、党中央紀律検査委員会は、元公安部副部長、司法部部長傅政華（ふせいか）が「重大な紀律と法律違反」により取り調べを受けている、との短い記事を発信した。このニュースは中国社会で大きな反響を呼んだ。

傅は北京市公安局長、国家公安部常務副部長（事務次官）、司法部長（大臣）などの要職を歴任し、周永康の汚職腐敗案件の調査・摘発を陣頭指揮した人物。彼の失脚数日前、もう一人の公安部副部長孫力軍も、政治デマの拡散、極秘資料の個人秘蔵、役職を金で売り、巨額の収賄などの罪で免職・逮捕された。孫は国家公安部第一局（要人警備など国内安全保衛担当）の局長という要職も務めた。

まだ記憶に新しいが、フランスのリオンに本部を置く国際刑事警察機構（インターポール）の総裁の職にあった孟宏偉が18年8月に一時帰国した際拘束され、20年1月、中国の裁判所で、収賄の罪で懲役13年6月の有罪判決を言い渡された。彼は国家公安部副部長、国家海洋局副局長、海警局局長を歴任した公安畑の重鎮で、皮肉なことに、国際犯罪を取り締まる国際機関のトップの在任中に逮捕されたもので、「インターポールが自らの総裁を失った」とヨーロッパのメディアで揶揄された。

この間、重慶市公安局長の任にあった鄧恢林も収賄容疑で20年6月に拘束され、裁判で有罪判決を受けた。彼の前の3代の重慶市公安局長はいずれも逮捕されている。上海市公安局長龔道安も20年8月逮捕された。ほかに汚職腐敗の追究を担当する「中央巡視組」副組長董宏も同年10月に取り調べを受け、翌21年4月、党から除籍され逮捕された。党中央「邪教の防犯・対策指導小組弁公室（「610弁公室」と呼ばれる）」副主任彭波も収賄容疑で21年3月に取り調べを受け、8月に逮捕された。

12年からの反腐敗闘争では、これらの公安部門と紀律検査委員会の幹部が先頭に立って、「人民民主独裁」の執行機関として決定的な役割を果たした。しかし18年以降になると、これらの幹部自身も汚職腐敗し、不正をやっていることが明らかになり、失脚した。法や紀律の執行機関のトップが相次いで摘発されたことは、現政権の掲げる汚職腐敗に対する「ゼロ容認」の徹底ぶりを示した反面、号令と運動方式では腐敗と不正をただしきれないことも証明された。中国はやはり真の法治体制、民衆の監督を導入しなければならないことを国民に広く認識させる新しいきっかけになった。

「酷吏」を使う限界にきたとの解釈

傅政華と孫力軍ら公安トップの失脚は中国社会で幅広い喝采を受けた。著名な社会学者でリベラル派の中国社会科学院教授の于建嶸（うけんえい）は傅の失脚当日、中国で広く使われるSNS「微博」（ミニブログ）で、「好事！好事！好事！」（「素晴らしい、の一言」）と書き込んだ。もう一人の反体制派言論人高瑜（こうゆ）は、国際女性メディア財団から「勇気賞」を2度受賞したが、14年に再逮捕され、翌15年に国家機密漏洩の罪で懲役7年と政治権利1年剥奪の判決（後に早期釈放）を受けている。彼女はツイッターで、「では傅による7年前のこと（逮捕）は何だったのか、もう一度説明してくれ」と書いた。高瑜逮捕の前後に、傅は15年7月の民権派弁護士一斉逮捕も指揮した。その真相を究明すべきとの声も上がった。

思わぬところからも傅と孫の失脚に喝采する声が出た。中国警察の多くも、この二人による強引で現場の声や限界を無視した指揮と粛清から解放されると、歓迎する声を発したことがSNSで伝えられた。

傅・孫他の失脚は、現指導部は、12年以降の最初の5年間の、厳しい取り締まりを中心としたやり方から、社会の不満を和らげ、「新時代」に向けて一定の融和姿勢を示す方向への転換を意味するものではないかと、中国の研究者は次のように分析している。

傅政華と孫力軍は中国の役人の世界では「能吏」と呼べる。難しい案件を次々と摘発することができた。同時に彼らは自分の能力に自惚れ、目的達成のために手段を選ばず、自ら法を犯したことで、それによってもたらされたマイナスの影響は一般の腐敗案件よりもっと深刻なものだ。その意味で、彼らは司馬遷の『史記』に一章が設けられた「酷吏」の代表である。(「傅政華落馬引民衆狂歡　習近平時代公安改革處在風暴眼」、「多維新聞網」サイト21年10月11日)

これらの「酷吏」の振る舞いは結果的に、政策の本意とは裏腹に、現政権に対するイメージを悪くし、党指導部が描くバラ色の未来像に暗い影を被せたものだった。21年2月末以降、中国の警察は全国範囲で上から下まで「教育と整頓」が行われた。

時間との競争

反腐敗運動を長く続けることにより、権力を不安定化させる可能性、エリート層内部の亀裂、経済成長に対する幹部の積極性を損ない、経済を停滞させる可能性、制度の裏付けが十分でないキャンペーンは長期化するにつれて効果を逓減させる、というジレンマも前出滝田論文で指摘された。

反腐敗や政治安定維持、との趣旨で断行された取り締まりだが、行き過ぎになり、批判が増えていることの背景は、①最高首脳部はそう意図しなくても、執行部門は忠誠を示すために「寧左勿右」（やりすぎても許されるが、やり足りなければ批判される）との政治的・社会的風土があること、②執行部門に対する法的規制と監督が弱いため、そのやりたい放題が放任されたこと、③以上の二つを背景に、執行部門の責任者は個人の利益を図ったり、縄張りを作ったりという私利私欲に奔走する隙間が与えられたこと、などの原因が挙げられる。

もちろんこのジレンマは世界各国の共通した問題である。明治時代の日本は政治家、官僚そして財界という三者の癒着が常識だった。それはある発展段階では三者が合わせてエリート集団を形成し、富国強兵を引っ張る原動力にもなった。戦後日本になって法治が先進国のレベルまで進んだが、法執行者が法を犯す事例はまだ時々起こる。21年3月に起きた、名古屋出入国在留管理局に拘束されたスリランカ人女性の不審死事件がその一例だ。しかし中国の問題はもっと深刻だ。

ここで言いたいのは、習政権の「反腐敗闘争」は問題を抱えながら、先進国へ脱皮するまでの段階的、時限的対処措置という限定的効果しかないということだ。政治家、役人の不正と腐敗を完全ではないが、効果的に封じ込むには、権力のチェックとバランス、情報公開、国民の監督はやはり不可欠だ。中国指導部もこの点は分かっていると思う。

しかし、巨大中国は現段階で安易な「民主化」をすれば、体制崩壊、内戦ぼっ発、分裂といった危機も発生しうる。それを見越した習近平指導部は、法治体制が一層整備され、一定の民主と自由を持ち、経済格差が相当な程度是正される中国型の「先進国」が実現するまでの間に、民衆の反乱ないし体制崩壊を招く最大の諸問題（汚職腐敗など）について厳しい姿勢と措置を取り、これらの問題の先鋭化、爆発を遅らせるとの思惑があるのではなかろうか。先に汚職腐敗に対する防止メカニズムが有効に整備される「現代化」が実現するか、それとも「復興の夢」が実現する前に、汚職腐敗を抑えきれず、民衆の怒りが爆発して体制が混乱・崩壊するか。時間との競争だ。

イギリス大学在籍の中国人研究者は、近ごろの大手IT企業への制限、格差是正の強調、「共同富裕」論を前面に打ち出した背景について、中国の新しい世論の舞台に声を出し始めた若い世代が、現実に対する不満を募らせており、当局は、「若い世代のネガティブな感情が全面的に爆発する臨界点より前に、収入分配改革の加速を決意したため」と分析している(「中国要搶在年輕人負面情緒全面爆發之前完成收入分配改革」、「多維新聞網」サイト21年7月27日)。

この分析は、汚職腐敗に対する一連の厳しい措置、対策の狙いにも当てはまる。現指導部が真に腐敗を撲滅、根絶できると本気で信じているかどうかわからないが、党の指導層、役人の普遍的で深刻な腐敗現象に対して、国民の不満が収拾のつかないほどの爆発を起こす前に、力強く対処する必要性、緊迫性を感じているのは確かだ。だから警察のトップや裁判官でも、法に触れれば容赦なく逮捕するという賭けに出た。

もっと深層にある警戒感

習近平政権になって汚職腐敗に対する打撃だけでなく、共産党、解放軍の中の思想教育、罰則を強化し、幹部、知識人、弁護士などオピニオンリーダーに対する統制が強まったこともよく報じられた。上述の国内的要因以外に、米国を中心とする西側の価値観の影響拡大(それによって社会主義への信念が揺らぐこと）に対する警戒感と、欧米「敵対勢力」からの浸透に神経を尖らせている、という背景もある。

17年5月22日付『NYタイムズ』紙に掲載されたスクープ記事によると、10年から12年までの間、長年にわたって中国に潜伏したCIAの情報部員は次々と摘発された。少なくとも18人から20人のスパイが逮捕され、一部は処刑され、ほかは刑務所入りした。CIAが長年の努力で構築した中国での情報ネットワークがこれで破壊された、という。トラブルの兆しは10年末に現れた。中国からの情報が「枯渇」し始め、価値ある中国での情報部員は次々と姿を消した。極秘の連絡暗号が解読されたのか、部内に裏切者が出たか、CIAに協力する台湾情報部門で発生した問題か、

図表４　米中のスパイ合戦をルポした話題本（表紙）

本当の原因は分からないが、中国における重要な情報源が壊滅的な打撃を受けた、とのことだ。19年12月、この中国スパイ網の壊滅を含め、中国の情報活動を取り上げたノンフィクション著書『中国共産党のスパイ活動：情報員入門』（著者は元CIA部員ピーター・マティス［Peter Mattis］他）が発売された（写真）。

水面下で激しく行われたスパイ

合戦で中国の政府と軍の主要部門のドアもこじ開けられたことを知った習近平指導部は冷や汗をかき、危機感を一気に強めたと想像される。「内憂（体制内の汚職腐敗など）外患（西側による浸透、揺さぶり）」を前に、まず「内憂」対策に早急に着手しようとしたのかもしれない。

筆者のよく知っている複数の元駐日外交官も、その摘発の対象になった模様だ。そのうちの一人は若手外交官の時に知り合い、三度も東京大使館勤務をし、後に報道局副局長、ヨーロッパ某国の大使にもなった大物外交官だったが、任期途中に召喚され、その後の行方は不明なままだ。どうも夫人が先に米国の情報機関に買収され、本人も後に引き込まれて協力したといわれる。スパイ摘発合戦が自分の周辺でも行われていたことで、強いショックを受けた。

このようなスパイ活動は各国ともやっており、中国も負けていないだろう。しかし情報対策を副主席時代から担当した習近平氏にとって、中国の党と政府の重要部門に、ＣＩＡを中心とする諸外国と台湾がスパイを多く潜り込ませていることに相当の危機感を持ち、一連の厳しい対策を講じることになった。

米国による中国への大規模な情報活動

14年5月25日、中国「互聯網（インターネット）新聞研究中心」は「米国の全地球での盗聴行動記録」と題する長編白書を発表した。その中で、特に中国での米国による盗聴などのスパイ活動について次のような言及があった。

○13年6月、各国メディアは一斉に、スノーデン元ＣＩＡ部員の提供した文書に基づいて、ＣＩＡの「ＰＲＩＳＭ」をコードネームとする極秘プロジェクトを伝えた。中国の関係部門が数か月かけて検証した結果、中国に対する情報窃取関連部分の内容はほぼ事実であることを確認した。

○スノーデンの暴露によると、ＣＩＡは中国の政府部門（外交部、商務部など）、前国家指導者、中国系企業、科学研究機関、大学、一般のネットユーザーとスマホ利用者に対して大規模な盗聴活動を行った。ネットゲームとＳＮＳアプリまで利用し、テンセントのチャットソフトＱＱ、中国移動（チャイナ・モバイル）のリアルタイムアプリ「飛信」などを監視対象とし、情報窃取のツールになった。

○ＣＩＡは、米国のセキュリティーサービス会社ＲＳＡとの間に、1000万ドル報酬の契約を結び、共同で暗号化アルゴリズムにバックドアを加え、ソフトの秘密保持機能を弱めると同時に、大規模な監視を行った。ＲＳＡの顧客に、中国の通信ビッグ3（チャイナ・テレコン、チャイナ・モバイル、チャイナ・ユニコン）と国有銀行大手の中国銀行、中国工商銀行、中国建設銀行、通信設備メーカーファーウェイ（華為）と家電メーカーハイアール（海爾）などが含まれた。

○ＣＩＡは全世界の90の国に対して監視と盗聴活動を展開し、うち中国は東アジアにおける主要な対象であり、北京、上海、成都、香港、台北などに対して重点的に盗聴を行っている。09年以降、ＣＩＡはまた中国大陸と香港のコンピューターとネットシステムに侵入し、数百の目標を監視下に置いた。

○ＣＩＡは、中国重点大学の清華大学に設置された基幹ネットワーク「中国教育和科研計算機網」にハッカー攻撃をかけ、大学の基幹ネットワークが一時ジャックされ、数百万人の中国国民のネット情報が窃取された。

○ドイツのニューステレビは、米国が「中国の隅々」を全方位的に監視・盗聴することは「突き詰めれば、中国が（米国を）凌いで世界の超大国になるのを恐れているからだ」と指摘した。

○米国は政治、経済、軍事と技術などの分野における覇権を利用して、忌憚なく同盟国を含む他の国々に対して盗聴工作を行っている。この行為は「反テロ」の必要性をはるかに超えて、利益のために道義を完全に無視する醜悪な一面を露呈した。この行為は国際法に違反し、人権を著しく侵害し、全世界のネットの安全を脅かした。

スノーデンが暴露した「ＰＲＩＳＭ」プロジェクトは、ウェキペディアで次のように説明されている。

アメリカ国家安全保障局（ＮＳＡ）などが07年から運営する、極秘の大量監視プログラムである。大手ＩＴ企業を経由してインターネット上の情報を広範に収集し監視する。正式名称はUS-984XN。マイクロソフトの「So.cl（英語版）」、Google、Yahoo!、Facebook、Apple、AOL、Skype、YouTube、Paltalk の、合わせて9つのウェブサービスを対象に、ユーザーの電子メールや文書、写真、利用記録、通話など、多岐に渡るメタ情報の収集を意図している。

スノーデンの告発後も実は同盟国首脳に対する米国情報機関の盗聴が続いていたと、21年5月末のヨーロッパ主要メディアが一斉に報じた。デンマーク情報機関の協力を得て、ＣＩＡが海底ケーブルに侵入して、メルケル独前首相を含むＥＵ各国の首脳を盗聴し続けたこと、副大統領時代のバイデンも一連の盗聴活動に深くかかわっていたとスノーデンは再度スクープした。

22年2月23日付環球時報は、米国発のバックドア「Bvp47」の完全な技術的詳細と攻撃組織の関連性を解読した報告書を掲載した。それによると、米国ＮＳＡ（国家安全保障局）に所属する超一流ハッカー組織「フォーミュラ」が開発したこの最先端のバックドアは、10年以上使われており、侵入後、被害対象のネットワークをのぞき見し、コントロールすることが可能になる。アジア、ヨーロッパなど45カ国・地域の２８７の重要機関を目標に広く侵入しており、日本も監視・攻撃の被害者である。また、日本は他国のターゲットへの攻撃の踏み台としても利用されている、という。

22年9月、中国政府はまた、同年6月以降、米ＮＳＡのハッキング部門「ＴＡＯ」が、中国の航空宇宙研究プログラムを運営する西北工業大学をハッキングしたことを突き止めたと発表した。またＮＳＡがここ数年、中国の標的に対し1万回を超える「悪意ある」サイバー攻撃を仕掛け、１４０ギガバイト以上の「非常に価値ある」データを窃取したと非難し、米側の説明を求めた。

５Ｇの世界をリードする中国のＩＴ企業ファーウェイの製品は、盗聴用の「バックドア」があるとして、米国政府は、その使用禁止、更にその設備の核心部品の半導体チップの輸出制限を命じた。しかし米英などどこの国でもファーウェイの製品から「バックドア」は発見されなかった。

一方、米国自身は同盟国の首脳に対して盗聴を執拗に続けた。そこで中国はこのような隅々まで

図表５　北京の街角の壁に張り出される「外国スパイを警戒せよ」と訴えるポスター

情報活動を展開する米国に対して過敏なほど警戒し、防御・対処措置を次々と打ち出した。

強化された「防諜対策」

14年以降、習近平政権は海外による情報活動に対する本格的な対策に取り組んだ。同年11月、全人代常務委員会の採択、習主席の批准を経て、「中華人民共和国反間諜法」（反スパイ法）が発効し、反スパイ工作の特徴、任務を規定し、諜報機関の部員募集など6項目の行為を「スパイ活動」と初めて法的に認定した。

15年7月、全人代常務委員会は１９９３年に制定した国家安全法を全面的に改訂して採択し、政治、国土、軍事、文化、科学技術など11分野の「国家安全」について明確に定義し、厳しい罰則を盛り込んだ。16年４月、某外国情報機関に15万部の機密文書を手渡した

図表6　ＣＣＴＶで紹介された米国のスマホに対する監視用設備

としてあるコンピューター技師が死刑判決を受けた。

中国各地で外国スパイ防止に関する宣伝教育キャンペーンも行われた。各地の街角に宣伝ポスターが貼られた（図表５）。中央テレビ局（ＣＣＴＶ）のニュース番組では、米国がどのように中国に対して情報収集と監視・盗聴を行うかについて写真と映像を使って解説する番組が放送された（図表６）。

21年４月、中国政府は「スパイ活動に対する安全防犯対策の規定」を公布し、米国との関係悪化に備えて「各機関、団体、企業とその他の組織などが職責を尽くし、外国のスパイ活動に対する防犯と防止に努めよ」と要求し、スパイ活動が発覚すれば安全部門への電話による通報が可能と規定した。それに伴い、海外、特にファイブ・アイズ（米英他、機密情報共有の協定を結んだ英語圏５か国）諸国に幹部や役人が出張する際、旅行目的地、日程、面会対象について事前に報告し、上級機関の許可を取る必要があると新たに規定された。21年11月の六中全会で採択された「百年歴史決議」の中でも、国家安全情勢についての厳しい認識が示された。

新時代に入り、我が国はより厳しい国家安全情勢に直面し、かつてない外圧を受け、伝統的な安全保障の脅威と非伝統的な安全保障の脅威が相互に絡み合い、予期せぬ事件がたびたび発生している。情勢と任務の要求と比べて、我が国は国家の安全を守る能力が不足しており、各種の重大なリスクに対応する能力が低く、国家の安全を守る統合的計画と協調の仕組みが健全ではない。

そのような認識を受けて、決議採択一週間後の11月18日、党中央政治局会議で「国家安全戦略（2021－2025年）」が審議された。これは公表された初めての国家安全戦略であり、「各種の浸透・転覆・破壊活動を厳重に防止し、断固として取り締まる」との文言が盛り込まれた。

その前日夜のCCTVニュース番組に、国家安全部党副書記、宣伝教育局副局長褚保堂（しょほどう）が取材を受ける形で、国家安全に関する国民教育の重要性を語った。厚いベールに包まれる国家安全部の高官がテレビに顔を出すのは極めて珍しく、話題にもなった。

警戒が警戒を呼ぶ悪循環

日本では「中国による企業情報の窃取」のニュースが出るたびに大騒ぎになる。逆に中国では諸外国によって自国の情報、データがより広く多く窃取されているとして、対策が一段と厳しくなっている。ここ数年、複数の日本人がスパイ活動容疑で中国で拘束され、一部は有罪判決を受けた。日本在住の中国人も帰国の間、「行方不明」になるケースが数件発生した。日本の政治家や政府機関と幅広い交流のある筆者も容疑をかけられ、国家安全部が法律で認められる最大期限である半年間にわたって拘束された。もっともその一年後、「不幸な事件で申し訳ない」との謝罪を受けた。

日中間の情報関連の事件が出ると、ほぼ一概に日本側が被害者、とのスタンスで報じられた。これについて深入りの議論をするつもりも資格もないが、ただ「被害者意識」だけにとらわれると、様々な事件の特殊性が見えにくくなる、という可能性もある。04年、日本の上海駐在総領事館に勤務していた公電通信担当の事務官が、中国側の情報部員から接触を求められ、最後に自殺する事件があった（「上海総領事館員自殺事件」）。事務官の受け取った書簡が後にスクープされ、「中国当局が脅迫を加えた証拠」として主要メディアで紹介された。日本側外交官が仕掛けられているという前提で事件の一部始終を眺めると、確かにそのように見えただろう。事務官も最後に思い詰めて亡くなったことは残念だ。しかし、相手が大使館員に対して情報窃取・脅迫・強要とは別の文脈で接触してきた可能性は、本当になかったのか。これについて、主要メディアでは別の角度から分析・再検証する動きは一つも出なかった。現段階で断定的な話はこれ以上できないが、日中双方のいずれも「相手が怖い」「脇を固めて構える」との心理や思いを互いに持ち合った結果、真実とかけ離れた解釈、結論にもなりうる。これだけは言っておきたい。

中国では近年、情報管理に関する新しい法律が一段と整備されている。21年8月20日、全人代常務委員会で新たに「個人情報保護法」が採択された。それは、ＥＵが使っている世界で最も厳しいインターネットのプライバシー保護メカニズムであるＧＤＰＲ（General Data Protection Regulation）を参考にして制定されたと言われる。

その2か月近く前の6月30日に、スマートフォンのアプリを使ってタクシーなどを呼ぶ中国の配車サービス最大手「滴滴（DiDi）」がニューヨーク証券取引所へ株上場したが、2日後、中国政府から「国家安全上の理由」で同社を審査するとの発表があり、続いて「違法に個人情報を収集し、使用していた」として処罰が課せられた。大阪、東京で導入された同様な配車システムも、実は「滴滴（DiDi）」の協力を得たものだ。同社は1日６００億件から８００億件、ピーク時には1秒間に４００万件に上る配車サービスの注文を処理するが、それを利用して15年、国営新華社と協力で作成したリポートは、政府の省庁ごとに、職員の乗り降り履歴を分析し、「外交部は24時間フル活動、猛暑季節でも多くの政府省庁の職員が通常出勤」と割り出している。当局は、同会社が持つ豊富なデータを分析すれば中国政府の動きが掌握されると判断し、万全の対策を取るまで米国での上場を認めない決定を下した。

情報流出の相互警戒

中国が海外の情報、データを盗むとよく批判され、20年、当時のトランプ大統領は、中国発の動画共有アプリ、ティックトックとの取引を禁止する大統領令に署名した。ティックトックが持つ位置情報や検索履歴といったユーザーデータを使うことで、中国が米国政府高官などの行動を追跡し、恐喝するといった恐れがある、というのが理由だった。更に一時期、10億人以上の内外中国人を中心に使われるＳＮＳアプリ「微信（WeChat）」の使用禁止も検討中と伝えられた。

実は中国側はサーバー攻撃の技術と能力において米国にかなり遅れており、イギリスの国際戦略研究所（ＩＩＳＳ）が21年6月29日に公表した報告書によると、米国は世界一のサーバー強国で、中国やロシア、イギリスは第二グループに属するが、中国が10年以内に、情報安全、サーバー施設と軍事行動との統合度など主要な領域で米国に追いつくのは難しいという（ちなみに、日本はインドなどと第3グループに属するとなっている）。中国側は逆に米側からの非難、米側の対処措置をよく研究し、改善・整備のヒントを得ている。そして、中国自身の情報流出がいかに深刻かを改めて痛感し、「情報保護」に急いで乗り出している。

滴滴（DiDi）の米国株式市場での上場を不許可にして間もない21年7月6日、中国企業が海外で上場する際のデータの管理に対する監督を強化する方針が示され、ユーザー数が１００万人を超える企業の上場は、事前審査の対象とする規制案が発表された。その一か月後、前述の「個人情報保護法」が採択された。

サーバーセキュリティの問題には日本も過敏になり、21年3月、対話アプリ「ＬＩＮＥ（ライン）」の韓国管理会社が、違反通報内容の分析ツールなどの開発業務を中国の関連会社に委託し、その間、中国側従業員が日本国内サーバーにある個人情報にアクセス可能な状態だったと情報公開し、「業務上適切なもので、不正アクセスや情報漏洩はない」と強調したにも関わらず、「中国当局に日本の情報が窃取・利用される」として大騒ぎになった。立憲民主党は「（連絡内容には）

国会の機微に触れる部分が非常にある」として、党国対幹部間でのLINE利用を当面停止するとし、一部の地方自治体も「LINE」を活用した行政サービスを部分的に停止した。

このような過敏反応が中国に伝わると、「我が国こそ情報が大量に流出している」とし、前述のようにCIAの全面的監視と情報窃取によって丸裸になっているとの危機感を一層募らせた。相互不信に由来する猜疑が妄想に走る恐れもあり、結果的に通常の経済活動を阻害し、互いの国民感情を一層悪化させるばかりだ。

一連の情報関連の法律が中国で急ピッチで整備された背後には、米国が情報公開、自由などの美辞麗句を口にするのと裏腹に、覇権を守るために手段を選ばず情報の窃取・監視活動を一番やっている、という「本質」への不信感があったことに間違いない。香港問題は第十一章で取り上げるが、20年7月に発効した「国家安全維持法」も、「情報活動の天国」と言われる香港に対し、機密情報の流出に歯止めをかける狙いがあった。実際、米国の情報官は、香港で「国家安全維持法」が実施されてから、中国に対する情報活動が一段困難になったとも嘆いている（「香港問題快速解決『愁壊』美国　情報官稱間諜更難滲透中国」、「多維新聞網」サイト　21年11月11日）。

軍需産業トップの失脚と軍事技術者の亡命

一方、対外開放政策を取る中で、軍需産業の管理も難しさを増し、スパイ活動の重点対象になっていると警戒されている。

中国の軍需産業では前から贈収賄などの腐敗が多発している。中国船舶重工集団の元党書記兼董事長である孫波に19年7月、懲役12年の有罪判決が言い渡された。香港ＳＣＭＰ紙のスクープによると、孫は収賄罪以外、空母「遼寧」号の機密情報を外国情報機関に漏洩した罪も追及された、という。ロシアのスプートニク通信社は、孫が空母の機密情報を売り渡した相手は米国ＣＩＡだと伝えた。皮肉なことに、その後任董事長胡問鳴も収賄罪で21年2月、上海で起訴された。

数年前、滬東中華造船（集団）董事長顧逖泉、中航重機副総経理呉浩、安徽軍工集団元董事長黄小虎ら軍需企業のトップが立て続けに逮捕された。21年に入ってほかに4月29日、解放軍海軍元副参謀長の宋学少将（空母「遼寧」号搭載機テスト担当責任者）が罷免され、10月25日、中国版ＧＰＳ「北斗」を開発した中国兵器工業集団元党書記、董事長の尹家緒も逮捕されている。

米シンクタンク「ランド」の中国軍研究専門のティモス・ヒルス（Timothy Health）は論文で、「物資調達部門は（人民解放軍）の腐敗の多発する要所」と指摘している。だから米情報機関に目を付けられているとして、中国当局は近ごろ、軍需産業に対する安全検査と情報管理を強化している。数年前、最新鋭兵器開発に携わった某軍需企業研究所の事務員于洪洋が極秘情報を某国情報機関に売り渡したとして死刑判決を受けた。ハイテク軍事技術（電磁砲＝レールガンと言われる）の開発を担当する某解放軍研究院（中国船舶第７１３研究所と言われる）勤務のベテラン技術者張建革が海外研修の際に某国情報機関に買収され、機密資料を携えて出国しようとした空港で逮捕され、15年の刑が言い渡された事件は20年春、「外国の情報活動を警戒せよ」との事例として公表された。

22年1月27日英紙デイリーエクスプレス（Daily Express）のスクープによると、射程２０００マイルの東風－17ミサイルを搭載する中距離超音速ブースター滑空キャリア（boost-glide vehicle）の開発に携わる中国航空工業集団所属の技術者が21年9月、超音速ミサイルの研究開発情報を携えて香港経由でドイツの米軍空軍基地に飛び、更にイギリスを経由して米国に亡命した。香港にいる英国諜報員がまず彼と接触し、高度な秘密情報の真実性を確認してからＣＩＡと連携し、その妻子とともに脱出させることに成功した。これにより「米英両国の関連防衛計画の進展を加速させ、中国はその情報を無効にするためシステムの再調整に2年かかる」という。

まったくの偶然かもしれないが、同じ9月末、米軍は極超音速ミサイルの実験に初めて成功した。

習近平指導部の国内引き締めの強化は、腐敗問題の深刻化、情報漏洩、米中対立の激化といった背景と合わせて見る必要がある。攻めより、守りを固めることに重点を置いており、内心の不安、警戒感の現れだともいえる。

第五章　マグマと溶岩流——中国社会の深層を覗く

二種類の中国観を区別させた情報源

複数の世論調査によると、日本国民の9割は中国にいいイメージを持っていない（21年時点）。中国はどういう国かと聞かれたら、大概、独裁、監視カメラ、人権抑圧、言論弾圧、そしてまもなくバブル崩壊などと答えるだろう。

問題は、これらのネガティブなイメージはどのように形成されたのかということだ。日本の国民は全世界で比較しても特に新聞とテレビを信用している。これらのメディアが一斉に中国に関するある種のイメージを伝えたら、国民が皆中国嫌いになることは無理もない。

このようなステレオタイプの中国観と異なる見方も、少数派だがあることを知ってほしい。主に二種類のタイプだ。一種類は中国に長く駐在・滞在する企業関係者や留学生及び外交官である。彼らの多くは、「中国国内で見たり体験したりしたことと日本で報道されることの間に大きなギャップを感じる」と言う。

「Quora」という日本のサイトに、「人口14億もいて完全にコロナ感染を制御できている中国はおかしい、怪しいと思いませんか?」という質問が出たのに対し、「元管理職・経営、中国在住・勤務15年」と自己紹介したO氏はこう答えた。

中国に居ますと、なぜこうも日本人はイメージだけで「中国」や「中国人」を判断してしまうのだろうか、と思わずにいられないことが多いです。(中略)
今はSNSが生活の中心となっており、ちょっとしたことがすぐに界隈に広まります。ましてコロナの話になると別格で、おそらく誰かが感染したら、その話は瞬く間に広がって収拾がつかなくなります。(中略)当局もそれを分かっているので、もう隠すだけムダというのが実情です。むしろ積極的に感染者の情報を公開し、濃厚接触者のあぶり出しに注力をしています。日本はまさに中国の逆で、(中略)コロナの全体像を隠蔽し、自治体や地域社会を挙げてこの病気から身を守ろうという信念が感じられないのは、中国よりもまさに日本のほうです。(回答日時:21年5月19日)

これは中国社会を体験している日本人だから書ける感想だと思った。
もう一種類は、中国に留学経験を持ち、中国語は本当に堪能で、近年の中国で満ち溢れ、主要な情報源・意見交換の場になったSNSを斜め読みすることができる人たちだ。中国語では「接地気」という表現があるが、一般中国人が発す泥臭い、喧々諤々でほやほやな「生情報」に日々接することを指すが、このような日本人も若い世代を中心に増えている。やはり先入観抜きで、現地発の多ルートの情報をまず摂取し、自分の頭で再整理し、結論を見出していくプロセスが必要だ。南京在住のドキュメンタリー映画監督竹内亮はその代表例だろう。本人は21年5月、取材を受けて「作品を通じて偏見をなくしたい」との意気込みを見せている。

仮に中国メディアの記事をよく読んでいる人でも、どれを情報源にするかによって見方も分かれてしまう。「人民日報」や「環球時報」の一部の言説を引用して「中国の見方」として時々紹介されるが、前者は中国共産党の機関紙だ。言ってみれば自民党や日本共産党の機関紙と同じ性格で、プロパガンダを行うのが当然であるという一面がある。かつての鎖国の時代、「人民日報」は限られた新聞の一つとして広く読まされたが、現在の中国では99％の民衆はそれを読まない。街角の新聞販売コーナーでもそれを売っていない。

「環球時報」の場合、事情はやや違う。ナショナリスティックで扇情的な言論を結構掲載し、読者はそれなりに多い。ただ大半の中国人はそれを、日本の夕刊紙と同じ扱いで、面白がるが読んでごみ箱に入れるだけ。同紙の事情に詳しい友人の紹介によると、中国のメディアはグループごとに独立採算制を取っている。「人民日報」は記者数と取材経費の多さの割には売れないので大赤字になるが、傘下の「環球時報」はポピュリズム的な紙面づくりで販売部数が多い分、グループ全体は赤字をある程度減らせているそうだ。

中国「世論」のメイン舞台が引っ越した

実は中国の「世論」の陣地がこの10年間で、完全に引っ越しをしたのだ。かつて「民意」発露

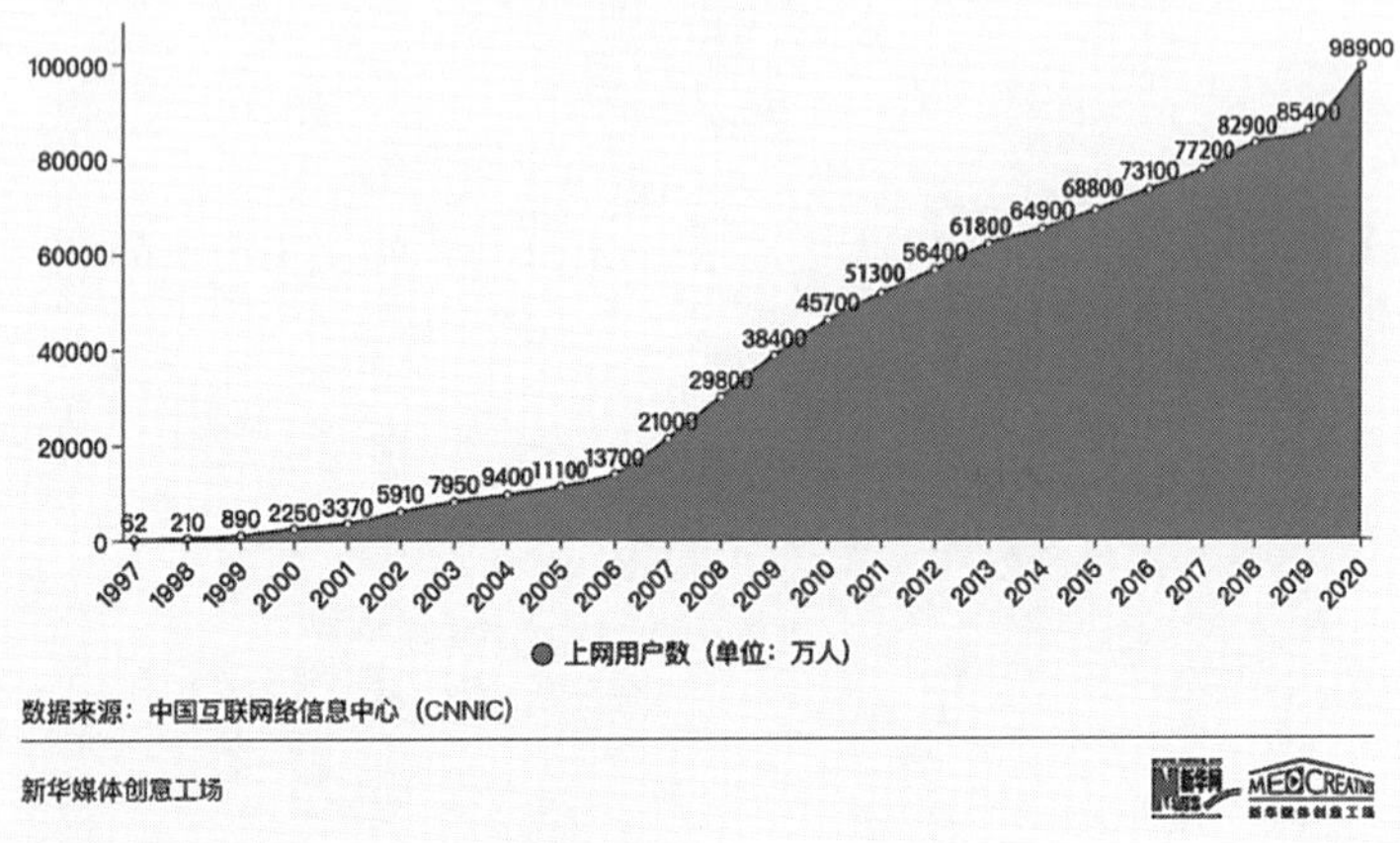

図表１　出処：第 47 回「中国互聯網発展状況統計報告」、2021 年２月

の場がほかになかったので、官製メディアでそれを見出すしかなかったが、今は様変わりした。背景は中国におけるネット世界が急速に膨張したことにある。

中国は今や、世界最大のネット社会である。１９９４年、北京の物理学研究所が初めてＴＣＰ／ＩＰに接続したことが、中国のインターネット利用の起点とされている。１９９６年の利用者は僅か６０００人。その時点では日本に大幅に遅れていた。しかしその後、右肩上がりの伸び方で利用者数が増えていった。

ネットユーザーのことは中国語で「網民」と呼ばれる。以下はこの表現を多く使う。上のグラフは中国の公式統計報告が公表した１９９７年から２０２０年までの中国「網民」の数の伸びを示したものだ。それによると、14年６月の時点で、中国の「網民」数が６億人を突破した。16年12月になると、「網民」数は7・31億人、という欧州総人口相当の規模になり、ネット普及率は53・2％で、全人口の過半数を占めた。

なお、最新の統計によれば、21年12月時点で「網民」数は10億3200万人で、前年12月より4296万人増加した。うち99・6％はスマホでネットを利用している。ネット普及率は73％で、世界平均レベルの65・6％を7ポイント余り上回った。

21年12月の時点で、中国の「網民」の一週間平均のネット利用時間は28・5時間、5Gスマホ利用者数は3億8400万人、ネット販売利用者は9億400万人、テレワーク利用者は4億6900万人。「健康碼」（健康コード）は9億人超が利用、使用回数はのべ400億人分を超えた。また、「デジタル行政」利用者は9億2100万人以上、オンライン教育・オンライン医療（ネット診察と治療、ネット薬品販売、ネット医療保険利用を含む）の利用者はそれぞれ3億4200万人と2億9800万人に達した、といった数字も示されている。

ただ、都市部と農村部ではまだ格差が大きく、農村の「網民」規模は2億8400万人、普及率は57・6％（前年末より1・7％上昇）だが、都市部は7億人以上、普及率は81・3％に上っている。なお、50歳以上の「網民」数は26・8％であり、40代以下が7割以上を占めている。

新聞とテレビを信用しない中国人

このようなネット時代における中国人の情報入手のソースに関する調査結果もある。『光傳媒』サイト19年11月29日に掲載された記事によると、中国民衆の九割以上がSNS等の「新媒体」から情報を入手するようになっていることが明らかになった。

複数回答だが、75・25％は『微信』（WeChat）から、39・02％は中国版「TIKTOK」から、26・61％は「今日頭条」サイトから、20・03％は「微博（ミニブログ）」から情報を取得しているとなっている。伝統的な紙媒体（新聞と雑誌）と挙げたのは僅か0・68％で、老人を中心にテレビと挙げたのも6・56％にとどまり、残りの4・24％は食卓、会議、家族等と挙げている。

この調査結果が何を意味するだろうか。まず、中国国民の9割以上は新聞やテレビから情報を入手していないこと。政府系メディアへの不信と、官製報道が「つまらない」という感覚とともに、それにとって代わる情報プラットフォームができていることも意味する。

次に、ネットにこそ、中国の「世論」が集中的に反映される場になっていること。これを抜きにして中国の「民意」は語れないようになっている。

中国当局はこの激変の意味とネット世論の怖さをよく知っている。10年以降、中央政府から各地方当局まで、相次いで「網弁」（ネット対策室）を設置している。10億人以上が使っている「微信」（WeChat）が民衆の最も重要な情報源、発信源と見なされ、その対策に相当の人的、技術的資源が動員され、「不都合」なものがよく削除されている。他方、そこに表れる民衆の集中した意見や不満も「網情」（ネット世論）として随時に党と政府の責任者に報告されている。

社会主義中国は世論と情報を統制するのに、どうしてネット社会の発達を容認・促進してきたのか。それにはいくつかの理由がある。

最大の理由は、ネットに代表される情報技術の進歩を、新しい産業技術革命と捉え、経済発展を強力に促進する新しいエンジンにしたい、との国家戦略によるものだ。中国首脳部は、19世紀から20世紀前半の産業革命の時代を、貧困・内乱の中で逃しただけでなく、20世紀50から60年代に新しい産業革命が勃発した際も、文化大革命に明け暮れてキャッチアップできず、そのチャンスをうまくつかんだ日本に大幅に追い越されたと総括している。だから、次の産業革命が起こったら絶対に見逃すまいと身構えをしていた。そこでインターネットに代表される情報技術革命を、新しい産業革命の到来と認識すると早速、その発展を助力する一連の促進政策や財政支援を出した。

次の理由は、ネットの発展は中国にとって「マイナスもあるが、プラスがはるかに大きい」と認識されたことだ。確かに政権にとって都合の悪い情報の流入、政府批判の言論の拡散といったリスクがあるが、ネットを通じて全世界の科学技術、経済情報を瞬時にキャッチし、経済発展の力強い追い風になると考えた。実際に今日の中国の各方面の躍進はネット環境が整備されたことを切り離しては語れない。

もう一つの理由は、ネット社会を阻止できない以上、それを政治運営と、順法意識の育成に活用しようと考えられるようになったことだ。

一つは「ガス抜き」の役割だ。どこの社会でも国民は不満を持つ。西側社会では抗議デモや新聞投書、選挙などの不満表示の方法があるのに、中国ではそれができない。21世紀に入っての一時期、都市住民や、労働者、農民による抗議デモが多発した。これらの不満をネット発散させればガス抜きになるし、社会的な混乱、暴動にも発展しないと認識され、ある程度容認されるようになった。

ネット言論を通じて国民の心理、考え方を迅速に把握することもできる。何かのことで国民の不満が集中・鬱積することを確認できれば、問題が大きくならないうちに対策を取れると考えられている。

もう一つ、ネットが急速に発展し始めた潮流に乗って、胡錦涛時代以降、それを反腐敗闘争への民意導入として活用されたことはあまり知られていない。

「網絡反腐」のブーム

「網絡反腐」は21世紀に入って、中国で急速に広まったある社会現象だ。中国研究者の定義は次の通り。

「網民」が、汚職腐敗の疑いある役人をめぐって、チャット、ミニブログなどのネット媒体を利用してスクープするとともに、他のユーザーの応援、転送、情報提供などを通じてネット世論を形成し、最終的に腐敗取り締まり機関に「容疑者役人」への追究・問責を迫る、という大衆自発型の反腐敗の新モデル（中共南寧市党校統一戦線理論教研部・丘文栄氏論文、14年）。

ネットを通じて役人の不正を暴露する動きは、三つの発展段階を経験した。

まずは、1990年代末から2002年の「萌芽の段階」。99年、ユーゴでの中国大使館爆撃事件後、『人民網』が中国初のBBS（ネットの書き込み欄）、後の「強国論壇」を開設した。01年、『南方周末』紙やＣＣＴＶ「焦点訪談」番組で、民衆の投書を受けてスクープ記事や特集を開始した。「網易」、「新浪」、「天涯社区」などのサイトにも暴露の投書が急増した。

03年から07年までは「初歩的発展の段階」。03年7月、最高人民検察院が全国向けの役人の不正に対する通報、告発を受理する「ネット通報プラットフォーム」を開設した。05年1月、党中央が「腐敗に関する教育、監督、予防・懲罰する体系の構築の実施綱要」を発布し、中で各級の党委員会と政府は世論による監督を重視・支持すべきとし、「反腐倡廉のネット宣伝教育を強化し、そのサイト・コラムを開設せよ」との内容も盛り込まれた。同年12月、中央規律検査委員会と監察部（後に委員会）が役人の不正を通報するサイトを設置。06年1月、「全国贈収賄摘発記録検索システム」が開設。07年末、「国家預防腐敗局サイト」も公開された。

その間、民間の「網絡反腐」も始まった。03年10月、「民間世論監督第一人者」と呼ばれる李新徳（りしんとく）が「中国輿論監督網」というサイトを開設。翌04年、山東省済寧市副市長の汚職の証拠をサイトに掲載したところ、わずか14日後、副市長が解任された。それに続き、民間の「網絡反腐」サイトが相次いで誕生した。

「網絡反腐」が盛んになった背景について、謝尚果（しゃしょうか）広西民族大学学長（当時）は次のように分析した。①民衆は様々な不満を持つが、はけ口がほとんどなかったため、ネットの発展でその場が提供されたこと、②ネットの開放性、包容性と低コストにより、一般の民衆が利用しやすいし、ネットの匿名性、リアル参加の感覚と相互交流性によって当局や地方役人による情報独占の空間と力を弱めたため、「網絡反腐」は社会と民衆の最大公約数の政策や役人に対する不満をぶちまけるプラットフォームになった、という（「人民網」サイト14年3月4日）。

08年6月、胡錦涛総書記は『人民日報』を視察した際、「網民」とのオンライン対話で「インターネットは思想と文化、情報の集積地と社会世論の拡声器」「人民の知る権利、参加・表現・監督の権利を守るべき」と表明した。続いて09年2月、温家宝首相は網民とのオンライン交流で「大衆は政府の考えと施策を知る権利があり、政府の政策に批判的意見を出してよい」と発言した。これらの発言は当局によるネットでの反腐敗に対する容認と支持と受け止められ、以下で紹介する一連の動きに火をつけた。ゆえに、08年は「網絡反腐元年」と呼ばれた。

09年10月、中央紀律検査委員会と監察部が共同の「全国紀検監察通報サイト」を開通し、12年まで、ネットの摘発・通報をのべ301万件受け付けたと発表された（同期の「信訪」「政府の通報受付窓口に直訴もしくは書簡で摘発すること」総数の12％相当）。

一部の地方党組織と政府機関も北京首脳部の発言を受けて動き出した。08年、湖南省株洲市紀律検査委書記楊平（ようへい）が実名で「株洲廉政」と「紅網論壇」サイトに登録し、反腐敗の通報を受け付けると表明。同紀律検査委は「網絡反腐を支援・保障するメカニズムの立ち上げに関する暫定規定」を公示し、初の地方当局による「網絡反腐」への支持を明確に表明した関連文書になった。09年、河南省臨潁県紀律検査委も同様の規定を公布し、10年、重慶市検察院は「網絡挙報の情報の処置に関する暫定規定」を公布し、その中で通報に対する三日以内の回答を約束した。

ネットでの悪徳役人摘発

それ以降、民間の「網絡反腐」の動きが一気に活発化した。集計によると、07年の民間「網絡反腐」は全国範囲でも7件だが、08年は17件、09年は43件、10年は42件、11年112件、12年は182件に上がっていった。その代表例は、全国的に話題になった有名な「表叔」事件だ。

12年8月26日、陝西省延安市で36人死亡の特大交通事故が発生し、省規律検査委員、省安全監督局党書記兼任局長楊達才が事故現場で撮られた「微笑写真」がネットにアップされた。

「網民」の多くは死者を多数出した事故現場でのその笑顔に強く反発し、抗議の声を上げた。しかしこれだけでは本人に痛くもかゆくもないことに気づき、楊の普段の振る舞いを示す写真をあの手この手で見出し、いろんな場面に顔を出した本人の写真から、10個以上、計20万元以上のブランド腕時計を使っていることを割り出し、ネットでスクープして現地の規律検査部門に調査を求めた。この要求に対する支持の声がネットに溢れた。

図表２　事故現場で笑う安全担当局長。出所：中国SNS

本人はネットでの摘発に対し、当初は「安い偽ブランドの腕時計を使っただけ」と弁解したが、ネットでの追及が一段と厳しくなり、腕時計だけでなく、掛けた眼鏡もブランド品だと各会議・活動での「証拠写真」を見つけて現地政府に提出された。その結果、わずか14日後、楊局長が「汚職腐敗の証拠」と認定・解任され、後に14年懲役を言い渡された。

中国語では腕時計のことを「手表」というので、楊氏は「表叔」（時計おやじ）と揶揄され、その後、この事件は「表叔」事件と呼ばれ、「表叔」という言葉は腐敗役人の代名詞にもなった。

全国的話題になったネットの摘発で役人を辞任に追い込む事例は、数多く現れた。例えば「横暴団長夫人」事件。09年10月、世界遺産の敦煌石窟で見学していた新疆建設兵団の女性医院党書記が古代壁画に手で触り、19歳の女性ガイドに止められて激怒し、随行者がガイドの顔を殴った。事件が発生後、新疆にいる夫（建設兵団第２２１団副団長）が現地の管理部門に電話をかけ圧力を加えた。このことは現場にいた群衆によって写真が取られ、ネットで暴露され、併せて公務車両の不正使用などの問題も訴えられ、６日間後、本人と庇った夫の二人とも免職された。

もう一つは「不動産局長の暴言事件」。08年12月初め、南京市江寧区不動産管理局長周久耕（しゅうきゅうこう）が、不動産価格の高騰を擁護する発言をし、それがネットで暴露された。不動産の高騰に苦しむ国民の多くは怒り出し、ネット上で彼に対する「草の根捜査」を始めた。本人が高級ブランドのタバコを吸っていることや高級車キャデラックに乗って通勤する写真が次々と暴露され、証拠を突き付けられた現地政府は調査に乗り出し、３週間後、周が解任され、後に別の罪と合わせて11年の有罪懲役が言い渡された。

同様なネットスクープが全国的に発生したため、一時期、役人の間で「談網色変」（ネット摘発怖がり病）が広まり、高価たばこ、ブランド腕時計、高級車の使用を控えた。それが写真にとられ、ネットで公表されて更に現地の紀律検査部門の追及を受けたら、「叩けば埃が出る」ことを恐れたためだ。

ネット上での三回の大炎上

この民間主導の「網絡反腐」ブームは12年から13年にかけて最高潮に達したが、習近平時代になると、「反腐敗闘争は党と政府の責任でやる」方向に転換した。役人の不正に対する民間サイトでの摘発は制限され、代わりに政府部門への通報、摘発が奨励された。13年9月、中央紀律検査委員会や監査委など五つの部署が通報を受け付ける「五網合一」新サイトが開通された。それにより、14年の一年間だけで、全国の紀律検査と監察部門は合わせて249万件の通報・訴えを受理し、うち「網絡挙報」が46・69万件で、約2割を占めた。

しかしネット社会に突入した中国では、民衆はもはや政府機関への通報では満足せず、その不満を自らネットで表現することを好み、それがいつの間にか新しい潮流にもなった。このような民意はコロナの発生に伴って一段と激しい津波に化して発せられた。

20年1月以降、中国のネット社会では少なくとも三回、当局の対応に対する不満が集中的に爆発する「大炎上」、大論争が発生した。

一回目は「李文亮（りぶんりょう）事件」。彼は元々武漢のとある病院の眼科医で、同僚から受けた「どうも新型SARS（03年に発生した死者を多数出した新型肺炎）が再発したらしい」という情報を自分の友人グループ（「微信群」）に転送しただけで警察から訓戒され、過ちを認める文書に署名させられた。間もなく本人も感染し、翌2月7日に33歳の若さで死去した後、中国のネット社会では彼を追悼するメッセージが多く寄せられ、そのうち、当局の対応の遅れとまずさを批判する言論も含まれた。それに対し、最初は不満の言論だけでなく、李文亮追悼の言葉もネットでブロックされた。これに怒った「網民」はブロックに引っかからない表現に変えて、一斉に不満を発声した。この攻防戦が行われた数日後、当局の対応は一変し、李本人を「烈士」（仕事や使命のために命を捧げたとされる）に追認・表彰し、現地への調査チームを派遣し、同時に関連の不満を示す書き込みも解禁され、削除されなくなった。

このネット上の闘いを見て、『環球時報』編集長の胡錫進（こしゃくしん）（当時）は、「李氏の病死直後、世論（反発）の『津波』が発生し、これが政府による調査を推し進めた」とし、民衆によるネットでの突き上げが社会の進歩につながるとの評価を送った。

同年2月15日、コロナに関する初期対応の遅れに関する責任を取らされた武漢市と湖北省の党トップが一斉に更迭された。武漢市党書記に新たに任命された王忠林（おうちゅうりん）が3月6日、全国から大量の医療関係者が支援に駆けつけ感染拡大に一定の歯止めをかけたとして、「武漢人民は総書記と共産党に『感恩』すべきだ」と発言した。ここでネット上二回目の大炎上が起きた。湖北省全体の6000万人以上が一カ月以上隔離され、未だ苦しんでいるのに、当局への感恩は何だと、とネット世論は再び一斉に怒り出し、不満を示す書き込みが溢れた。今度は当局の対応が早く、3月10日に現地を訪れた習近平主席は、何度も「人民に感謝」を口にし、「党と人民が武漢人民に感謝する」との題字も揮毫した。3月14日付『人民日報』に、「民衆に『感恩』を求めるのは（封建時代の）皇権思想（すべての幸せについて、それを与えてくれた皇帝に感謝すること）と批判する評論文も掲載された。

三回目のネット炎上は、たまたま習主席の武漢訪問当日の3月10日、月刊誌『人物』20年3月号に「發哨子的人（警笛を配った人）」とのルポルタージュが掲載された。武漢の女性医師艾芬（あいふん）

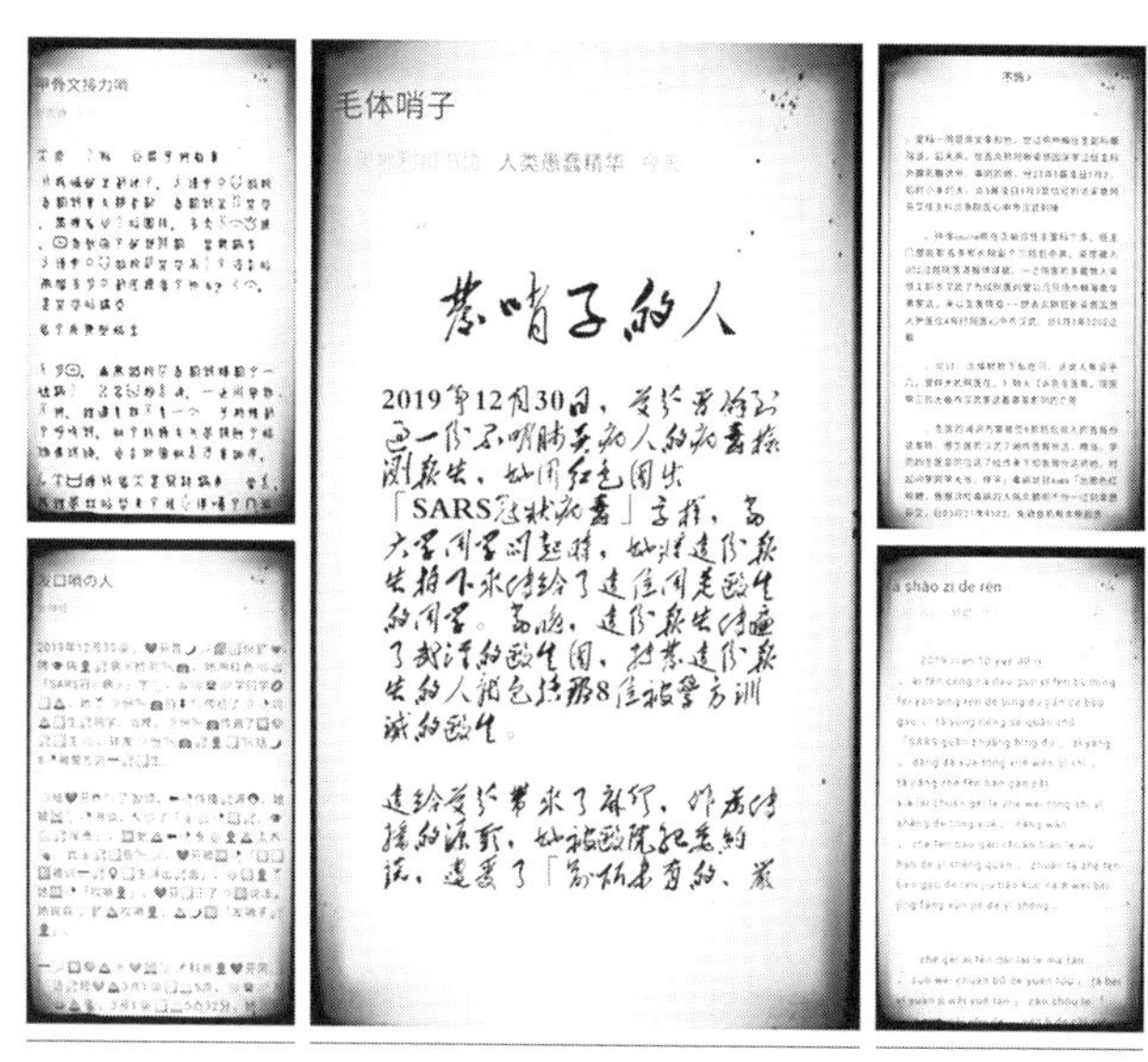

図表３　一時ブロックされた話題のルポを甲骨文、絵文字、毛沢東流手書き体、ピンインなどに変えた掲載文

はインタビューで、李文亮に情報を伝えたのは自分であり、同じように厳しく叱責されたと告発する内容だった。このルポがネットに掲載された直後、また削除されてしまった。すでに不満とストレスを溜めこんでいた民衆は、今度は空前規模の「抵抗運動」を始めた。全国の「網民」はルポの内容を少なくとも33種類の言語と表現を使ってネットに再掲載し、反発を表明した。これで不満のうねりを感じた当局は、一旦削除した同ルポをわずか一日で復活させた。「網民」たちはこの日を、「SNSが誕生して以来最もブラックユーモアに富む一日だった」と称した。

ネット世論から見る「民意」の行方

この騒ぎに関して習近平主席の、「大

衆の愚痴、ストレスに理解を示そう」との双方をなだめる発言が3月12日付『南方日報』に掲載された。

しかしことはここで収まらない。ベテランのジャーナリストと元宣伝担当幹部は、今回の個別事案にとどまらず、ネット管理部門による検閲そのものに対しても相次いで異議を提起した。元教育部報道官が、「刪帖封号」（ネット言論の削除、登録の取り消し）について、「勝手むやみにそれを使ってはならない、特に不作為、無責任等の口実にしてはならず、悪人と悪事を庇うシェルターには尚更なってはいけない」と発声し、「ネット規制は共産党と大衆との良い関係をつくれず、逆にその関係を壊す悪人の手段にならないよう警戒せよ」と注文を入れた（『微博』20年3月10日）。別のシニアジャーナリストは「当面の宣伝工作に対する十三の異議」を発表し、「民衆の不満と心の声に真摯に応えることができなければ真に自信ある社会とは言えない」、「民意は削除しきれないものだ。『アラブの春』が教えた教訓、民衆の怒りに火が付いたら戦車も大砲も止められないことを思い起こせ」と戒めた（『微信』20年3月12日）。これらの諫言は本章の執筆の時点で依然、中国のSNSでアクセスできる。

民衆からの強い反発をある程度意識したからか、4月14日、党中央弁公庁が下部組織に発した通達で、「上を喜ばせる一心で大衆を失望させるような愚かな真似はやめろ」、「新冠肺炎（新型コロナ感染症）の対処における経験と教訓を深刻に総括せよ」と指示した。

この間、中国の著名な学者たちのネット規制に対する批判も「新媒体」に相次いだ。武漢大学の馮天瑜（ふうてんゆ）教授は、言論の自由が抑えられることこそ、社会の不安定を招く真の原因だと訴えた（『微信』20年3月26日）。「今日の世界の特徴である超大規模な知識、情報、物資の流動に対し、中国はまだ農業社会時代の心理と目線で対応しているのではないか」と北京大学の教授が問題提起した（『微信』20年2月15日）。社会学者于建嶸は、「法治の思考、科学的姿勢、思いやりがなければ、中国は過ちを今後も止められない」と警告を送った（『学術派』サイト 20年2月11日）。歴史学者の蕭功秦教授も「多元的な疑問提起の声は社会にとって警報器の役目がある。一元化された集中的権威がこの警報器の音を閉ざしたら、偏向を是正するメカニズムを失い、真の危機と災難が到来することを意味する」と『微信』の実名コラムで発信した。

コロナ禍の間に中国のネット社会で繰り返された不満噴出のうねり、および当局との一進一退の闘いは、海外メディアではあまり紹介されていない。これこそ民意であり、中国社会における権利意識の向上の現れだ。

中国各地の大学生に何度も聞いてみたが、政治や外交、国際問題に関心ある人の大半はＶＰＮを使って海外のサイトにアクセスし、情報を入手していると話してくれた。数億人がネット上に出す不満の声を消すことは、物理的に不可能になっている。情報統制が続いているが、国民の声がうねり、津波を成して発生すれば、当局は一時的にしろ、譲歩、妥協を余儀なくされている。中国のネット世論はもはや一方通行ではなく、双方向のインターアクションが始まっている。

中国のネット社会を動かす主体が「80後」「90後」「00後」（１９８０年代から21世紀初めまでに生まれた世代）になっていることにも注目すべきだ。欧米では「Z世代」（ジェネレーションZ＝Generation Z の訳語）という概念があり、１９９５年から２００９年までに生まれた年齢層を指すが、中国でいう「90後」「00後」世代にほぼ相当する。この世代は、①ニュートラルな男女意識、②他人に合わせるのではなく、自分の物差しを持つ、③対人関係を重視し、他人からの評価に敏感、④社会問題への関心が強い、といった共通した性質と価値観を持っていると指摘される（王水雄「中国〝Z世代〟青年群体観察」、北京『人民論壇網』サイト21年9月15日）。自我意識の強い世代で、自由、権利、法治、弱者救済といった「普遍的価値観」が浸透しつつあり、高圧的な権威に出会っても簡単に妥協・服従しないこと、連係プレーを重視し、呼応・支持し合う行動パターンが見られる。中南海の動きだけでなく、中産階級、特にこの新世代の成長による政治・社会の進路への影響をもっと注視していく必要がある。

体制批判に変わりつつある傾向

ネット世論のうねりはコロナの発生以降、加速しているようにも見受けられる。

21年6月6日、中国航天科技集団所属「航天投資控股有限公司」董事長の張陶（ちょうとう）が、二人の古参科学者に国際宇宙航空アカデミー（IAA）会員（「院士」）への推薦を拒否されたために二人を殴打し重傷を負わせた。ネットで6月中旬にスクープ記事が相次いだが、航天科技集団は「デマ」「調査中」を理由に一向に対処せず、7月1日の建党100周年大会の中継会場にも張が姿を見せた。しかしさらに拡大したネット上の不満が当局を動かし、7月4日、張が停職され、翌5日、北京市公安局に逮捕された。

6月下旬、ある人気女優が、論文がないのに教授に招聘されたのは裏に不正があるとの暴露がネットに現れ、直後「教授」職の任命が撤回された。

7月初め、湖南省の湘雅医院の副院長が接待の異性をベッドで死なせたことがネットで暴露され、免職になった。

この中で、ネット世論は事件や当事者個人への摘発・批判に止まらず、体制批判に飛び火する傾向が現れている。

21年5月9日、成都市第49高校の二年男子生徒が夜の学校活動に出かけたが、階段から転落死したとの連絡を受けた母親は説明を信用せず、ネットで疑問点を並べて「社会的な支援」を求めた。それに同情する書き込みが殺到し、それぞれの不満・愚痴も発散され、憶測とともに教育制度への批判にも飛び火した。数日後、警察など政府部門の共同調査で、生徒本人の精神不安定による自殺との結論と証拠が公表され、ネット上ようやく平静を取り戻した。

6月7日、上海復旦大学の数学学院内で若手教師が学院の党書記をナイフで殺害した事件が発生した。当大学は米国流の教師任期契約制度を14年から取り入れているが、加害者は評定不合格が続いて絶望的になり、ついに人事担当の上司を刺殺した。直後から、ネットでは「事件の真相」と称して様々な「暴露」が現れ、党が教育現場を管理することへ批判が広まった。真相究明というより、「同様なことが多発しているため、広い不満を引き起こす導火線になった」「事件の煽りを助長したのは、溜まった不満のはけ口を無意識的に探し求めていた社会的雰囲気だ」と海外在住の中国人研究者は解説した（劉青「復旦殺手為何廣受同情？」、RFAサイト 21年6月18日）。

そして10月21日夜、18歳の時にワルシャワで開催されたショパン国際コンクールで優勝し、「ピアノ王子」と呼ばれ、日本でも有名な李雲迪（ユンディ・リ、39歳）が買春容疑で北京の警察に逮捕された。公表時は「李〇迪」と実名の一部が伏字になっていたが、翌日から政府系メディアは実名で報じ、「一生涯を棒に振った」と厳しく非難した。中国演出業協会は彼の除名を要求する声明を出した。芸能界の異様に高い報酬の問題で不満が強い民衆の間で、事件の第一報に接した時、拍手を多く送ったが、政府系新聞が李に対して人格を否定するような批判を見ると、急に当局批判へと風向きが変わった。四川大学法学院の韓旭（かんきょく）教授は口火を切って、犯罪人ではないのに、行政処罰を課した対象の名前の公表自体が違法であり、公民の基本権利に対する侵害だとの批判記事をネットで発信し、幅広い支持を受けた。今度、「河南省信陽市の公安局長らの収賄事件で、なぜ罪が確定し処罰を受けた役人の実名が再三の公開要求にもかかわらず拒否されたのか」と現地の弁護士はネットで暴露した。続いて、上海音楽学院副院長だった人間が贈収賄の罪で摘発された上、北京で買春して捕まったのに公表されず、逆に後に昇進したとの6年前のケースも再度話題になった。

ネット世論は更に李を弁護する方向に転じ、「アインシュタインもピカソも何度も浮気した」「米国の黒人人権活動家キング牧師も買春を重ねたが、メディアではそれに関する公表を拒んだ」「陳独秀（ちんどくしゅう）ら革命家、魯迅ら革命文学者も同じことをした」といった書き込みが殺到し拡散した。

「2025年転換説」

22年に入って、1月、コロナでロックダウンした西安で、PCR検査証明が期限切れした妊婦が出産入院を拒否され、子供を死なせた件はネットで津波のような批判を呼んだ。中央政府は複数の現地責任者の解任を発表し、孫春蘭（そんしゅんらん）国務委員（副首相）が「面目ない、謝罪する」と公の場で頭を下げた。2月、江蘇省の辺鄙な農村で誘拐された女性が8人の子を産まされ、精神錯乱で鎖で首を縛られた事件は北京冬季五輪中にスクープされ、これも「網民」の激高の中で現地責任者が解任され、翌月に開かれた全人代では、女性・児童の誘拐に対する罰則強化の法制化が決定された。

４月以降、中国最大の都市上海で事実上のロックダウンが2カ月以上続いた。ここでも地方政府の拙い対応、小役人たちの強引と横暴に対する暴露と非難の声がネットで噴出した。市党書記の李強（りきょう）がある団地を視察した際、住民から怒鳴られ、詰め寄られた画面がスマホで撮られ、広く拡散した。市政府への強い不満は、次期首相の有力候補と目された李強書記の人事の行方にも影響すると観測された。

筆者の母校華東師範大学の許紀霖（きょきりん）教授はネットで「２４００万の上海人が受けた今回のレッスンは過去30年の啓蒙をはるかに上回る」「このつらい体験を通して、誰もが自分、人生、この国、そして世界を見つめ直した」「歴史の転換は往々にしていくつかの大きな事件から構成され、ある種のハブ的現象となるが、今回の上海封鎖はまさにそのような転換的な意味を持つ」と書いた（許紀霖「静默給２４００萬上海人上了一課，遠超過去30年的啓蒙」、ＱＱサイト22年6月20日）。

社会の暗部、役人の跋扈がネットで次々と暴露・批判される過程で、広範な中国民衆の「知る権利」「参加する権利」の意識が高まっている。事件の発生後、役人の第一反応は大体が弁解、責任逃れである。それがネット世論に追究され、事態の拡大を恐れる当局が調査と処罰に乗り出し、改善の施策と法律が出されるというパターンであり、中国社会はこのような一進一退の中で確実に前進している。

中国大陸と台湾の「民意」の変化を比較研究する王信賢（おうけんしん）・台湾国立政治大学教授は、19年夏に東京で開かれた研究会で講演した際、次のように指摘した。台湾民衆の不満も1970年代末まで主に特定の政策や担当責任者に向けられていたが、80年代に入ってから、体制そのものに集約され、それが数年後の民主化を引き起こす社会的背景になった。現段階の中国は1970年代末頃の台湾人の意識に似ている、という。

確かに、少数の活動家（近年は一部の弁護士や学者にも拡大）を除き、中国民衆の大半は近年、様々な不満を抱えながらも、その矛先は主に具体的な政策、法律、役人に向けられている。ただ、新型コロナの発生で何度も起こった「世論の津波」が、国民意識をどこに導いていくか、注意深く見守っていく必要がある。

19年9月、中国の学者、企業家らが集まる「新莫幹山フォーラム」で、理論派企業家蔡暁鵬（さいぎょうほう）が中国政治の「25年転換説」を提起して話題を呼んだ。彼は、経済発展が政治体制の天井に抑え込まれる近年の「経済整頓の政治化」現象の存在を指摘し、「政治運動式の強制的行政指導」が民間経済の勢いを殺し、市場原理から遊離した産業政策が実体経済を歪ませ、平等な競争の欠如が「汚職腐敗の制度的根源」であると批判し、「私的財産の所有権問題等において理論と制度、法律上の革命的な突破がなければ、中国経済全般の安定的発展を期待できない」と論じた。彼はまた、「歴史の周期律」すなわち一定の間隔で繰り返される法則が存在するとし、中国政治のサークルは17年の（任期制撤廃）憲法改正が新しい波動の起点として、経済や社会、政策の諸問題が重なって「25年頃に次の大転換が起こるだろう」と予測した。

20年代後半およびそれ以降の中国の政治と社会はどこに向かうか。「超新星爆発」が生じている以上、中国の行方がこれまでの延長線上ではないことは間違いない。それについては、中国の内政、外交を検証した上で、第十二章で展望をしたい。

第六章 「第四次産業革命をキャッチせよ」——目標牽引型の中国経済

鄧小平時代の成功のコツ

鄧小平時代の経済躍進は世界的奇跡として中国の内外で認められている。一方、その間、格差が拡大し、新しい利益集団や既得権益層が形成され、役人の汚職腐敗は空前の程度まで広まった。「鄧小平路線が失敗したのでは」と、あるテレビの討論番組で聞かれた。自分はそう思わないと答えた。

経済大国の誕生、様々な副作用。その二面性を総合的に見るべきだ。そして今日及び未来の中国経済との関連で、鄧小平時代で模索された多くの方法論はもう一度再認識されるべきだ。

まずは「手順」の問題。40年前の中国と同じ発展段階の国が多くあるのに、なぜ中国だけが頭角を現したのか。「社会主義の優越性」と中国の一部が云々するが、旧ソ連・東欧の相次ぐ崩壊から見てその理屈に必然性はない。中国の悠久なる歴史の中で培った知恵、手法をベースに、鄧小平のような偉人が各要素をうまく調合して、他の途上国と異なる道を開拓したのだ。

発展途上ではいずれも課題が山積する。すべての問題に対処せざるを得ないが、一応総選挙を実施し、民主主義体制をとる多くの国では与野党が延々と喧嘩し、決断がなかなかできない。合意されるものも大抵党利党略に影響されやすく、総花的、八方美人的で、一時しのぎになるが、長期的、抜本的転換につながらない。中国も同様に10や20もの焦眉の急を要する課題に直面するが、鄧小平は軽重を分けて対処し、特に彼が提唱した「先富論」が重要な切口となった。

「先富論」とは「先に豊かになれる人から豊かになってよい」という意味で、平等・公平をモットーとする社会主義的な発想と真逆だが、途上国のジンクスを打開するにはこれしかないと鄧小平は考えた。特に左派から強い反対を受けたが、経済特区などで徐々に出てくる成果を示しながら、我慢強く推進した。その実施を「期間限定」とする位置づけが、中央突破を図る上で有効な戦術となった。「まず一部の地域と個人で豊かさを実現」し、その上で「先に豊かになった地域と個人は遅れた地域と個人を助ける」との二点セットで、社会主義の理想である「共同富裕」を否定せず、理想として掲げながら、現実的には「先富論」を「必要悪」として実施した。

言ってみれば、「先富論」は囲碁でいう布陣戦術だ。最初から四隅に均等に碁石を置いては実際の対陣、対戦では勝てない。限られた資源を集中的に使う。民間の有能な企業家、経営者に活躍の舞台を提供する。「社会主義」を担保しながら「市場経済」で経済の活性化を図る、という手法だ。その間に試行錯誤、混乱も経験したが、結果的に経済大国という結果に導いた。

「先富論」の発想のもとで、「試点」（実験）という戦術が慎重かつ大胆に導入された。鄧小平時代の政策は「改革開放」の四文字で表現されが、よく考えれば、「改革」とは今までのやり方を聖域なく変えていくこと、「開放」とは外部のもの（政策、経営理念と経営方式など）は中国の発展に有利であれば何でも導入することだ。しかし何を改革し開放すればよいか、十人十色の見方がある。そこで論争を避けながら、ともかくまず行動せよとの発想で、改革開放路線はまず1980年、深圳・珠海など四つの経済特区で「試点」が始められた。

どこの国にも保守派がいる。保守派に対して、「あのちっぽけな辺鄙な深圳に限って実験をやるから、国の根幹を揺るがすことは絶対ない」として安心させ、反対の声を弱める。他方、経済特区内では「タブーなく大胆に試せ」と奨励する。最初の数年間、深圳での「試点」には問題が度々発生したが、これは「試行錯誤だから一定の過失が許容範囲内」と庇った。次第に成果を上げてから84年、上海、天津など14の沿海都市に実験が拡大され、88年、沿海地域全体が「開放地域」に指定され、そして90年代に入って、中部地域（長江流域の開放)、内陸部（新疆などの開放）に広まった。イデオロギー論争と拙速な急進を避け、改革開放をぶれずに大胆に進め、そのプラスの効果が十年以上かかって全国的な認知と支持を得るようになり、いよいよジャンボ飛行機のテイクオフを迎えた。

まず行動という「動的均衡」の発想

中国には、「動的均衡」の発想がある。ひたすら安定・バランスを考えるなら何も前進しない。しかし動き出すと一定の混乱が付き物だ。そこで鄧小平時代から、多少の混乱を覚悟のうえで、まず様々な「試点」を行う。その段階で起こりうる問題・論争を見越し、混乱を一定の枠内に留めながら模索を続ける。そうすればそのうちに、新しい制度、ビジネスモデルが集約され、結果的に大きく前進する。

　例えば、16年頃から、中国ではシェア自転車というビジネスが始まった。スマホ操作で、どこからでも利用可能・乗り捨て自在の圧倒的な便利さですぐブームになり、十数社の企業が参入した。当局は最初の段階では規制をせず見守った。熾烈な競争の過程で、過当競争による過剰投資、放置自転車の横行などの問題が発生し、大半の会社が倒産した。山積みで破棄された「シェア自転車の墓場」を印象付ける写真が日本メディアで紹介された。

　これを「失敗」と結論を下すのはまだ早い。実際にシェア自転車のマーケットが激戦を経て最後に2社から3社に集約された。指摘された問題点も修正され（例えば乗り捨てだが、指定場所を決める）、当局がそこで初めて運営ルールの制定に乗り出し、結果的に僅か2～3年でシェア自転車という新しい業界が形成された。電子マネーも同じで、乱戦を経て、WeChat（微信）ペイとアリペイの二種類に収束され、定着した。それと対照的に、日本の電子マネーは今でも戦国時代のままだ。

　日本では中国の新政策、新動向について細かいところ、特にその混乱・失敗がよく取り上げられるが、様々な分野で無数の小さい混乱、乱打戦、一部の「やりすぎ」と失敗を経て、大きな発展を遂げ、結果的に新しいステージに到達する、という「混乱を通じて安定を得る」というマクロのサイクルを見落としがちだ。これが「動的均衡」の発想で、中国のダイナミックな発展の神髄とも言える。

　日本で「動的均衡」と言えば、生物学者福岡伸一の話題作『動的平衡　生命はなぜそこに宿るのか』（木楽舎２００９年、続編も出版）が連想される。原理は同じだが、後者は、生命体は絶え間なく動き続け〝部分が活発に入れ替わりながらも〟全体として恒常性が保たれる、という生物界の結果としての平衡、均衡を語っているのに対し、中国でいう「動的均衡」は過程・実践重視の発想である。長期目標を決定したら、ぐずぐず言わず、まず実践に移し、途中での混乱を恐れず、試行錯誤を進めながら、結果的に均衡の目標に達成すればよい、という能動性を強調した考え方だ。

鄧小平時代のこれらの発想と手法は現在の中国でも受け継がれている。しいて習近平時代がこれまでと違ったところを挙げるとすれば、①国家レベルでかつて考えられないほどの金融力、技術力、人材を蓄積したため、それをよりハイレベルで「試点」し、「動的均衡」の中で運用していること、②民間の活力を生かしながらも公的力（政府の財政支援、国有企業など）による先導をより重視すること、③「先富論」の段階が終わり、次は「共同富裕」が目標と明確に掲げられたこと、などが挙げられる。

習近平指導部は17年の19回党大会と18年春の全人代の段階で長期戦略を打ち出し、それだけでなく、実施の手順も練り始めた。そこで20年に絶対貧困を解消した後、21年からさっそく、35年に向けて動き出した。ここでも「試点」と「動的均衡」の手法が使われている。恒大グループとアリババをめぐる対応の背後にもその発想がある。その検証は後に譲り、まず中国経済の35年に向けた戦略を検証する。

２０３５年に向けた布陣、布石が始まった

21年3月に開かれた全人代で、今後5年および15年の発展戦略とロードマップを盛り込んだ「第

14次五ヵ年計画と2035年長期目標」が採択された。

「第14次五ヵ年計画」は分厚い内容なので、ここでは重要なポイントだけ取り上げて紹介する。

成長率に関して、90年代末までは「達成目標」として毎年春の全人代で掲げられたが、21世紀に入って代わりに「予期目標」が提示されるようになった。計画経済時代のように政府が主体で絶対達成とするものから、市場主体の経済の成り行きを予測しつつ、長期戦略と合わせて財政・金融などの梃子である程度の「誘導」もするという混合経済的なやり方になった。

21年になると、「予期目標」としての数値も明示しなくなった。コロナの影響、米中競争など内外情勢の不確定性を考慮した一面と、「量」より「質」を重視する発想への転換が背後にある。

新しい五か年計画に「双循環」戦略が初めて盛り込まれた。これまで「対外的循環」すなわち「グローバル・サプライチェーン」の中で自らを発展させる路線だったが、鄧小平時代以来の軌道修正になった。対外開放、輸出入の拡大、「一帯一路」の継続などを含む「対外的循環」は堅持されるが、同時に、米国などからの締めつけに影響されない独自のサプライチェーンの構築、すなわち「内循環」の形成に取り組む方針が打ち出された。

ハイテクの自立と科学技術大国を目指す方向も明示された。その達成手段は「科学技術の自立」と「自主創新」の二つが掲げられ、ハイテク産業政策も同時に打ち出された。そのうち、半導体や人工知能（AI）を戦略的な重点科学分野として位置づけ、重点的に育成する新興産業は、①IT（情報技術）、②バイオテクノロジー、③新エネルギー、④新素材、⑤電気自動車（EV）などの新エネルギー車、⑥航空宇宙などと指定された。

「五か年計画」と同時に採択された「2035年までの長期的目標」には、①一人当たりの国内総生産（GDP）を中位の先進国並みのレベルに引き上げること、②「主要分野の核心技術で重要な突破（ブレークスルー）を成し遂げ、イノベーション国家の先頭に並ぶ」こと、③格差を是正し、中間層を拡大し、「共同富裕」の社会を作り上げることなどが掲げられた。

これらの新戦略は中国で「新発展枠組み」の構築と位置付けられている。21年7月16日、習主席はオンラインで開かれたAPEC非公式首脳会合で演説した際、「中国はすでに新たな征途に上がった。新発展段階を踏まえ、新発展理念を貫徹し、新発展枠組みを構築し、より高いレベルの開放型経済新体制を築き～」と語っている。

21年7月末の中国SNSに掲載された「政解局」（政治解説局?との意味）と名乗るアナリストは次のように新戦略を打ち出す背景を解説している。

一、最近、「内循環」の構築を目指して、それを阻害する要因の除去、問題の解決に取り組む一連の政策が密集して打ち出されている。教育分野の整頓、不動産市場の整頓、金融市場の整頓、医療改革、人口政策などがそれにあたる。

二、その根底にあるのは「底線思維」である。「最悪のパターンを想定した考え方」「譲れない部分をはっきりさせて、情勢判断と政策決定の基準にすること」と解釈されるが、中国当局は、米中対立の激化で起こりかねない「世界的な準戦争状態」という最悪のシナリオに備えて、外部環境がどんなに激動しようと国内の経済と社会が持続可能なようにすると考えている。

一連の新しい「試点」

「新発展枠組み」の構築が決定されたのを受けて、その実施を目指す「試点」が次々と始まった。

19年8月9日、「深圳が中国の特色ある社会主義を建設する『先行模範区』になるのを支持することに関する党中央、国務院の意見」と題する指示が発せられた。これは深圳を、地方自治体の政治体制の改善を模索する「試点」、つまりモデル地域として指定したことを意味する。40年前、深圳は経済体制の改革を模索する「試点」だったが、これからは政治と行政体制改革の実験区になる、と中国の専門家は解説している。

21年4月23日、「浦東新区がハイレベルの改革開放をし、社会主義現代化建設の『引領区』になるのを支持することに関する党中央、国務院の意見」と題する指示が発せられた。全国的に見ても経済の体制改革が最も進む上海の浦東地域を、35年の「社会主義現代化」実現を念頭に、そのためのパイオニア実験区と指定したことを意味する。

35年の「共同富裕」目標の実現に向けて、21年6月10日、「浙江省がハイクォリティー(高質量)的に共同富裕『示範区』を建設するのを支持することに関する党中央、国務院の意見」と題する指示が発せられた。その具体的措置、目標とロードマップは主に以下の6項目である。

一、目標を細分化し、浙江省内でさらに、①高品質の発展と高品質の生活を並行して実現する「先行区域」、②都市と農村の協調発展を実現する「引領区域」、③所得分配制度改革の「実験区」、④「文明・調和・環境保護」を実現する「展示区域」という四分野の「試点」を行う。

二、25年までに、経済の高品質の発展、一人当たり所得は先進国の中位レベルの達成、公共サービスの均等化を実現するとともに、格差が著しく縮小し、中間所得層を主体とするラグビーボール型の社会構造がほぼ形成され、「共同富裕」を推進する制度のメカニズムと政策枠組みが出来上がり、更に複製と拡散が可能な成功した経験をまとめることなど、「実質的な進展」を成し遂げる。

三、35年までに、物質文明、政治文明、精神文明、社会文明、生態文明の全面的引き上げ、社会セイフティネットの成熟化、「先富者」が「後富者」を支援するメカニズムの形成などをもって「共同富裕」を基本的に実現する。

四、共産党首脳部の全面的指導の下で、中央政府の各部門では浙江省の「試点」を支援する体制と政策を形成し、現行政策の修正を含む模索、改革の権限を授与する。新しい改革が現行の法律や行政法規と抵触する場合、全人代や国務院の権限授与を得て実施される。

五、浙江省の実験に対するアセスメント（評価や査定）のシステムと他の地域へ推奨、拡散のメカニズムを樹立する。新しい成果が出次第、分野・項目ごとに査定し、良い経験は速やかに他の地域に広げる。

六、党中央と国務院が企画・監督し、浙江省主管部門が全責任を負い、所属する市と県が具体的実施を担当するという実施体制を立ち上げる。国家発展改革委員会が特別チームを設置し、関係部門の協調と任務措置のチェックを担当する。

「第二の改革開放時代」

ではなぜ浙江省が共同富裕実現の「試点」に選ばれたのか。これについて中国の専門家は三つの理由を挙げた。①アリババに代表されるようなイノベーションに優れた企業が多く、そのような「創新」の精神が浙江省に根付いていること、②ビッグデータ、情報化、AI（人工知能）の発展が進む現地で、政府による科学的ガバナンスの模索に有利、③経済規模は全国第4位、第三次産業が発達し、省内各地域の経済格差が大きくない、という（「対話：如何看待浙江率先試點『共同富裕示範区』」、捜狐網サイト、21年6月15日）。

中国銀行の元チーフエコノミスト曹遠征は、21年春のオンライン日中専門家会議で、「中国は、日本の1億総中流を学び、35年まで14億総中流の国を目指す」と解説した。

それとは別に、海南島をまるごと「自由貿易港」にする法律「中華人民共和国海南自由貿易港法」も同じ6月に成立した。25年まで、世界最大の無関税の自由貿易区が九州とほぼ同じ面積の海南島で出来上がる目標で、すでにそれを目指す一連の措置が発布され、実施に移っている。

7月22日、中部地域の「高品質発展」に関する党中央と国務院の指導意見（3か月前に内示）が公表された。中部地域のみならず、新時代の東北振興、内陸部を海につなぐ「西部陸海新通道總計画」（19年から実施、25年までほぼ開通）など全国土発展新構想も打ち出されている。

日本を含む西側の中国報道は近頃、米中摩擦、香港、台湾、新疆問題などに集中し、中国国内では「不満が鬱積、格差拡大、発展失速」、対外的に「拡張」「孤立」といったイメージが先行している。しかし実際は、中国では「偉大なる復興」の夢を目指す長期的な戦略と中・長期的計画を次々と制定し実施に移している。

先進国への脱皮を目指す中国の戦略と計画は「共産党体制の下では無理」、「どうせ掛け声倒れに終わるだろう」との見方が海外に多い。それに対して逆に中国のネットでは、「日本を含む多くの国は計画を立てるが、時間が経ち、与党・内閣が変われば『大山鳴動して鼠一匹』、尻すぼみになるのがほとんど。中国の長期計画こそ、ほとんどは計画通りに進められている」として検証する記事が出ている。例えば、中国の宇宙開発計画は05年に制定され、それに沿って15年間着々と実施され、一部は前倒しに進展しているのと対照的に、日本やインドもほぼ同じ時期に似たような宇宙開発計画を作ったが、その計画はどこにいったのか、と揶揄されている（「大家一起吹吹牛，怎麽就中国当真了呢」、中新網サイト20年12月8日）。

「新発展枠組み」とそれに伴う一連の措置は「第二の改革開放時代」の到来とも呼ばれている。中国の熟語に「悶聲發大財」というものがある。「外部でどう騒がれようと、黙々と金儲けする」という意味だが、それが現在の中国の発想であるかもしれない。

この「新しい長征」には1980年以降の改革開放と同じように、多くの課題・リスク・障害が立ちはだかっている。しかし中国の新しい「世紀の大実験」を少なくとももっと直視し、まともに研究すべきである。ただ「中国が四面楚歌」との報道と錯覚に溺れていては、これまで何度もあったように、いつの間にか中国が「大化け」した後になって初めてハッと気づき、それで慌てて対処しても一周遅れになってしまう。中国に対する先入観先行、「木を見て森を見ず」の捉え方、好き嫌いによる判断は結局、自分の目を曇らせるだけである。

共同富裕に向けた足元の混乱

中国は2035年の「社会主義現代化」の「初歩的実現」という目標に向けて、21年7月1日の結党100周年を境目に、新しい方針を矢継ぎ早に打ち出したが、直後、一連の混乱が生じた。

一つは思想、政策上の混乱である。中国の学者も、「共同富裕」のスローガンを性急に強調しすぎて、「ポピュリズム」「官僚主義」「形式主義」という「3種類の問題」が浮上したと指摘した（杭子牙「推進實現共同富裕，需要時刻防範『三種主義』」、「風聞」サイト21年9月3日）。低所得層の民衆が億万長者になったアリババのジャック・マー元会長らに対して持つ複雑な気持ちを利用し、一部地方幹部は企業家を苛めれば喝采を受けると考え、あるいはこれで首脳部の歓心を買えると思い、一部の過分に厳しい処置を取った。これで多くの企業家の間で、財産がいろんな名目で没収されるのではとのパニックが生じた。

もう一つの混乱は、一気に新しい政策や措置を取ることによってもたらされる混乱だ。恒大グループの経営危機、アリババなど大手IT企業が巨額の罰金を払うなどの「懲罰」、学習塾の制限などによる現場の混乱、有名芸能人に対する相次ぐ脱税摘発などがよく報じられた。

ただ、これらの混乱について具体的に区別して見る必要がある。一部は未来の実現と掲げたはずの目標を性急に当面の政策に化して急進的に進めることで引き起こされた混乱だ。学習塾の制限、芸能人叩きはこの部類に属する。

恒大グループの経営難は、それ自体の失敗というより、当局が進んで不動産会社に対する融資の基準を厳しくするなど政策の調整を行った結果としての一面もある。鄧小平時代以来、不動産開発は中国経済の発展を支える柱の一本で続いてきたが、ここまで来て、不動産価格の異常な上昇によって一般民衆は「マイホーム」に手が届かなくなり、社会的な不満が溜まってきたこと、不動産業者と地域政府との癒着がより進行したこと、巨額の借金による事業であるため金融危機の危険性も高まってきた。「新時代」の変革に着手する現指導部は、これらの時限爆弾の存在を深刻に受け止め、万が一のバブル崩壊の発生を防ぐ、という予防策に打って出た。そこで、融資比率の大幅縮小、審査基準の厳格化といった方針を出し、「先手を打ち、膿を出す」改革に着手した。これまで借金を頼りに事業を急拡大してきた恒大グループなどは当然、経営危機に追い込まれた。

では恒大グループなど大手不動産は倒産するか。当局は経済と社会の不安を連鎖的に引き起こす不動産業者のドミノ的倒産を望まない。そこで、新しい政策を実施しつつ、大手不動産が本当に倒産と大混乱が生じる気配があればある程度対策を緩和し、ソフトランディングを図る、という両睨みの政策を取っている。現に、21年夏、経営難に陥る不動産会社が複数現れ、それが全国の経済運営に悪影響を与えかねないとの判断で、秋以降、銀行による融資基準の一定の緩和が実施された。ただし、不動産市場がバブル崩壊しないための全面的な改革目標は、引き続き追求されていくだろう。

アリババはなぜ叩かれたか

アリババなどIT大手企業への「締め付け」は別の理由によるものだった。

日本メディアの一部は、アリババなどに対して巨額の罰金を取るなどといった中国政府の措置は、共産主義のイデオロギーに執着し、「共同富裕」の実現を急ぎ、民営企業に打撃を与えるものだと批判し、それが市場リスクを上げ、外資企業にとっても悪影響と評した。それに対し、中国外交部の汪文斌(おうぶんひん)報道官は、「一連の措置は根本的に中国経済の公平、秩序、持続可能な成長と発展の実現を促進するのに有利であり、世界経済の発展にとっても長期的にプラスだ」と説明した(21年9月8日の記者会見)。

中国銀行元チーフエコノミスト曹遠征氏は次のように分かりやすく説明してくれた。市場経済をゲームに譬えれば、法律はルールであり、政府はレフリーを務め、企業は同じグラウンドでのプレイヤーであるはず。しかし情報化の時代において、アリババなどの大手IT企業はただのプレイヤーだけでなく、その巨大なプラットフォームで競争ルールを勝手に決定し変更できるレフリーも務めている。大手IT企業の「一身二役」は市場競争原理を歪め、中小企業にとって明らかに不利になっている。だから大手「プラットフォーム企業」に対する制限は市場競争を守るために必要だ。また、中国政府が「プラットフォーム企業」に対して独禁法の適用を決意したのは、欧米に見倣った一面もある、という。

アリババなどの「プラットフォーム企業」が「独禁法」に抵触した問題は、例えば以下のいくつかが挙げられている。

一つは、自らの優位な地位を利用して、業者が他のプラットフォームで商業活動を行うことを制限する「二者択一」(「二選一」と呼ばれる)の強要。弱者の地位にある一般業者にとっては、明らかに不利な条件だ。

二つ目は、ビッグデータ及びアルゴリズムに基づき、取引相手の支払能力・消費の好み・使用習慣等を押えたうえで、差異をつけた取引価格、またはその他の取引条件を指定すること、新旧の取引相手に対して差異のある取引価格や条件を実施すること（「ビッグデータ殺熟」と呼ばれ、「ダイナミックプライミング」と訳される）。これで同じプラットフォームをよく使う人ほど、知らないうちに厳しい条件、高い価格を課せられてしまう現象が多発した。

三つ目は「アルゴリズム共謀」（「算法共謀」）と呼ばれ、プラットフォーム企業同士が、データやアルゴリズムなどの技術的手段を利用して独占的な協定を結ぶ、などである。

実はこれらの問題を先に提起したのは欧米だった。米国下院の独禁調査チームが16か月の調査を経て20年10月、「プラットフォーム経済」4巨頭GAFAはいずれも独禁法違反の問題が存在し、厳しい監督が必要、分割も選択肢に入るとの結論を下した。グーグルの場合、17年から20年までの4年間、米国国内で96億ドルを超える罰金、EUからは80億ユーロ以上の罰金を課せられた。22年1月24日、オランダ政府は、米アップルのアプリ配信サービス「アップストア」が外部の決済システムの利用を妨害し続けているとして500万ユーロの制裁を科した。欧州議会が1月20日に巨大IT企業の規制に関する法案を可決したのに続き、欧州連合も3月24日、巨大IT企業が独占的地位を利用してオンラインビジネスを行うことを制限する「デジタル市場法」（DMA）の制定で合意した。

「独身の日」の売上は8・4％増

中国は20年から「プラットフォーム経済」の問題点に気づき始めた。アリババとテンセントの二社は20年までの5年間、10兆元（約２００兆円近く）に上る商業取引のプラットフォームを構築し、18年だけで、両社はそれぞれ１５１社と１２１社の企業を買収・合併した。中小企業にとって極めて不利な独占的なプラットフォームだ。20年12月11日に開かれた党中央政治局会議の文書に、「独占禁止を強化し、資本の無秩序的拡張を防止する」という表現が初めて盛り込まれた。21年に入ると、一連の措置が取られた。２月７日、国務院反独占委員会は「プラットフォーム経済領域の独占禁止に関するガイドライン」を公布し、その中で「二選一」「ビッグデータ殺熟」「算法共謀」などの行為を独占禁止の行為と認定した。４月10日、市場監査総局は、アリババの一部の運営方式は独禁法違反として、19年の売上額の４％相当の１８２・２８億元という巨額の罰金を科した。８月17日、「ネットにおける不当競争行為の禁止に関する暫定規定」が公布され、11月18日、この問題を専門的に対処する「国家反独占局」が設立された。

ただ、アリババのジャック・マー元会長の一時の出国「足止め」や、大手ＩＴ企業に対する相次ぐ巨額の罰金など、中国政府当局が一時期次々と繰り出したパンチは、少なからぬ中国企業、特に大手ＩＴ企業を慄かせる副作用があったことは否めない。それに対し、習主席の経済ブレーン劉鶴（りゅうかく）副首相は、21年９月６日に開かれた中国国際デジタル経済博覧会の開幕あいさつで、民営企業は中国に50％以上の税収、60％以上のＧＤＰ、70％以上の技術革新、80％以上の都市部就業、90％以上の市場主体数を貢献しているとして「経済発展の中で果たす役割が重要で、その発展を支援する政府の方針・政策は変わっておらず、現在は変わっておらず、将来も変わらないという「三つの不変」を強調した。続いて９月８日付『人民日報』の一面に掲載された評論員論文は、「中国の経済・社会発展における非公有制経済の地位と役割」、「非公有制経済の発展を奨励・

支持する方針と政策」、「非公有制経済の発展のために良好な環境を整え、より多くの機会を提供する方針・政策」という三つが「変わっていない」ことを重ねて表明した。

アリババなどの「プラットフォーム企業」に関しても、劉鶴副首相は11月24日の人民日報寄稿論文で「新たな経済発展の流れに適応し、プラットフォーム経済に対する監督管理を強化するとともに、プラットフォーム経済の革新を奨励し、一流の国際競争力を持つプラットフォーム企業を育成しなければならない」と述べ、「奨励」と「育成」に軸足を移すことを示唆した。

21年10月22日、テンセントやファーウェイなど20社以上のIT企業が深圳市アプリ個人情報共同保護大会に参加し、その場で「深圳市アプリ個人情報保護自主承諾書」に署名した。承諾書に、「範囲を超えた情報収集、ユーザーの許可への強制的要求、『ビッグデータ殺熟』、顔認証技術の乱用、プライバシー談話の傍受」などを絶対しないという誓約が盛り込まれた（「深圳商報」サイト同日の記事による）。

11月11日はアリババ主催の「独身の日」セールが催される国民的イベントになっている。21年のイベントに関して、日本の報道は相次いで「異変」「熱気なし」といった表現を使って、当局の締め付けによって大手企業が委縮していると解説した。しかし今回のセールで包装材の削減などの「環境保護」、地方生産者の支援、社会的弱者への寄付などの「公益」がPRされたことは、中国企業も、欧米の大手企業がよく使うSGDs（持続可能な開発目標）、CSR（企業の社会的責任）といったコンセプトに一歩接近する社会の進歩と見るべきではないか。同時に、今回の「独身の日」イベントの24時間の売上金額（取扱高）は、楽天のEC取扱高の2年分以上相当の約9兆6440万円に達し、前年より8・4％増、過去13回で最高記録を作った。これを「熱気なし」

と呼ぶのはやはりおかしい。

５Ｇ技術と応用は世界をリード

制度改革を進めながら、習近平指導部が最重視するのは、ハイテク技術の面で米国など先進国への過度な依存を脱却し、同時に自分自身の「リーディング技術」を手にすることだ。前者に関しては、国務院は「喉元を押えられている技術リスト」を公表し、今は欧米に依存しており、いざ「新冷戦」が起こった場合に禁輸などの措置が取られる核心的技術に対し、巨額の資金を投入し、企業と技術者を結集し、近い将来の技術的自立を目指している。

「リーディング」技術のうち、５Ｇ技術とその応用には特に注力されている。５Ｇ技術は通信速度を現在の４Ｇの５倍、10倍以上に上げるが、別に革命的なものではない。しかし21世紀に入るや否や、「第四次産業革命」が起き、人工知能（ＡＩ）、自動運転、ビッグデータなどの新技術が成熟期を迎えている。そのいずれも早い通信速度による伝送が必要だ。少子高齢化、労働力不足等の社会的課題に解決策を提供するツールにもなる。その意味で５Ｇは情報化時代の「通信ハイウェイ」であり、欠かせぬインフラなのである。

ドイツの特許データベース会社IPlyticsが21年2月16日に発表したレポートによると、５Ｇに関する特許の申請数首位はファーウェイ（全申請数の15・３９％）で、２位は米国のクアルコム（11・２４％）、３位も中国のＺＴＥ（中興通訊、９・８１％）である。以下はサムスン、ノキア、ＬＧ、エリクソンと続くが、ＯＰＰＯと大唐移動という中国企業二社が9位と10位にランクインしている。

中国国内の5G技術の普及と応用は急速に拡大しており、20年から25年にかけ、国内ネットワーク構築に約23兆円を投資し、そのうちの90%が5Gへの投資になっている。工業情報化部（MIIT）が22年2月に発表した「通信業統計年報」によると、21年末時点で、中国が建設・開通した5G基地局は累計142万5000ヶ所に上り、全世界の約7割を占めている。5G通信網はすべての地級市（省と県の中間にある行政単位）の市街地エリア、98%以上の県の行政中心地の市街地エリア、80%の郷・鎮の市街地エリアをカバーした。

5Gや人工知能（AI）と製造業との融合が推進されており、製造業のデジタル化、ネットワーク化、スマート化へのモデル転換・レベルアップを通じて中国製造（メイド・イン・チャイナ）から中国智造（中国のスマート製造）への飛躍が目標に掲げられている。建設機械大手「三一重工（SANY）」は21年、5GとAIで生産性を85%向上させたスマート工場を開設した。東芝の白物家電事業や産業ロボット大手の独KUKAなどを買収した美的集団は21年7月、チャイナ・ユニコム、ファーウェイと組み、5G全結合型スマート工場を稼働させた。21年末に中国で開かれた5Gの応用に関する二つの国際会議の発表によると、灯台工場（製造業分野の世界的トップレベル企業）が同年9月末現在、世界に90社あり、中国はうち31社を占め、各国の中で最多である。21年上半期における世界の5Gモバイル接続デバイスの市場規模の拡大に対する中国の寄与度は44%であり、同年1－10月の中国の5Gスマートフォン出荷量は世界市場の50%以上を占めた。

21年12月末現在、中国の5G端末接続数は4億9700万台に達して、世界全体の80%以上を占め、5Gのユーザー浸透率は27%を超えた。プロバイダー、インターネット企業、文化・観光企業、メディアなど各業界のリーディングカンパニーが、超高精細動画、クラウドゲーム、拡張現実（AR）／仮想現実（VR）などの分野で広く応用されている。5Gの商用化による経済社会への影響も拡大しており、21年には5Gが直接もたらした国内生産額は前年比33％増の1兆3千億元（約30兆円）、直接の経済付加価値は同39％増、間接的にもたらした国内生産額は同31％増、間接の経済付加価値は同31％増となっている、という（「人民網日本語版」21年12月8日）。

日本では「5Gで遅れたが、6Gで挽回しよう」との議論がある。しかし6Gは超高速・大容量通信、超カバレッジ拡張、超低消費電力・低コスト化、超低遅延、超高信頼通信、超多接続＆センシングといった新しい特徴があるものの、5Gの基盤と技術的蓄積を飛び越えて簡単に達成できるものではない。なお6Gの研究でも中国はリードしている。Nikkei Asiaと調査会社サイバー創研が21年9月、通信、量子技術、基地局、人工知能を含む6Gの9つのコア技術における約2万件の特許出願を対象に行った調査の結果によると、出願件数は中国が40・3％を占めトップであり、2位は米国（35・2％）、3位で9・9％の日本を大きく引き離しているという。

急追する中国のハイテク技術

中国は5G分野だけでなく、ほかの新技術領域でも米国のレベルに迫るか、一部は追い抜いている。21年8月8日付『日本経済新聞』の記事は、「人工知能（AI）研究で独走していた米国を中国が追い越しつつある。研究の質を示す論文の引用実績で20年に中国が米国を初めて逆転した」と伝えた。同年7月13日付台湾『旺報』はオーストリア有力紙の記事を引用して、中国は30

年までに経済規模、人工知能（ＡＩ）、半導体、宇宙旅行、原子力、環境技術とハイテク兵器など7つの分野で世界トップになるとの予測を紹介した。

超高音速ミサイルなどの軍事技術だけでなく、ほかの先端技術分野でも中国の「脅威」が深刻と、米シンクタンク・ハドソン研究所のシニアフェロー、ピューリッツァー賞ファイナリストのアーサー・ハーマンは誇張気味だが、米側の危機感を吐露している。少し長めに引用する。

中国は、量子からＡＩ（人工知能）やバイオテクノロジーに至るまで、これらすべての技術の開発を、世界的な覇権を獲得するための道具とし、米国とその民主主義同盟国を自らの車輪下に押さえつけようとしている。我々は今、ハイテク技術をリードする地位を中国に永久的に明け渡す転換点に差し掛かっている。

中国は「国家科学技術戦略プロジェクト」を盛り込んだ第14次5カ年計画の中で、21年から25年にかけて、毎年7％の研究開発費の伸びを明記し、世界制覇の青写真を描いたが、米国はそのような青写真がない。

驚いたことに、過去3年間、米国と競争が最も激しかった5Ｇ技術が未来技術リストに含まれていない。この競争に勝ったと中国が考えているからだ。トランプ政権が5Ｇ分野をリードする電信機器大手ファーウェイに厳しい禁止措置を取ったが、全世界でそれに協力したのは8カ国しかなく、ＮＡＴＯメンバー国のオランダ、ハンガリー、トルコなどを含む90カ国以上がファーウェイと提携の協定を結んでいる。米国が大半の国を説得できない主な理由の1つは、実行可能な代替手段を提供できないことだ。

スーパーコンピュータもリストに列挙されていない。真の理由は、中国の目線が次世代技術、とりわけ機械学習とＡＩに向いているからだ。

昨年3月、米国ＡＩ国家安全保障会議（ＮＳＣ）が出した報告書は、中国が間もなく米国に代わって「人工知能超大国になろうとしている」と指摘し、米国は「ＡＩ時代の防衛や競争に準備が整っていない」と補足した。

中国のハイテク開発戦略の二位にランクされたのは量子技術。米国は量子コンピューター分野でリードしているが、差が縮まっている。中国は量子通信分野を主導しており、量子技術のほぼすべての分野で多くの特許を持つようになっている。

3位にランクインしたのは半導体技術。世界のチップ市場における中国のシェアは7・6％にとどまっているが、25年まで70％の自給率達成との目標が打ち出されている。

リストの4番目は脳科学。それは医学やその他の新技術、ないし国家の安全に深遠なる影響をもたらす神経新技術を生み出すもので、米中両国はこの領域での最大の応用国である。（中略）人民解放軍は、この新技術を使用して、ドローンやロボットから、オペレーターの知性向上まで含む高性能の装備システムを実現しようとしている。

中国は、米国が第2次世界大戦、そしてレーガン革命に勝った秘密を発見した模様だ。それはすなわち、投資を通じて軍事技術を開発し、それをもって更に経済と技術革命を開花させることだ。「ソビエトは米国の強大な軍備と企業の成長に屈した。中国はそれを観察し学び、ハイテク分野を最終的に支配した時点で、米国もソ連と同じようにあきらめることを狙っている」。

（Why China Is Winning the War for High Tech, National Review, 21年10月14日）

21年10月11日付「北京日報」関連サイトも、ＡＩ分野で米国を急追していることを報じている。中国のＡＩ関連企業数は１４５４社で、米国の２２５７社に次いで二位だが、産業規模が接近しており、前年比で20年は24・４３％の伸びで、21年は27％近くの伸びである、という。

「中国製造２０２５」は野心的なものではなかった

ハーマン氏が言う「投資を通じて軍事技術を開発し、それをもって更に経済と技術革命を開花させる」ことはすなわち「軍民融合」である。中国の「軍民融合」の進展にトランプ・バイデン二代政権とも危機感をあらわにしているが、もともとは米側から見倣ったものだった。

中国国務院発展研究センター「軍民融合産業発展政策研究」課題チームが作成した「米国の国防とハイテク企業の軍民融合の発展を推進することによる経験と啓発」と題する長編論文は、「１９９０年代以後、米国は軍、軍需工業部門と軍需企業の調整改革、及び軍政部門と企業の緊密な協力を通じて、国防科学技術工業と大型民生用科学技術工業が結合する『軍民一体化』モデルを形成し、軍民技術の双方向の浸透と拡散を実現し、完全競争の市場条件の下で軍民融合発展を効果的に推進した」と評価し、「中国が参考とし、取り入れるべき」とする経験を十数項目にわたって詳細に分析・紹介している。

「軍民融合」のやり方は米国が先に進め、中国が近年模倣し始めたが、中国の急速な追い上げを見て、今度は米国が、中国が「アンフェア」な「軍民融合」を進めていると批判している。実は日本の多くの企業も「軍民融合」である。

トランプ政権から「技術面で米国を追い抜く野心的戦略」と決めつけられた「中国製造2025」計画も、本来は欧米から学んで作成したものだった。

11年、ドイツがまず「インダストリー4・0」という新技術で製造業を引っ張る計画を打ち出した。翌12年、米国も「インダストリアル・インターネット」という国家級の工業発展戦略を発表した。それを目の当たりにした中国は、「引き離されない」ために自国の同様な戦略が必要と考えた。工業情報化部（MIIT）が14年に欧米の動向を研究して出した提案を受けて、翌年3月の全人代で李克強首相が行った政府活動報告でそれに初めて「中国製造2025」の名前が付けられ、新しい産業政策として掲げられることになった。

「中国製造2025」は、次世代情報技術や新エネルギー車など、10の重点分野と23の品目を設定して製造業の高度化を目指し、「イノベーション駆動」、「品質優先」、「グリーン（環境保全型）発展」、「構造の最適化」、「人材本位」という五つの基本方針を掲げた。なお、十年後の25年までに「世界の製造強国の仲間入り」することを目標とし、建国百年を迎える49年に「世界の製造強国の先頭グループ入り」という遠い「夢」も言及された。

前述の通り、「中国製造2025」の提起は、技術覇権を狙ったものというより、日米欧で重視されている「第四次産業革命」に対比して中国の製造業の「前近代性」に危機感を募らせて出した対応策に過ぎなかった。MIITの辛国斌（しんこくひん）次官は16年の会議で、「近年中国は『世界の工場』と呼ばれ、世界第一位の製造規模を誇っているが、製造業のプロセス管理やオペレーションの最適化に関しては、ドイツや米国、日本に後塵を拝している」とし、「中国製造2025」を制定した背景を語っている。

18年になると米中貿易戦争が激化し、ＺＴＥやファーウェイなどの中国ハイテク企業が相次いでトランプ政権のバッシングを受けた。米側が中国のハイテク発展戦略に過敏になっていると気付いた中国側は対立の緩和を狙って、「中国製造２０２５」に触れなくなった。

もちろんそれは中国がハイテク産業への重視を放棄したことを意味しない。ただ、「中国が最初から米国を倒すための陰謀を企んでいた」との説へのアンチテーゼとして、次の点を指摘したい。この産業政策は国務院の主導で国家戦略レベルでのものではなかったから、18年以降、対米緩和策としてそれを「取り下げる」ことができた。

しかし、トランプ政権から「新冷戦」と「デカップリング」を仕掛けられ、ハイテク技術や部品の供給を止められてからは、習近平政権は本格的な「ハイテク技術の自立」を力強く支援する方針を20年11月の五中全会で打ち出した。これを分水嶺にして、中国は、ハイテク技術の開発と自立が最重要だと位置づけ、「米国に追いつき、追い越せ」を本格的な国家戦略に据えるようになった。

22年7月末、日米の外務・経済閣僚による「日米経済政策協議委員会」（経済版2プラス2）がワシントンＤＣで初めて開かれ、両国がインド太平洋地域での経済秩序づくりを主導し、次世代半導体の共同研究を進めることなど一連の合意に達した。ハイテク技術分野で中国の発展を抑え込む思惑が込められていることは明らかだ。

巨大で「超新星爆発」中の中国を封じ込め、追い詰めることをすれば、逆にその自主開発と躍進を加速させる。反対に、日米の企業は中国という広大な市場を失い、技術開発面でも資金と人材の枯渇を招く。歴史はすでにそれが愚策だと証明した。かつて核、ミサイル、宇宙開発などの分野はいずれもがそうだったし、現在、最先端の半導体分野でも同じ現象が起きている。

調査会社「TechInsights」が22年7月に出したレポートは、世界第3位のファウンドリ（半導体受託製造企業）である中国のＳＭＩＣ（中芯国際）はインテルすら苦戦中の７ｎｍプロセスルールのチップ生産を開始したことを伝えた。それは台湾のＴＳＭＣ、韓国のサムスン電子には及ばないものの、米商務省が14ｎｍプロセスより高度なチップ生産に必要となる機器（最新のＥＵＶリソグラフィ装置など）の中国向け輸出を厳しく制限しているだけに、衝撃的なニュースになった。ＳＭＩＣはＥＵＶリソグラフィ装置に頼らない量産に成功したことを意味するからだ。果たして同じ7月、浙江省に本社を置く半導体企業「芯盟科技」はＥＵＶリソグラフィ装置を使わずにＤＲＡＭチップを製造する技術を開発したと発表された。

最先端技術分野でもやはり共通のルールを作り、競争しつつも協力しあい、各国とも参与するグローバルサプライチェーンを再建すべきだ。これこそ世界各国に利し、新冷戦と戦争を防ぐ「共に勝つ」道だ。

中国のＷＴＯ加盟をめぐる論争

中国の経済体制をどう見るか、世界経済システムの中に受け入れるべきか。この論争は前世紀90年代から、中国のＷＴＯ加盟の是非をめぐってすでに始まっている。中国経済は01年のＷＴＯ加盟後、飛躍的な発展を遂げたが、「中国がＷＴＯのルールを守っていない」との批判は西側諸国で出ている。当時の中国は、発展途上国の身分で加盟したもので、ルールを違反したとは言えない。米国カトー研究所のスコット・リンシコム（Scott Lincicome）シニア研究員は、中国のWTO加盟条件をめぐり、最後に合意に達した米国は、多くの「法外」な条件を課したと披露し、次のように証言している。

「交渉記録を見れば、中国とのWTO加盟をめぐる交渉の激しさが分かる。それは10年以上にわたるマラソン交渉であり、中国政府は数百項目の譲歩と大量の経済改革措置を約束した。実際、中国のWTO加盟協定にはこれまでのどの国よりも多い『追加の譲歩』が含まれている。我々はそれを『WTO＋』譲歩と呼び、まさに前人未到のものだった」（VOA中文サイト 21年12月11日）。

中国が「発展途上国」のステータスでありながら、これほど数多く、大幅な譲歩を引き受け、約束を実行に移したのは確かだ。習近平主席は21年11月4日、第4回輸入博の開幕式で基調講演を行った際、「この20年間、中国はWTO加盟の約束を全面的に履行し、中国の関税の総水準は15・3％から7・4％に引き下げられ、WTO加盟の約束の9・8％を下回った。中国中央政府は法律・法規を2300件以上、地方政府は19万件以上整理し、市場と社会の活力を引き出した」と述べている。

それでも、中国のWTO加盟への批判が後を絶たない。21年10月、3年に一度開かれるWTOの政策評価会議で、中国の国有企業と産業政策への批判が先進国の一部から出されたのに対し、ロシア、サウジアラビアなどの国の代表は「中国の貿易政策と、多国間貿易システムに対する貢献を評価する」と発言した。WTOの法律顧問を務めるコロンビア大学のペトロス・マブロイディス（Petros Mavroidis）教授は、「中国はWTOのルールに違反していないかもしれないが、WT

Oの精神に反しているかもしれない」とし、「各加盟国がますます気づいた問題の核心は、WTOの関連規則及び中国が調印したWTO加盟議定書は、21世紀の現在における中国との貿易紛争に適用し、解決するには不十分、ということにある」と分析した（VOA中国語サイト　21年10月23日）。

論争双方の理屈にそれぞれ一定の道理がある。これまで中国がWTOルールを違反したとの批判は的を射ていない。これは確認しておく必要がある。一方ここまで躍進した中国は、途上国の地位に甘んじるのではなく、もっと責任をもって市場開放し、先進国レベルに課されたルールをもっと受け入れていくべきだ。これは中国経済の先進国への脱皮にとってもプラスになる。

中国国有企業の実態

中国の「アンフェア」批判は中国国有企業にも向けられている。それに対し、21年1月18日、中国銀行保険監査会主席の郭樹清（かくじゅせい）氏は第十四回アジア金融フォーラムでの講演で、「ここ十年間、世界の経済成長に対する中国の実質貢献度は平均30%前後に達している」と力説し、中国の国有企業と産業政策への欧米からの批判は「的外れ」として五つの反論を行っている。

一、1970年代末の改革前、中国に非公有経済はほとんどなかったが、現在、民営経済は全経済の60%を占めている。

二、中国の産業政策は全体的に市場指向改革と一致している。公開、公平、十分な競争があるからこそ、中国は産業部門が最も完備した国になった。
三、中国国有企業が総じて政府から受ける補助金はマイナスである。中国国有企業の税負担は平均して民営企業の約二倍であり、より広範な社会的責任を負っている。
四、中国の銀行と国有企業の間の財務は完全に独立している。与信市場の競争が激しく、銀行の株主がすでに多様化している背景の下で、国有株式の割合が比較的大きい銀行であっても、国有企業に利益を送ることは不可能である。
五、中国製品の競争力が比較的強いのは労働権益が損なわれたからではない。過去十年間、中国の労働者の収入は急速に増加し、そのうち農民工の収入水準は二倍近く上昇した。

これらの事実とデータを見れば、中国の国有企業を安易に批判することは、中国の実情を知らないということだと気付くはずだ。ただ一方、WTOルールをめぐる批判と同じように、ここまで大きくなった中国経済なので、国有企業を含め、諸外国に丁寧に説明するとともに、過保護、市場競争における外国企業にとって不利、差別などの懸念に真剣に対応していく必要もあろう。

一方、国有企業、「国家独占資本主義」が米国の経済と技術を脅かす体制上の原因だと、筆者は思わない。反論は簡単である。技術的国際競争力を有する中国企業のファーウェイ等はほとんど民営企業なのだ。競争力のない国営企業がどうして米国の顔色を変えさせるほどの脅威になるのか。中国の国有企業は効率が悪く、利益集団になっている側面もあり、中国が先進国経済を目指す過程で、その改革、民営化を進めていかなければならないと考える。日本も１９８０年代以降、それまでの国有企業を徐々に民営化して真の経済大国を築き上げた。

ファーウェイもどうせ国の支援を受け、国有企業のようなものだと一部の評論家は簡単に決めつける。これは明らかに違う。創業者の任正非（にんせいひ）はかつて国有企業に籍を置いていたからこそ、「親方五星紅旗」の国有企業では未来がないと感じ、飛び出して創業した。２０００年前後、経営難でもう少しで企業を米側大手に売り渡すところだった。彼は長年、中国政府の一連の企業家表彰を受けていないし、社会的な職務、人民代表（地方議員）などの名誉職兼任もしていない。逆にファーウェイに「全社員の株持ち合い制度」を導入し、株式上場をしていない。上場すれば株を国有企業に買い占められることを警戒し、干渉・指図を受けたくないためだった。だから、官僚主義的な国有企業と打って変わって、世界一流のＩＴ企業に発展できた。

任会長の娘、ファーウェイ副社長の孟晩舟（もうばんしゅう）は、米国司法省の要請によりカナダで3年間軟禁されたが、途中から中国政府はその解放に全面的に協力し、カナダの中国での「情報部員」とされる二人も拘束した。ここまで中国政府が乗り出したのは、ファーウェイが中国ないし世界をリードするハイテク企業であることを再確認し、米側の狙いがファーウェイに代表される中国の技術の台頭を抑え込むことだと認識したからだ。

中国が賭けた新しい成長の原動力

中国経済のこの先15年間の未来は、実際にどうなるか。海外では悲観的、懐疑的な見方が多い。上海市副市長、重慶市市長などを歴任した「中国経済を真に知る男」と呼ばれる黄奇帆（こうきはん）は21年10月の講演で、35年までの15年間は、「百年未曽有の大変局」におけるもっとも重要な転換期と位置づけ、中国が五つの発展戦略を推進していくとして次のように紹介・分析した。

第一は「内循環」を主体とする双循環戦略の実施。今後国内では、①エネルギー・食料供給・工業製造の自立、②世界市場への依存度の減少（ピーク時の対外貿易はGDPの65％を占めたが、現在は32％、15年後は25％に下がる見込み）、③高水準の市場経済システム、④サプライチェーンの安全確保、⑤国民の消費力の大幅な引き上げ、という五つの方向が目指される。一方、対外開放面では、①輸出入の両方を促進、②対外投資と外資参入の両方を奨励、③開放地域を沿海部から中部、内陸部地域に拡大、④金融・貿易・サービス、教育、衛生、文化などの分野も対外開放される、⑤制度とルールの開放を重視し、国内ビジネス環境の国際化とともに、WTOと各種の自由貿易圏（FTA）と国際ルールの制定により積極的に参加する、という。

第二は、2030年に「炭達峰」（二酸化炭素CO2排出量を減少に転じさせること、「ピークアウト」）を、2060年に「炭中和」（CO2排出量と除去量を差し引きゼロにすること、「カーボンニュートラル」）を達成すること。これにより、中国のエネルギー構造が根本的な変化を遂げ、環境改善と国民経済の質的改善を目指す。

第三は、都市化のモデルチェンジ。中国の都市人口は1980年は1億8000万人だったが、今や9億人台に上っている。都市化率は64％だが、厳格な戸籍制度、少子高齢化などの要素を考慮すれば、ヨーロッパの75％相当になっている。よって大都市への人口集中は限界に来ているため、今後は都市群、都市圏が発展の方向になり、世界最大の高速道路と高速鉄道のネットワークの建設がそれを助力する。

第四は科学技術のイノベーションを重視すること、第五は「共同富裕」を実現することである。

黄氏は、以上の五つの戦略をもって、中国は少子高齢化と外部環境の悪化などの問題を克服して、35年の目標を実現できるとの自信を見せ、締めくくりに、「現在の先進国の全人口は11億人だが、35年の時点で中国の14億人もそれに合流し、25億人の先進国並みの人口が出現することを意味する」「これで世界における中国のリーダーシップと影響力は大幅に高まる」との見通しを示した（「美国華裔教授専家網」サイト21年10月15日）。

確かに中国経済の未来に、少子高齢化、政治自由の制限、米中競争など阻害要因が多い。現状の延長線上に未来が開けないことを中国自身も十分に承知している。一方、改革とイノベーションの継続、新しい産業技術の早いキャッチアップ、先進国に比べてまだ遅れた部分が多い分、それも成長の余地になると見られている。

北京大学国家発展研究院院長の姚洋教授は22年1月の「網易経済学者年次フォーラム」で、28年から30年までの間に中国の経済規模が米国を超過し、深圳がシリコンバレーを超えて世界的イノベーションセンターになると展望した。理由として、①一般の産業技術だけでなく、AI、太陽光発電、電気自動車など新興産業でも世界の最前列に躍り出たこと、②都市化が続いており、今後15年、八大経済圏が形成され、更に2億人が農村から都市住民になること、③未来を見据えた一連の改革が進められていることなどを挙げ、成長率が毎年米国を1・5％上回ることさえできれば、30年は米国に並び、50年はその2倍になるとの見通しを示した。彼は「21年に中国が受け入れた海外からの直接投資は全世界の5分の1、1770億ドル（OECDの統計）に達した。評論家より、国際資本が行動をもって中国の未来への信頼を寄せているようだ」と述べた（「北大学者：中国将迎千年來頂峰30年　料形成八大城市圏」、「東方網」サイト22年1月12日）。

中国の楽観、意気込みと海外の悲観、懐疑。この両方を合わせて見て、初めて中国経済の真実と未来像をつかむことができる。

地球温暖化問題で積極姿勢に転換

黄奇帆が挙げた5大戦略の二番目は、温暖化対策だ。通常、発展途上国は温暖化対策にあまり熱心ではない。なぜなら、その経済発展のレベルにより、エネルギーは主に化石燃料に頼り、クリーンエネルギーへの転換が遅れているからだ。まさにそのような背景で、英国グラスゴーで開催された国連気候変動枠組み条約締約国会議（COP26）の最終合意文に対して、インドが「横やり」を入れた。もともと最終合意案に、石炭の使用を「段階的に廃止する」という文言が含まれていたが、インド代表は最後の全体会議で反対を表明し、「開発目標や飢餓削減に優先的に取り組まなくてはならない」発展途上国が、石炭使用や化石燃料への助成金を段階的に廃止すると約束することなどできないと主張した。これには、多くの環境活動家が落胆し、COP26議長であるイギリスの前ビジネス大臣は声を詰まらせて、合意全体を守るために譲歩はやむを得ないと話し、妥協案を最終的に採択することになった。

中国はインドより経済発展が進んでいるとはいえ、途上国の発展段階を超えておらず、石炭、石油への依存度はインドに負けていない。にもかかわらず、中国は近年、温暖化対策に積極的に参加することに方向転換した。そこには「リスクをチャンスに転じる」という思考様式があるからだ。

先進国はおよそ「炭素排出のピークアウト」以後、60年かけて「カーボンニュートラル」を実現するが、中国は30年で実現すると約束した。それでもCOP26の会議で、「もっと対策を示せ」と要求されたが、中国側代表は、「数値目標のこれ以上の約束はできないが、2050年代の実現を目指す」という更に一歩歩み寄る姿勢を見せた。COP26開催中の11月10日、米中両国がともに30年までの削減対策の加速を約束する共同宣言を発表し、その中に、排出規制や環境基準の枠組み作り、温室効果の高いメタンの削減などで協力するほか、25年に35年の削減目標をともに提出するといった内容が含まれた。

中国が予想外に温暖化対策に積極的姿勢を見せた背景について、松下和夫京都大学名誉教授は、「中国は、すでに太陽光パネル（の導入量）は世界トップである。風力発電設備容量は世界の約30％を占め、電気自動車生産台数も世界一である。脱炭素社会への移行の加速には中国産業の国際競争力を高める狙いがある」と指摘している（「ネットゼロへの世界の潮流と日本の課題」、IDES 20年11月7日）。

戦略的国家の深慮遠謀

中国の視線と狙いはもっと深遠なところにあるようだ。中国産業の国際競争力向上とともに、これを切口に、中国国内経済構造の高度化、脱化石エネルギーの早期実現、大気や水質などの環境の劇的改善を促進するとの考えもある。

その背後に、更に次のようないくつかの狙いがあると指摘されている。

一、温暖化対策は第3次エネルギー革命をもたらすとの認識で、「次の産業技術革命の先頭に立つべき」との考え。中国がIT産業で頭角を現したのは、前述の通り、それを「第4次産業技術革命」の一環と見なし、いち早くその発展に力を入れたためである。エネルギー分野でもそのような革命が迫ってきているとして、そのイニシアチブを取るべき、との戦略的な位置づけである。

二、新しいエネルギー革命である以上、全世界にその波が広まっていくのは必至であり、それによる世界経済におけるビジネスチャンスも狙うべきとの考え。国連も応援しているNGO組織「グローバルのエネルギー連結発展と協力機構」(GEI＝Global Energy Interconnection Development and Cooperation Organization)」はそのHPで次のように説明している。地球規模で電力連結ネットワークがあれば、太陽が照らす世界各地での発電を共有でき、最終的には各大陸の砂漠に巨大な太陽光発電・風力発電所を設置し、24時間に交互に電力が供給されることになる。これによって世界のエネルギー関連の取引は、毎年数兆ドルに上ると見込まれる。中国は数十年先のこの可能性に注目しただけでなく、グローバルのエネルギー連結には、中国が内陸部の電力を沿海部へ数千キロにわたって送電するために独自に開発した途中のロスが極めて小さい「超高圧直流送電変電技術」が必要だとし、その主導権も狙っている。

なお、中国経済はここまで来て、「工業化」の最終段階に来ており、成長の原動力が弱まっている。持続的成長を維持するために、新しい促進要素が発掘されなければならない。中国政府は新エネルギーの開発をもって「ポスト工業化」時代の質も速度も比較的に高い成長という「第二の奇跡」

を作るテコにしようとしている。中国が特に重視する五つの新しい促進要素とは、産業のデジタル化という「再工業化」、「新しいインフラ」（5G、クラウドコンピューティングなど）の整備、新型製造業、より徹底した改革による資源配置の効率向上、そして温暖化対策である。

そのうち、「カーボンニュートラル」に向けた投資の規模は、前の四つの要素よりもっと大きな影響力、浸透力がある、と見られている。中国のCO2の現在の排出量から計算して、「カーボンニュートラル」を実現するのに、2060年までの40年間、GDPの3%を占める規模の投資と新しい需要の創出が必要。それが中国の発展に新しい原動力を、また全中国人に新しい夢を提供し、立ち遅れ（化石燃料への過度な依存）をリードへ逆転させる発想だと北京大学教授は解説した（劉俏「中国経済能否再創造一個奇跡？」、北京大学「一帯一路」書院、21年9月28日）。

なお、新エネルギーへの大規模な取り組みを政治的、地政学的に解釈する中国人学者もいる。①それが「内循環」戦略を実現するための一環になり、いざ米国の「新冷戦」に巻き込まれても、エネルギーの自立を確保できる。②地政学的に、クリーンエネルギーの開発に伴う石油の海上輸送への依存度軽減、ユーラシア大陸での長距離送電網の建設、「一帯一路構想」の推進は大陸国家の強みを増すことになる（「碳達峰背後的中国大戦略，将終結美国主導的石油地縁政治！」、人民日報サイト 21年3月18日）。

中国が「炭素排出のピークアウト」と「カーボンニュートラル」に向けて走り出した途端、21年夏、停電、原材料の値上げなどの問題が発生した。それは主として温暖化対策が原因ではない。国務院が一連の措置を取ると、わずか数か月で問題が緩和された。それらの一時的、局地的混乱は今後もありうるが、中国の重大な決意と長期戦略は変わらないだろう。

中国は戦略的な国だ。一定の混乱を恐れない「動的均衡」思考の国でもある。温暖化対策が中国にとっていかに重大な戦略的な政策決定かを示すのに、中国首脳部自身の位置づけを見ればわかりやすい。21年3月に開かれた党中央財政経済委員会第9回会議はそのロードマップを提示した上で、その重要性を次のように強調した。

わが国が目指す2030年までの炭素排出ピークアウト、2060年までのカーボンニュートラルの実現は、**党中央が熟考を経て下した重大な戦略的政策決定**であり、**中華民族の永続的発展と人類運命共同体の構築に関わる**ことである（人民日報 21年4月2日）。

第七章　二つの巨大惑星の衝突――米中摩擦の行方

「民主主義サミット」批判が示す対米意識の変化

２０２１年末、「民主主義サミット」がオンライン方式で開かれた。台湾を含め、１１０の国と地域の代表が招待されたが、実際は90前後のメンバーの参加にとどまった。それに対し、中国は「民主主義はある国や組織の特権ではなく、実現方法は多種多様で、すべての国に適用する一つのモデルは存在しない」と批判し、国務院新聞弁公室は更に12月４日、「中国の民主」と題する白書を発表し、「一人一票など西側選挙制度は民主主義の唯一の基準ではない」「どの国が民主国家かは少数の国が評定するものではなく、国際社会が共同で判断するもの。良い民主主義とは社会の分裂や衝突をもたらすものではない」と、サミットを念頭に全面的な反論を加えた。

米中それぞれの制度に長と短がある。米国が標榜する自らの民主主義が大きく後退していると内外で批判されている。中国はまだ途上国の発展段階で、かつてに比べて進歩した部分もあるが、中国型民主主義が確立するまではまだ道のりが長いと言わざるを得ない。

それにもかかわらず「民主主義」をめぐって空中戦、禅問答を米国に仕掛けたのはここ数年の米中関係の構図が劇的に変化したことの現れだ。

鄧小平時代は「韜光養晦」方針の下で、経済発展に没頭し、米国からの圧力、いじめを受けても我慢を重ねていた。欧米流民主主義に関しては、その全面的導入を主張する一部の知識人と学生を抑えたが、西側体制への批判は公の場でしなかった。江沢民政権時代から胡錦涛政権の前半までは、欧米流民主主義への一種の羨望に近いニュアンスが指導者の口から漏れ出た。温家宝首相は「西洋の民主主義の導入は、中国の現段階では無理だが、将来に任せよ」旨の発言をした。しかし中東、アフリカ、中央アジアなどで相次いで起こったいわゆる「カラー革命」とその後の混乱を見て、胡錦涛政権後半以降、「西側民主主義、三権分立の制度をやらない」ことを公に宣言した。それでもトランプ大統領が就任するまで、「西側は西側の体制、我々は我々の体制」といった「両立論」のスタンスを取っていた。

しかし、トランプ政権が中国に経済貿易戦争を仕掛けた18年以降、状況はガラリと変わった。

中国民衆の大半は、欧米流民主主義そのものを無条件に肯定・賛美するものではない。自称「最大の民主主義国家」のインドは人間が生まれて不平等に区別される「カースト制度」を未だに解消できず、その政治と社会に対して嘲笑、揶揄ないし軽視の気持ちを隠さない。しかし西側先進国、特に米国に関しては好感度が高く、若者の留学先の一番の候補地であり、金持ちの多くもひそかに米国で不動産を購入した。そして無意識的に米国を「民主主義の灯台」と見なし、自国の問題点を批判・是正する比較や参考の対象としてきた。そのような対米感の背後には、近代以来米国が中国を助けたとの思い（19世紀末における列強の中国分割にストップをかけたこと、日中戦争で中国を支援したことなど）、米国社会と文化の開放性への憧れ、米国経済技術の強さへの畏敬の念などが入り混じっていると考えられる。

ところが、トランプ政権の登場は、一般中国人の対米観を一気に変えてしまった。就任早々からの大統領としてはあるまじき失言、暴言の連続。明らかに違法ないし犯罪行為で二回も弾劾されたが、議会の力関係で否決されたら逆に「みそぎ」になり、それ以上追究されなくなる。何よりもコロナの発生後、世界最多の感染者数、20世紀の米国の対外戦争の犠牲者総数を大幅に上回る100万人の死者を出したこと、自分の失敗を中国に転嫁し、再選するためにどんな汚い手段も使ったこと。この現実を目の当たりにして中国人の「アメリカンドリーム」が無残に打ち砕かれた。

トランプに感謝する中国

中国自身の問題が米国の対中強硬策を招いたと外部の一部で解釈されるが、因果関係はともかく、少なくとも中国国内では20年頃の段階から、二つの対米認識が国民の間で広まり、定着した。

一つは、「民主主義」「自由」「人権」云々は、米国覇権維持の口実と手段に過ぎないと認識されたこと。「共産主義が諸悪の根源」だとすれば、なぜ1971年の段階で、旧ソ連よりもっと「悪い」はずだった文革中の中国に、接近したのか。なぜ今は、中国と最も政治体制が近いベトナムに対して、中国牽制になるのなら軍事物資を含めて何でも支援を申し出ているのか。

もう一つは米国の中国叩きは中国人、東洋人を対等に扱いたくない傲慢さがその根底にあると認識されたこと。19年4月29日、米国務省政策立案局局長で中長期的外交政策の立案を担当するキロン・スキナー（女性）がワシントン市内で開催された保守系の安全保障セミナーで基調講演した中で、「中露両国はわが国にとって対等なライバルではない」「米ソ冷戦時代、我々の戦いはいわば西側家族間の争い（a fight within the Western family）のようなものだった。しかし今後、史上初めて、白人国家ではない相手（中国）との偉大なる対決に備えていく」と発言した。中国を最大のライバルとして挙げた「非白人国家」という理由は、かつてサミュエル・ハンティントン米ハーバード大学教授が1993年に提示した西洋文明対非西洋文明という「文明の衝突」論と脈が通じており、スキナー本人も質疑応答の中で、自らが提起した米中対立論は「文明衝突論」に沿ったものだと認めている。

そしてトランプ大統領というキャラクターが中国人の対米感の変化を決定づけるものになった。キショール・マブバニ（Kishore Mahbubani）シンガポール国立大学教授で元国連大使が、「米国の歴代政権の中でもトランプ政権ほど中国を侮辱したものはない。これはかえって中国の民衆を政府側に結集させている」と指摘した（米「ナショナル・インタレスト」電子版 20年6月8日）。中国の学者も、「トランプの最大の『貢献』は米国に対する中国人の幻想を破滅させたことだ」と書いている（「観視頻工作室」公式アカウント 20年6月1日）。

中国国内のSNS上に「我々はなぜトランプに感謝するのか」との記事が出て話題を呼んだ。トランプの登場が結果的に中国を助けたという意味で感謝したいと、アイロニックに次のように記している。

トランプ氏は、中国と西側諸国の差がまだ大きいことを中国人に認識させ、国際社会においては「必殺術」（空母、F22、ステルス爆撃機等の軍事力）がすべての思考や言論に勝ることを中国人に認識させた。彼は、中国への圧力と打撃を通じて、中国人を自惚れや傲慢から目覚めさせ、実力の差を見極めさせ、軌道修正する機会を与えてくれた。

「中米友好」や「相互利益」は単なる外交辞令で、中国の大国としての台頭と中華民族の偉大な復興を阻止するという米帝国主義の本当の狙いを、彼は中国人民の前に晒した。幾つかの半導体チップで中国のハイテク企業の喉元を押さえ、「生殺与奪の権」を握っているぞと威嚇した。これは改めて中国人に「出遅れると叩かれる」という資本主義の基本を理解させ、コア技術を他人に牛耳られることがいかに致命的かということをより深く認識させてくれた。

トランプ氏は更に、大国の台頭と民族復興の道程には必ず米国との「血なま臭い戦い」が待ち構えていることを中国人民に理解させてくれた。これまで中国は「トゥキディデスの罠」の存在を認めようとしなかったが、コロナに関する中国叩きや、中国企業と対中貿易における容赦のなさは、中国人を覚醒させた」。（捜狐網サイト　18年8月29日）

金融のワニと呼ばれるジョージ・ソロスも、「トランプの一連のやり方は、中国が国際社会のリーダー（leading member）として受け入れられるのを大いに助けた。彼が果たした役割は中国人自身の努力を上回った」と指摘している。

米国のライバルとなった複雑な気持ち

21年1月末、米新政権の国務長官に就任したアントニー・ブリンケンは最初の記者会見で、中国との関係を「ほぼ間違いなく我々の多くの将来を規定する、世界で最も重要な関係」と定義し、競争的、対立的、一部は協力的、という三つの側面があると語った。バイデン大統領も同年2月4日に行った初の外交演説で中国について、「協力可能な分野では協力する」が、「最も深刻な競争相手」と位置付けた。

米国の外交、安全保障及び経済政策にとって、中国との関係は長きにわたって、二の次、いやそれ以下の関係だった。第二次大戦後の長期にわたって、旧ソ連（及びその後のロシア）との関係は米国の外交と安保戦略にとって最優先の対象だった。経済面でも、先進諸国との関係が最も重要で、１９８０年代には経済力と技術面で脅威を感じさせた日本が最大の関心事であった。21世紀に入ってからも、オバマ政権ないしトランプ政権の前期に至るまで、中国は、ロシアと並んで重視かつ警戒され始めたものの、「中国は21世紀最大の地政学上の宿題」と表現したのはバイデン政権が最初である。

米国の最大のライバルに「格上げ」されたことに、中国人の大半は複雑な心境である。唯一の超大国からライバル視せざるを得ない大きな存在になったとされることに、秘かに誇りに思うところはある。40年前の中国人にとって憧れる「三種の神器」は自転車、腕時計とミシンだった。黄土高原等の貧困地域では外出時に着用するズボンが一家族に一着しかなく、交替で穿いたというような貧乏物語もよくある真実だった。一人当たり国民所得も世界最貧国の水準だった。二十年前でもまだ日本で「中国人」と言えば、「蛇頭」（中国マフィア）の斡旋で大勢密入国したり、オーバーステイ（在留資格なしの日本滞在）したり、多発する犯罪活動等が頻繁に報じられる、半分は同情、半分は見下す存在だった。この中国はよくも今や米国から「経済や技術、軍事面で追い越される」と恐れられる存在になった。

ただ、オリンピック競技に例えてみれば、今の中国は経済や技術の一部の種目でメダルが取れる水準まで来たが、すべての分野で優勝候補の選手を抱え、総合チャンピオンである米国にはまだ大きく水を開けられている。このような中国が、なぜ米国にとって最大のライバルになったのか、実は大半の中国人は首を傾げている。

21年3月、濱口竜介監督の映画『偶然と想像』が第71回ベルリン国際映画祭で銀熊賞を受賞した。偶発的な出来事が生活の軌道を大きく変えてしまうというストーリーだ。

米中間の対立が深まったのには一定の必然性はあるが、ここまで劇的に緊張が高まるのには「コロナ」という「偶然」が間違いなく存在し、それはなおかつ最大の「転換促進」の触媒にもなった。

鄧小平時代から中国は一貫して「韜光養晦」の外交を進めた。１９８９年ごろ、ゴルバチョフのソ連が当てにならないとして、ホーネック東ドイツ共産党書記長らが中国に「新しい社会主義陣営を作ろう」と持ちかけた。鄧小平は「決して頭になるな」と語り、東欧・旧ソ連の激変による衝撃を交わした。２００１年前半、ジョージ・ブッシュ大統領は就任早々、中国を21世紀の三大脅威の一つに挙げた。同年4月、海南島沖上空で米中軍用機衝突事件が発生し、緊張が一段と高まったが、「9・11事件」の発生で江沢民政権は米側の反テロ戦略に協力し、これで再度米中の危機を回避した。

10年以降、米国のエリート層、ここでは米政府の政策立案実行グループを指すが、再度、中国を最大脅威の一つと見据えて対策を取り始めた。16年の大統領選に向けて、必勝態勢で臨んだクリントン候補の背後にあった民主党系ブレーン集団は日本と組んで、外交安保面では「インド太平洋戦略」、経済面でTPP（環太平洋パートナーシップ協定）を両輪として推進する戦略を着々と練っていた。それは間違いなく中国包囲網を念頭に置いていた。ところが、ふたを開けると、トランプが勝利し、大統領就任当日、TPP脱退の大統領令に署名した。

これで米中正面衝突は再度引き伸ばされたが、米エリート層は、経済、技術、軍事力、国際的影響力など全方位的な中国の急台頭を抑止する緊迫性をむしろ一層強調した。17年12月に発表された国家安全保障戦略（NSS）と18年1月に発表された国家防衛戦略（NDS）は中国を初めてロシアと並んで競争相手と位置付けた。

18年春以降、トランプ大統領は中国の通信大手ZTEに制裁措置を取り、貿易不均衡を是正するとして中国からの輸入品に巨額の追加関税を課し、経済貿易戦争は勃発した。ただその時点で中国はひたすら守勢を取り、米中対立の激化に歯止めをかけようとした。19年末に合意し20年1月に発効した第一段階の貿易合意について、中国側は「米中衝突は先送り」の現れとして暫しホッとした。

「ジャングルの掟」

ところが「コロナ」で形勢が一変した。トランプは20年3月頃まで、大統領選で圧勝することに自信を持っていたようで、1月から2月の段階では習近平主席に武漢のコロナ感染事情に同情し、「何か手伝おうか」と労いの電話を二回かけた。しかし米国全土で感染拡大にブレーキがかからず、当局の無策が傷口を一層広げた4月以降になると、トランプは急に「武漢ウイルス」「中国ウイルス」を連発し、責任転嫁のため、中国批判を強めた。

一方の中国も20年春以降、武漢が「感染源」だと言われて責任追及されるのを警戒するあまり、米国からの批判・攻撃に対して「罵り返す」対応をし、「米国の研究所でウイルスがつくられ、中国に持ち込まれたのでは」と外交部報道官がＳＮＳで書いたりして「戦狼外交」と呼ばれる「対米反撃」を開始した。それが結果的に、米側の各政治勢力を「反中」で結束させてしまう一面もあった。ポンペオ国務長官ら対中強硬派はそれ以後やりたい放題となり、毎日のように対中バッシングの措置を繰り出した。中国を最大の脅威とする認識がエスタブリッシュメント層全体に広がり、対中批判は文化、人的交流、軍事、台湾海峡、民族問題等各分野に広まり、米中関係は「修復不能」なところまで悪化していった。

米国の執拗なバッシングを受けて、中国がいよいよ反抗・対抗を決意していく変化の過程は、若いライオンを追い出す「ジャングルの掟」に譬えると解りやすいかもしれない。

それまで中国はまだ「大人のライオン」になった自覚がなく、「子供なら許されるわがまま」を多くやっていた。米国や日本の先進技術の物まね、模造。欧米へ大量の留学生を派遣してノウハウを習得。世界各国の科学技術者や留学生を高い給料で中国の技術開発のために招聘する「千人計画」。サイバー攻撃で技術を盗む行動が全然なかったとも言い切れない。

これらの行為は「大人」社会では許されないが、「子供」の時代には実はみんなやっている。

日本も技術大国になる前、同じことを欧米に対してやっていたが、日本の技術力が欧米を脅かす1980年代になると、「不正競争」をやっているとして、米国からさんざん叩かれた。台湾は日本の技術を物まねする名人で、日本の技術を盗んでは中国で展開する、というやり方で伸びてきたが、ある大手日本企業の社長に、「なぜ知的財産権問題では中国大陸に厳しく、台湾には甘いのか」と聞いたことがある。すると「中国はいずれ競争相手になるが、台湾はそうならないことが一因だろう」と笑って答えてくれたことを覚えている。

中国に対し日本は二十年前から脅威を感じ、経済技術のライバルと目してきたが、米国はトランプ政権時代になって初めて本格的に脅威と見なした。この変化は、それまである程度の「わがまま」を許してきた若い雄ライオンをある日、親ライオンが群れから追い出す「ジャングルの掟」に似ている。トランプ政権はまさにそのようなボスライオンのように、「お前は体もこんなに大きくなったのだから、群れの居候は許されない」と噛みついた。若い雄ライオンの中国が将来のライバルになると予感して、それが未熟であるうちに噛み殺し、少なくとも今後の脅威にならないよう徹底的に殴って再起不能にさせようと考えていたようだ。

米国のノーベル経済学賞受賞者ジョセフ・ユージン・スティグリッツ（Joseph Eugene Stiglitz）は20年7月にノルウェーで講演した際、「米国は絶対にナンバーツーになりたくないから、現実を見ようとしないでジタバタしている。一方中国は『時期尚早』であり近い将来にナンバーワンになろうとは考えていない」として、米中摩擦の本質は米側の一方的な危機感と焦りによると指摘している。

米中衝突の宿命は「トゥキディデスの罠」か

国際的に、また中国では米中対立の激化に関して少なくとも三つの原因と背景の分析が提示されている。一つは、大国関係の宿命でもある「トゥキディデスの罠（Thucydides Trap）」の説だ。

「トゥキディデスの罠」説とは、古代アテネの歴史家、トゥキディデスにちなむ言葉で、戦争が不可避な状態まで従来の覇権国家（スパルタ）と新興の国家（アテネ）がぶつかり合う現象を指す。紀元前5世紀、台頭するアテネと既存の大国スパルタの指導者同士は親しい友人だった。二人とも大国同士の戦争の大きなコストに関する認識を共有し、戦争回避に動いたが、国内世論、相手国への疑心暗鬼を抑えられず、「ペロポネソス戦争」に突入してしまった。それを検証したハーバード大学のグレアム・アリソン教授は、追い上げるほうは他国からの承認や敬意を求める「新興国シンドローム」に陥り、既存の優位国は衰退の懸念から新興国に対し恐怖や不安を抱く「覇権国シンドローム」に陥り、結局不可避的に覇権争いが起きる、このジンクスを「トゥキディデスの罠」と呼んだ。アリソンの著書『Destined For War』（邦訳『米中戦争前夜　新旧大国を衝突させる歴史の法則と回避のシナリオ』、ダイヤモンド社　２０１７年）は、過去五百年間の覇権争いの16事例のうち、12は戦争に発展したと検証し、米中衝突の可能性に警鐘を鳴らした。

しかし実態を見ると、当面の米中摩擦では、中国側はある程度の「新興国シンドローム」を持つが、まだ覇権国に挑戦する意識が生まれていない。現行の国際システムは一定の改革が必要と唱えながらも、中国の発展にとって都合がよいとの認識が、今なお支配的だ。その意味で現在の米中衝突は、主に米国自身が21世紀に入ってからのアフガン戦争、イラク戦争で国力を大幅に消耗し、08年のリーマン・ショックを経て急速に下り坂を辿っているため、そこから来る焦りと被害妄想が主要な原因である。

二番目は、米国は100年以上続いた世界ナンバーワンの地位と覇権を守るため、どんなライバルに対しても、真の脅威になる前に叩き潰す本能的な行動に出る、という「6割」説である。18年8月9日付人民日報「任平」(「人民日報論評」の略語「任評」と同じ発音で、社説に次ぐ重みを持つ)署名論文では、「中国側の発言が米側を刺激したのがまずかった」と「早く米側の条件を受け入れて妥協すればよかった」の意見の反論として、強大化する中国を米国は絶対容認しない「6割」説を引用している。

米国には世界ナンバーワンの覇権を守るために、ナンバーツーの追い上げを絶対許さない行動パターンがある。「6割法則」と言われ、旧ソ連やかつての日本は米国の国力の6割に達した時点で、なり振り構わぬ攻撃を受けて蹴り落されている。中国はまさに今、そこに差し掛かっている。中国の体がここまで大きくなっていて、「韜光養晦」をするだけでは逃げられない。一頭の象が藪の後ろに隠れても全身を隠し切れない段階に来ている。

「技術覇権争い」説

三番目は「技術覇権争い」説だ。トランプ政権時の司法長官ウィリアム・バー(CIA勤務、米最大の通信企業 Verizon の上級副社長の職歴)が20年2月の講演で、「米国の覇権を保証するのは軍事力、米ドル、科学技術の三つであり、その中心は科学技術のリードで、それが米国の覇権を保証してきた」、「十九世紀以来、米国はすべての主要な科学技術分野で遅れを取ったことはなく、世界をリードしているのは米国だった。しかし未来に影響を与える一つの肝心な技術分野で、米国は遅れを取ってしまった」と語った。同政権の商務長官ウィルバー・ロスも、「米国の将来の繁栄はテクノロジー方面の戦略的優位性にかかっており、5Gは最前線だ。テクノロジーは常に米国政府の中核戦略を成し、将来の米中競争は、領土と資源支配権獲得の十九世紀の帝国間の競争ではなく、つまり軍事力や領土拡大ではなく、技術に焦点を当てている」と語っている。

トランプ大統領自身は19年4月12日にホワイトハウスで行った演説で、「5Gが米国の農業をより生産的にし、製造業をより競争力のあるものに変える」「他のどの国もこの強力な産業で将来、米国を上回ることを許さない」と語っている。

21世紀のリーディング技術5Gの開発・応用の遅れに対する焦りと、中国に主導権を握られたくない技術覇権国家の心理により、トランプ政権以降、バイデン政権も含めて、ファーウェイを必死に叩き、中国に対する技術制限の強化に乗り出したと、ファーウェイの輪番会長（同社は集団指導体制を取っていて年に一回トップが交代する）郭平（かくへい）は20年8月30日に行った講演で次のように語った。

「米国が5Gの研究開発で誤りを犯し遅れてしまったため、追い上げるのに時間稼ぎが必要となった。そのためなり振り構わず中国を叩き、中国のテンポを遅らせようとしている」「米国は世界中のデータを牛耳り、サイバースペースをその管理、制御下に完全に置くことで初めて安心する。だからライバルの会社や設備が実際に安全ではないという証拠がなくても、政治化し、汚名を着せることを躊躇しない」」。

英国紙の報道によると、22年1月10日、英国のケイブル元商務相は、ファーウェイの5G機器とサービスを禁止した英政府の決定は「国家安全保障とは無関係」であり、「大臣在任中、情報・セキュリティー当局からファーウェイのサービスを利用することはいかなるリスクもないとの説明を何度も受けた」が、その排除を決めたのは「米国がそうすべきだと言ったからだ」と暴露した。直後に開かれた中国外務省の定例記者会見で報道官は「国家安全保障上の理由や5G技術リスクと騒ぐのは、中国のハイテク企業を叩くための米国の隠れみのにすぎないことを改めて裏付けた」とコメントした。

世界最大の政治リスク専門コンサルティング会社ユーラシア・グループ（Eurasia Group）の研究責任者Paul Trioloも、米中対立は「実質はハイテクをめぐる冷戦だ。その背景には中国の台頭に対する米国の懸念があり、米側が主導する技術分野における中国の躍進がその懸念を深めた。そしてこの懸念は幅広い各分野に波及した」と指摘している。（VOA中文サイト18年5月4日）

初めて挑戦者の意識が芽生えた

前述の通り、元々中国は経済力、技術力、軍事力など各方面で米国に追いつくのに21世紀末までかかるだろうと思っていた。若いライオンの心理に置き換えて言えば、最低あと三十年ぐらいは今の群れ（現行の米国主導の国際システム）に棲み、「居候」「ただ乗り」と言われてもボスライオンに本気に挑戦することを考えていなかった。

しかしトランプ政権は中国に鞭をピシピシと打った。それに対し、中国は最初戸惑い、不満に思い、愚痴もこぼした（追い出される若いライオンの表情が想像される）。何度も威嚇され、噛みつかれるうちに、否応なしに、生き延びるための生存術を模索し始めた。20年後半の時点で、中国はようやく、巣立つための心理的、物理的準備に本気で取り掛かった。経済のサバイバルを念頭におく「双循環」戦略、すなわちいざという時、米国から全面的な封じ込め政策を受けても生き延び、自立できるような長期戦略を決定したのである。

一方、若いライオンはその過程で、ボスライオンのたてがみは依然カッコイイが、その老衰、鈍化が始まっていることを見抜いた。コロナの発生に対し、米国が受ける政治、社会、経済などあらゆる面の打撃は中国よりはるかに深刻だった。何よりもそのボスの無様さが目立って見えた。そこで自信を強めた習近平政権は米国と肩を並べる想定時期を大幅に前倒しにした。２０３５年の「社会主義現代化の初歩的実現」の目標は、米国からの完全自立の目標と言い換えられるかもしれない。

世界銀行が採用する購買力平価の計算方式では、中国のＧＤＰは14年10月の時点で既に米国を逆転し、今では後者を2割ぐらい上回っている。購買力平価方式も為替レートの計算方式もそれぞれ一長一短があるが、中国はこれまで米国に警戒の標的にされないため、また「量」が大きくても「質」はまだかなり遅れているとの冷静な見方により、購買力平価の計算方式を公式にはほとんど使っていない。

ドルベースでもコロナ発生後、米中のＧＤＰの差は一段と縮まり、21年末時点で中国のＧＤＰはすでに米国の75％強相当になっている。日本経済研究センターは中国ＧＤＰが米国に追い付く時点を大幅に繰り上げ、28年頃と予測した（もっとも、「ゼロコロナ政策」で経済が大打撃を受けているとして、米国に追いつくのは数年遅れると後に修正）。英国のシンクタンク経済とビジネス研究センター（CEBR）が21年12月に発表した予測は30年になっている。

GDPの対米追い上げ目標の前倒し実現に合わせて、人民解放軍も27年の「建軍100周年」に向けた「強軍計画」を立てており、米国に軍事的対決を迫られても負けないための準備を急ピッチで進め始めている。

一触即発だった台湾危機

このような急速に台頭する中国に対し、米国のエリート層全体が脅威と捉えているのを背景に、更にトランプがコロナ失策の責任転嫁、再選を図るための底なしの中国叩きが続く中、21年1月中旬の時点で中国首脳部は、トランプ政権による三つの「核爆弾級の対中打撃」があり得ると真剣に考えていたことが後に明らかになった。三つの核爆弾とは①中国を米主導の世界金融システム（国際決済網など）から排除するオプション、②台湾と政府間関係を樹立するオプション、③南シナ海の中国人工島を爆撃するオプションである。

特に台湾問題をめぐっては、正面衝突がもう少しで起こるところだった。21年1月中旬以降、中国軍機が、それも初めて10機を超える編成で、台湾南部海域からその防空識別圏に繰り返し進入した。「バイデン大統領の就任式に台湾の代表が招かれたから、これに怒って軍用機を出動させた」と、筆者も出演したある民放討論番組の対談相手の解釈を聞いたが、笑ってしまった。それぐらいのことで軍用機の大規模出動という大げさな反応はないだろう。実は20年末から21年1月にかけて、トランプが大統領選挙の結果を認めないという騒ぎにマスコミの目が奪われた背後で、台湾をめぐる米中間の「一触即発」が進行していた。

それまでの半年の間に、米国の現役厚生大臣が台湾を訪れたり、攻撃型のミサイルを含めた武器を台湾に売却したりした。その上、米軍艦は何度も台湾海峡を通り、偵察機は台湾の上空を通った。ポンペオ国務長官は20年10月、台湾を国扱いし、蔡英文氏を、「プレジデント（大統領）」と呼ばわった。そして21年1月に入って、ついに台湾に対する交流の制限をすべて撤廃すると発表した。一連の挑発的行動はすでに中国の台湾問題をめぐる我慢の限界を越え、中国の怒りと警戒心は極度に高まっていた。

緊張がピークに達したのは1月7日からだった。米国の国連代表部は同日、1月12日に米国のクラフト国連大使が13日から3日間、台湾を訪れると発表した。それが実現すれば、1971年に台湾が国連を脱退して以来初めてになる。これは公然と「一つの中国」政策をかなぐり捨てる「容認できない」行為と見た中国首脳部は「狂った挑発」などと非難し、軍に戦闘準備態勢に入るよう発令した。

そこで、いまだに真相が明らかにされていない1月12日の「謎」が現れた。クラフト米国連大使が搭乗した特別機が当日正午に飛び立ったが、飛行機は4時間近くも米国東部上空を旋回し続け、最後は引き返した。その理由は説明されておらず、当日、国務総省はその週のすべての訪問予定をキャンセルする旨の声明を発表し、そのうちポンペオ長官のヨーロッパ訪問と国連大使の台湾訪問が含まれた。国務総省HPに掲載された声明には、訪問の中止は国内の権力移行と関係があるとしか言及されていない。

続編がある。ワシントン・ポスト紙のボブ・ウッドワード、ロバート・コスタ両記者が21年夏に出した著書『Peril』のスクープによると、米軍制服組トップのミリー統合参謀本部議長が、20年10月30日と21年1月8日の2回にわたって、中国軍の李作成・連合参謀部参謀長に電話し、「李将軍、あなたと私は今や5年来の知人同士だ。仮に我が軍が攻撃を仕掛けるなら、必ず事前に連絡を入れる。奇襲攻撃にはならない。青天の霹靂となることは決してない」と伝えた、という。

二回目の電話はまさに、米国の国連代表部が台湾へのクラフト国連大使派遣を発表した翌日の1月8日だった。

大統領の権限を無視した両軍トップの通話

ミリー議長本人の後の説明によると、「中国側の慌ただしい動きを察知したため」である。「中国軍の李作成・連合参謀部参謀長と日常的に連絡を取り合っている」、「軍トップ同士の連絡は、大国間の危機を管理し、戦争を防ぐために極めて重要だ」とも釈明している。以上の時系列的整理をすれば、クラフト大使が台湾訪問に踏み切れば米中間で重大な危機が生じることを認識し、そのような軍事的緊張ないし衝突に引きずられたくないから、現役大統領の許可を求めず、ライバルの中国軍首脳に「誤解するな」のメッセージを送ったと思われる。

退任後のトランプは暴露本のスクープを知って、「ミリーは反逆罪で裁かれることになるだろう。大統領に隠れて中国側とやりとりし、攻撃を事前に知らせると伝えるなど、あってはならないことだ」旨の声明を発し、批判した。

これに関するバイデン政権の反応が興味深い。国防総省報道官は「不幸な発言」とコメントするにとどめ、大統領自身は9月15日、「ミリー議長の行為は文民統制に反するのではないか」との質問に対し、「彼に大きな信頼を寄せている」と述べ、支持を表明した。この擁護発言から、1月のトランプ政権の「狂った行為」に対するミリー議長ら軍部の阻止行動は、バイデン政権移行チームがすでに知らされ、両者が手を組んで対応したことが示唆される。だからバイデン大統領は、スクープに驚かなかったし、ミリー議長を引き続き重用することを表明した。

21年12月になって、トランプ政権当時のマーク・メドウズ大統領首席補佐官（幕僚長）が1月6日の連邦議会乱入事件に関する下院特別委員会に、38頁のＰＰＴ資料を提出した。その資料には、「中国とベネゼエラが激戦区の8つの州の選挙施設に対する制御権を取り押さえている」ことを理由に、すべての電子投票を無効とし、それによって選挙結果を覆し、緊急事態宣言を発するとのシナリオと提案が含まれていた。退役陸軍大佐ピル・ワルドロン（Phil Waldron）は、この案をメドウズ幕僚長やトランプを支持する数名の議員に説明したと証言した。

大統領選挙の結果を覆すために、トランプ陣営がクーデターに近いような作戦案を複数検討していた。その中、台湾問題をめぐる緊張をわざと高めるシナリオは、机上の空論に止まらず、既に実施に移されかけていた。それが阻止されていなければ、どういう状況になったか、想像するだけでぞっとする。

米軍トップが越権して中国軍首脳に電話したことなどは、暴露本が出るまで隠され続けた。その一件は民主主義を標榜する体制の問題で後遺症が残ると、21年9月23日付ＮＹタイムズの記事は次のように指摘した。「もし著書（Perial）の、ミリーの行動に関する記述が正確であれば、米国の軍政関係の規範に深刻に違反する一連の行為が存在する可能性がある」「これが議長の秘密の動きなのか、それとも管理の行き届かない政府の通常の機能障害にすぎないのか、評価するのは難しい」が、「ミリーの選択は軍政規範を弱体化させている。将来、動機の悪い軍事指導者が現れれば、その規範の制約力はかつてほど有効ではなくなる」。

1月28日、中国国防部報道官は、「台湾独立は、すなわち戦争」と明言し、「いかなる国も台湾独立に加担するな」との警告を発した。これは1月12日以降の慌ただしい水面下の行動を踏まえ、中国軍機の出動で牽制を示した後の「事後警告」だったと理解される。

習主席の「闘争」連呼

台湾、南シナ海、金融制裁という上述の三つの「核爆弾」のうち、一つでも現実となれば、中国は全力で反撃せざるを得ず、米中は深刻な冷戦、あるいは熱戦に突入していただろう。米中両軍が一時期、台湾周辺、南シナ海で慌ただしい行動を展開したことの背景がこれで頷ける。

19年秋に習近平主席が中央党校の秋季中青年幹部養成クラスの開講式で行った15分間の講話の中で、「闘争」という言葉を50回以上口にした。日本の分析のほとんどは、習氏による引き締めの強化、反対者粛清のためと解釈した。今になれば分かるが、この演説で「闘争」を強調した最大の背景、そして中国首脳部の注意力は米国による「新冷戦」の仕掛けに対する備えだった。

米中貿易戦争は18年春以降、トランプ大統領によって火ぶたが切られたが、それが新冷戦、米中衝突に一気に進むのではと中国側に冷や汗をかかせたのは、同年10月4日、米国の保守系シンクタンク、ハドソン研究所にてペンス副大統領が50分にわたって行った対中国政策についての演説だった。

ペンスは「中国政府は政府一体となって、政治的、経済的、軍事的な手段やプロパガンダを使って影響力を高め、米国で利益を得ようとしている」「中国政府は、米国の陸、海、空、宇宙における軍事的優位性を損なわせることを優先させている。中国は、米国を西太平洋から追い出し、同盟国支援を妨げようとしている。しかし、これは失敗するだろう」などと赤裸々に中国を全面的に攻撃し批判した。

歴史との比較が得意な中国人ライターは直ちにSNSで「ペンス副大統領のスピーチは、あっと驚く内容だった。これが米国の公式な演説だ。中国人は全員、その全文を読んだ方がいい。これはもうひとつの『鉄のカーテン』のスピーチなのだろうか」と書いた。

それ以後、中国側は貿易合戦で米国側に譲歩し、「新冷戦」の早期到来の回避に努めつつ、それへの備えを水面下で慌てて進めた。一傍証の動きを紹介する。

新旧二つの「冷戦」の比較

中国の冷戦史研究家で華東師範大学の沈志華（しんしか）教授が編者として19年10月に刊行した『冷戦啓示録』（世界知識出版社）は、もともとは「首脳部の依頼」を受けて提出した十五の専門報告書だった。それをまとめて一冊の本になったという。第二次大戦後の「冷戦」歴史の各側面を網羅した一連の専門報告書の執筆が求められたのは、「米国との冷戦に突入しようとしているが、実は『冷戦』とは何か、首脳部から一般の幹部、役人に至るまでほとんど知らなかったので、全国の専門家を結集して『歴史の経験と教訓』を学ぶ必要性を感じたからだ」と編者から説明を受けた。この本の刊行が迅速に許可されたのも予想外だったという。「冷戦」とは何かの知識を国民レベルにも共有させ、一定の心構えを促したかったのかもしれないと推測された。

同書各章のタイトルを拾うと、「スターリンはなぜ『トゥキディデスの罠』にハマったか」、「冷戦期の米国の心理戦と宣伝戦」、「米国の経済冷戦政策」、「日本は米国の経済圧力にどう対応したか」、「東欧激変の内外要因と啓示」、「ソ連はどうして冷戦で敗北したか」等であり、第一章は第二次大戦後、米英から幾度か仕掛けられた挑発に対するソ連の対応に誤りが多かったことを検証していて、どこか今日の中国の外交と対外宣伝の問題点を指摘したようにも読み取れるが、とにかく出版された。

ではペンス演説に代表される今のトランプ政権のスタンスから見て、第二次大戦後の米ソ冷戦のどの段階に相当するかと聞いたところ、次の回答が返ってきた。

1946年3月のチャーチル演説は、大戦後ヨーロッパのことに関わりたくない米国首脳部を説得するために、イギリス前首相が「鉄のカーテン」を煽ったもので、米国側が冷戦を決意したものではない。それに対し、1年後のトルーマン演説は、ヨーロッパへの復帰を宣言し、それが真の冷戦の幕開けだった。現在の米中関係はチャーチル演説に相当するペンス副大統領の演説以後の段階に当たり、中国はそれが「トルーマンドクトリン」の提出、すなわち冷戦が逆戻りができない状況までいかないよう、最大限に阻止することに最大の努力を払っている、という。

今でも、中国は「新冷戦」の状態を否定する。その可能性があるが、中国側はそれを望まないし、世界人民も望まない。その回避に全力を上げるとのスタンスである。

一方、トランプ政権下で真の冷戦に突入する可能性は、十分にありうるとの「デッドライン思考」で準備を整える必要がある。だから、「闘争」を連呼したのである。

20年春以降、経済面では「双循環」戦略、技術の自立では米国に喉元を押さえられている半導体等のハイテク分野開発の重点的支援が決定され、香港では「国家安全維持法」が施行された。そして21年2月4日、中国は「陸上配備型のミサイル防衛（ＭＤ）システムの実験に成功」と発表した。それらを繋ぐと、「新冷戦」に備える全方位的な対策であることが見えてくる。

バイデンと習近平は「古い友人」

「新冷戦」への突入を避けるべく我慢を重ねた北京だが、20年11月の大統領選挙でバイデンが当選し、21年1月中旬になってようやくバイデン政権への交代が明確になったことで、中国は内心最も安堵を覚えた国の一つだったのかもしれない。少なくとも、米中関係が一直線に正面衝突に突入する危険性が遠のいたからである。

実はバイデン大統領は習近平主席と「旧友」でもあった。彼は中国と縁が深く、これまで４回も訪中している。１９７９年、米議員団の一員として初訪中し、２００１年に2回目の訪中をした。副大統領として11年に訪中した際、国家副主席だった習近平氏が北京から四川などの地方訪問に一週間近く付き添った。ＮＹタイムズによると、習氏の12年訪米などと合わせると、２年の間に両氏の会談・会食は計25時間に及んだ。13年にバイデン氏が訪中した際、国家主席となった習氏は「老朋友（古い友人）」と呼んで歓待したという。21年11月に行われた米中オンライン首脳会談の冒頭、習氏は再びバイデン氏を「古い友人」と呼んだ。

バイデンは大統領就任後、習主席のことに何度も言及している。21年1月20日昼の連邦議会前での就任式に出席した後、ホワイトハウスで職員1000人（一部はオンライン）を前に10分間の演説を行った。国内問題が中心で外交にほとんど触れなかったが、唯一「さりげなく」触れたのは11年に副大統領として中国を訪問した時のことだった。「中国の指導者からこう聞かれた。『米国という国をどう定義すればいいのか』。私は『Possibility（可能性）だ』と答えた。米国という国は可能性はいくらでもある。決心、決意さえすれば、すべて可能になる」。

ここで言う「中国指導者」は言うまでもなく彼の訪中全コースに同行した習副主席（当時）だった。

1月28日、国務総省報道官は記者会見で蔡英文の肩書を「台湾の民選代表」（Taiwan's democratically elected representatives）と呼んだ。前国務長官ポンペオが蔡氏を「総統」「大統領」で呼んだのを念頭に置いた修正と見られる。続いて2月3日、同報道官が「一つの中国」政策について聞かれ、「変化がない」と答えた。先述したトランプ政権末期が台湾カードを危険水位まで使ったこと、中国軍用機が大挙台湾近辺に飛来したことを念頭に、バイデン大統領の指示で火消しにかかったようだ。

2月4日、バイデン大統領は国務省で初の外交演説を行った。日本メディアは、この演説でバイデンが中国とロシアの行動を「権威主義」と位置付け、同盟国との連携を外交政策の基軸に置く方針を鮮明にしたこと、中国を「最も深刻な競争相手」とし、中国との全面競争と対立に関する演説の部分を強調したが、中国側はこの演説をもっと冷静に見ていた。

「環球時報」編集長胡錫進氏は翌5日、次のような分析を行った。バイデンが中国への強い警戒心を表明したことは、中国の台頭による戦略的焦りが米国全体に浸透し充満し、解消し難いことを示し、トランプ政権から煽られた対中批判の雰囲気を変えるのも簡単ではない。他方、バイデンは中国に関して、米国に対抗する（rival）、匹敵する（match）、挑戦する（challenge）などの概念を使ったが、敵（enemy）、悪の敵（foe）、脅威（threat）などの表現を使っていない。「米国の利益に合致する時に北京と一緒に仕事をする」ことに言及し、「改善を図る余地があることを意味し、双方とも国内のことに優先的に取り組む共通点がある」、という。

「不打不成交」の激しいやり取り

2月10日、中国の伝統行事春節を祝うとの名義で米中首脳間の最初の電話会談が行われた。その内容について双方とも「自分の原則的立場を表明」と報じたが、予定時間をかなり延長した電話会談にまつわるエピソードを事情通から聞いた。電話会談の1時間後、バイデン大統領はホワイトハウスで、経済界のトップや地方の知事など4人と会った。そのとき、「我々のインフラは、中国からはかなり遅れているのは知っているのか」と発言。その具体例として、「北京、上海間は距離にして1300キロある。その間、高速鉄道が通っていて、4時間で行ける。ニューヨークとシカゴがほぼ同じ距離だが、なんと21時間もかかる」を挙げた。1か月半後の3月31日、バイデン大統領はインフラ整備計画のために2兆ドルもの巨額投資に関する法案、本人曰く「一世一代の投資」をぶち上げた。その後、投資金額が圧縮されたり、与野党の駆け引きに乗せられたりして、実施に移せるかどうかまだあやふやだが、この巨額投資法案は習近平氏との電話会談に触発されたか、もしくは決意を固めたか、関係があるのは間違いない。

2月16日、バイデン氏はCNNのインタビューに応えて、「習近平は、まず一つの国にまとめると言っている。私には理解できる。だから私は、習近平との電話協議で、香港のことを取り上げなかった」と語った。

しかしトランプ前政権以来の厳しい対中雰囲気を引きずって、米新政権の対中政策は強硬姿勢を継続していた。3月18日、米アラスカ州アンカレッジで行われた米中外交首脳会談は両者の最初の正面衝突になった。

会談の冒頭は慣例通り、楊潔篪（ようけつち）、王毅（おうき）とサリバン（大統領補佐官）、ブリンケンら双方の代表が挨拶するのをメディアに公開し、それからクローズの実務会談に入る予定になっていた。ところが、ブリンケン国務長官の「歓迎」スピーチが「時間オーバー」した（予定をわずか1分間超過した）ことを理由に、楊潔篪氏が猛烈な反論を16分間以上、通訳入れずにまくし立て続けた。その後、王毅外相の補足発言、米側の反論が延々と続き、90分間という空前の長丁場の「開幕式」になった。

そのやり取りについて、北京の安邦シンクタンクが直後、両国ともそれぞれが直面している問題と計算があり、今回の会談で直ちに成果を上げることを期待せず、むしろ「あまり成功しない会談」が双方にとって受け入れられやすいシナリオだった、と分析している。

確かに、両国の外交首脳がカメラの前で罵り合った後、次の対話はむしろ理性的で実務的なものので、冒頭の90分を除いて3ラウンドに分けて8時間以上会談した。

中国の米国研究専門家、中国人民大学の金燦栄（きんさんえい）教授は、アンカレジ会談は相違点の確認、いくつかの対話・協議メカニズムの立ち上げの合意、今後の進め方の意見交換という三つの成果を上げ、「今後につながった」と分析した（北京『観察者網』サイト21年3月22日）。

その後の数か月、関係打開の糸口はなかなか見つからなかった。日米2＋2（外交・防衛当局首脳会談）に続き、菅首相（当時）も4月の訪米で台湾海峡に言及した。東シナ海、南シナ海などで米国主導の軍事演習が複数回行われ、米軍艦が何度も台湾海峡を通過し、米国軍用貨物機は議員を乗せて台湾の空港に着陸した。それに対し、中国はロシアと大規模な共同軍事演習を実施し、両国の軍用機が日本海で、また両国の軍艦が編隊を組んで津軽海峡と大隅海峡を通過する「共同パトロール」を行った。米国から台湾に軍事的コミットを示す動向があるたびに、中国軍用機が台湾の設定した「防空識別圏」に大挙入った。

中国が突き付けた二つの「改善リスト」

4月中旬、気候変動問題を担当するケリー大統領特使が新政権の代表として初めて訪中したが、上海に滞在し、北京には行かなかった。ようやく7月以降、本格的交渉が始まった。7月26日、シャーマン国務副長官が天津を訪問し、謝峰（しゃほう）中国外交部次官、王毅外相と会談した。結果から見て、これは双方が関係改善を進めるためにそれぞれの関心事を相手に明示する「条件交渉」だった。米側の要求は特に新味が見られないが、中国側は四つの「停止要求」と三つの「改善希望リスト」を突き付けた。

謝次官が提出した四つの「停止要求」は、「中国への内政干渉、中国の利益を損なう行為、レッドラインを踏むことと火遊び的挑発、価値観の看板を掲げた集団対決」という4点に対して「直ちにやめよ」というものだった。続いて王毅外相が米側に手渡したのは、二つの「改善要望リスト」。米側の説明によると、一つは「誤り是正リスト」。それには、中国共産党員及び家族に対するビザ制限の撤廃、中国の指導者、役人、政府部門に対する制裁の撤廃、中国人留学生に対するビザ制限の撤廃、中国企業に対する「圧迫」と中国人留学生に対する「嫌がらせ」の停止、孔子学院に対する制限の撤廃、中国メディアを「外国代理人」または「外国使節団」と登録させる命令の撤廃、ファーウェイグループの孟晩舟副社長兼ＣＦＯ（最高財務責任者）に対する身柄引き渡しの撤廃などが含まれる。

もう一つは「懸念事項リスト」。それには、一部の中国留学生に対する米国入国ビザの発行停止、中国公民が米国で受けた不公正な待遇、駐米中国大使館・領事館が米国で受けた嫌がらせと攻撃、米国内でのアジア人への攻撃と反中感情の高まり、中国公民が受けた暴力的襲撃などが含まれる（BBC News 中文サイト 21年7月27日）。

「誤り是正リスト」は関係改善の前提となる条件だが、「懸念事項リスト」は直ちに着手できなくても、今後の改善に対する希望を述べたものだ。前者のリストにあるのはすべてトランプ政権が取った措置だ。米側が中国との関係を大きく後退させたのだから、まずこの「大幅マイナス」になった関係をせめて「プラスマイナスゼロ」に戻し、その上で中国側も改善の交渉に応じる、というメッセージだった。

その前後から米側は「誤り是正リスト」の項目に対処し始めた。共産党員やその家族、留学生に対するビザ制限が大幅に緩和された。孔子学院に対する制限が一部撤廃された。両軍同士の対話が再開された。

中国専門家が特に注目した米側の「是正措置」は以下の三つだった。

コロナウイルスの起源に関して、バイデン大統領が命じて情報機関の「真相は分からない」という調査結果が8月末に公表され、それ以降、「武漢研究所起源説」などを言わなくなった。

米軍のアフガン撤収後、ブリンケン長官はアフガンに対する中国側の関心と懸念を理解し尊重すると発言した。

台湾メディアによると、米軍が主導する40年ぶりの大規模軍事演習が8月27日に終了したが、もともと予定された台湾海峡の戦争を想定した訓練がひそかに取り消された。

「新しいキッシンジャー」の活躍

一連の地ならしを経て9月9日、二度目の米中首脳電話会談が行われ、両首脳は、競争はするが衝突を回避し、そのための「ガードレール」を設ける、との合意を交わした。バイデン政権樹立の8か月後、米中関係はようやくトランプ時代の「マイナス」脱却に乗り出した。

9月24日、ニューヨーク市ブルックリンの連邦地検は、3年近くカナダで身柄を拘束したファーウェイ副社長孟晩舟の事件を扱っている判事に対し、裁判所で「起訴事案の決着を裁判所と取り組む」とし、すなわち孟氏の有罪は認めず、訴追延期合意（ＤＰＡ）を結ぶ形で引き渡しを求めない、との内容を通知した。それを受けて孟氏は当日中、中国政府の特別機に乗り、身柄を拘束されたカナダから帰国し、中国も同時に二人の拘束したカナダ人「情報部員」を送り返した。

米中関係は時々激しく対立するが、何度も「起死回生」ができたのは、もう一つの要素、裏の交渉ルートが存在するからだ。１９７１年7月のキッシンジャー大統領補佐官の極秘訪中が米中接近のドアを開けた。１９８９年6月4日に天安門事件が起こり、米側は公の場で西側諸国に対中制裁を呼び掛けるかたわら、ブッシュ大統領（父）が極秘にスコークロフト補佐官を北京に派遣し、妥協ラインを模索していた。その後、日本の海部内閣が率先して対中制裁を解除したが、米中間の裏交渉、裏取引に関する情報を入手した背景もある。

今回の米中関係改善にも、そのようなパイプ役が活躍した。20年7月から8月にかけて、6週間にもわたって、ウォール街で投資顧問会社のＣＥＯをしているジョン・ソントンが訪中した。21年9月27日付香港紙「サウスチャイナモーニングポスト」は彼を「新しいキッシンジャー」と呼び、最初にスクープした。

ソントンは１９９３年、仕事の関係で1年間北京に滞在し、それで中国に魅了されたようだ。ゴールドマン・サックスのＣＥＯの有力候補者とみなされていたのに、03年、北京の清華大学の教授に赴任した。年俸は象徴的な1ドル。米国でも仕事は続けていたので、飛行機代はすべて自己負担した。08年、中国政府認定で、中国の発展に貢献した外国人が得られる最高の栄誉賞「友誼賞」を受賞した。

「バイデン政権に代わって、トランプ政権の中国政策から脱皮できると思っていたのだが、最初の半年間はなかなかできなかった」と彼は振り返る。自ら訪中して打開のパイプ役を務めようと、友人のケリー大統領特使を通じてホワイトハウスに打診し承諾を得た。極秘訪問中、王岐山副主席、韓正（かんせい）副首相らと会い、人権問題の焦点になっている新疆ウイグル地区にも1週間滞在した。新疆訪問に関してホワイトハウスは反対したが、本人はそれは政府の建前だと見透かして押して実施した。

台湾系新聞は次のエピソードも披露した。ソントンは、米中関係の打開には温暖化問題をめぐる協力が重要な切口になると説明した上で、「２０３０年の炭素排出量ピークアウトの期限を前倒しせよとの米国側の要求に中国が簡単に応じられなくても、英語の表現「by 2030」を「before 2030」に修正すれば、ポジティブな印象を与える。一方、実際に特定の期限を約束する必要もない」と提案した（「世界新聞網」サイト 21年9月28日）。果たして、数か月後に開かれたＣＯＰ26会議で中国側が「before 2030」という表現を採用、対米「歩み寄り」を見せた。中国から見れば、これこそ真の友人、新しいキッシンジャーによる助言だった。

ちなみに、それ以後の約一年余り、米中交渉の主要ルートは米国務総省に代わって、中南海とホワイトハウスになった。人権問題で中国に厳しいスタンスを取るブリンケン国務長官をわざと冷遇し、大統領補佐官のサリバンとの折衝を重ねた。１９７２年のニクソン訪中でも、バンス国務長官が蚊帳の外に置かれ、ホワイトハウスと中南海が主導した。

3時間半の米中オンライン首脳会談

10月6日、スイスのチューリッヒで、楊潔篪共産党政治局員とサリバン大統領安全保障問題担当補佐官のさしの会談が行われた。それによる綿密な打ち合わせを経て、11月16日、米中首脳陣同士のオンライン会談が行われた。その数日前、中国は米国人一人の出国禁止をひそかに撤回し、米側も20年前に逃げてきた許国俊（きょこくしゅん）・中国銀行元総裁を含む服役中の中国人7人を帰国させた。

オンライン首脳会談は1時間の予定だったが、3時間半に大幅に延長された。ホワイトハウスの公式発表によると、バイデン大統領は、中国は「（米国と並ぶ）世界の主要なリーダー」と発言した。

米側関係者は会談後、オンラインだが大画面で互いに表情が見えて、疑念について相互に確認ができ、疑念を払い、本音を語るのに極めて「建設的」だった、と記者にブリーフィングした。比べれば、首脳会談に対する中国側の評価はもっと高く、趙立堅（ちょうりつけん）報道官は翌17日の記者会見で、4つの数字で会談の成果を紹介した。

「一」とは一つの最重要問題、すなわち台湾問題について深く意見交換したこと。

「二」とは両国首脳は、米中関係の重要性を強調し、共に「新冷戦」に反対する、という二つの原則的共通認識に達したこと。

「三」とは、習主席が、米中関係の発展について相互尊重、平和共存、協力ウィンウィンという3つの米中関係の原則を表明したこと（米側から否定されなかった、という）。

「四」とは、両国が共に大国の責任感を示し、国際社会の協力をリードして際立った挑戦に対応すること、平等互恵の精神に基づいて両国関係にプラスのエネルギーをより多く注入すること、建設的な方法で意見相違と敏感な問題を制御し両国関係の脱線・暴走を防止すること、重大な国際・地域のホットな問題での協調と協力を強化し世界により多くの公共財を提供すること、という「四つの優先事項」に取り組むことが話し合われた、という。

オンライン首脳会談で双方は、朝鮮半島問題、イラン問題などについても意見を交わしたと発表された。大国間競争をしつつ、正面衝突にはガードレールを設置し、協力可能な分野（両国関係と様々な国際問題）を拡大していく、という合意は首脳同士の達した最重要の成果と言えよう。

その後も、民主主義サミットや、北京五輪への事実上の外交ボイコットなど、対立点が依然多く存在し、批判の応酬が続いたが、首脳同士は複数回オンライン会談をしており、政府各部門の対話・協議も復活した。22年6月以降の一か月間、国防長官同士、外交責任者同士（楊潔篪とサリバン）、経済責任者同士（劉鶴副首相とイエレン財務長官）、軍参謀議長同士、そして外相同士が相次いで、対面もしくはオンライン会談をやっている。7月末、習近平・バイデンのオンライン首脳会談も再度行われた。

持久戦の三段階

日本では、バイデン政権が中国に厳しく当たり、中国が孤立、防戦一方とよく報じられるが、21年7月以降はむしろ米側が主に譲歩する形で改善が進んだ。中国側から見て、バイデン大統領は「三重苦」に喘いでいる。コロナ対策はなかなか成果を上げられなかった。トランプの逆襲など国内の政治と社会の亀裂は広がる一方だ。そして急激なインフレなど経済事情も思わしくない。バイデン大統領は1年後の中間選挙で勝つために、まず国内問題に集中して対処せざるを得ない。米国内で一時期のような、何でも中国叩きをすれば喝采を受ける雰囲気も少しずつ変わったと判断された。

トランプ時代に中国からの輸入に対して高額の追加関税がかけられたが、結果的に9割以上は米国消費者の負担になった（中国の輸出業者は追加関税分を価格に載せても他の国からの輸入品より低価格のため）。21年、中国からの輸入総額は前年比3割増、貿易赤字は25％増の3965億ドルに拡大している。対中貿易戦争は実際に失敗し、大半の米国民は中国との経済の相互依存を受け入れざるを得ない現実を認めている。

もちろん中国側も米国とのこれ以上の緊張を望まない。経済規模、科学技術、そして軍事装備面で米側とギャップがあり、時間をかけて接近し、追いつくことを最優先にしている。また、22年後半、重要な首脳部人事を決定する第20回党大会がある。

ただ、米側は最大のライバルと定義した中国に対し、今後5年から10年間、その孤立化、弱体化を図っていく構図は変わらない。正面衝突を防ぐ「ガードレール」を設置する傍ら、戦略的布陣は続いており、米英豪ＡＵＫＵＳグループの結成、オーストラリアへの原潜の提供などはその一環であろう。

一方の中国も10年以内にまず経済規模で米国に追いつき、科学技術・軍事面では圧倒されない国力を構築することに全力を上げている。かつての日中戦争への戦略と同じように、現在の米国に対しても「三段階持久戦」の戦法を取っていくと、政治学者鄧聿文（とうりつぶん）氏が分析する。

鄧は元中央党校の研究者だったが除名され、19年から米国に移住し、現在の肩書は「中国戦略分析シンクタンク研究員兼中国戦略分析雑誌共同編集長」である。北京の耳に痛い話をよくするが、中国的思考様式がよく分かるその分析は内外に定評がある。

毛沢東の「持久戦論」は、戦いの第一段階は優位の敵が攻めて来て中国は守る（１９３７年の盧溝橋事件から38年末の武漢陥落まで）「戦略的防御」とし、続いてどちら側も勝てない戦いが続く「戦略的対峙」という第二段階を経て、最後は反撃に転じる「戦略的反攻」の第三段階に入る、という三段階の戦略論だ。

鄧氏によれば、米中対抗は18年5月に米国が中国への関税追加課税を宣言したことに始まり、中国はずっと守勢に立たされた。米国のバッシングが突然降りかかった時、中国の第一反応は「歯には歯を」、すなわち貿易やその他の問題で米側と真っ向から対立し、対等に対抗する、というやり方だった。これは日中戦争第一段階で国民党政府軍が日本軍に対して起こした陣地戦に似ている。しかし20年夏以降、新冷戦という対抗を回避するため、中国は次期大統領が決まるまで我慢を重ねるという戦術に軌道修正した。

21年から米中両国は「戦略的対峙」の段階に入り、期間は25年末までと予想される。この前半は依然米側が仕掛け、中国がそれをかわす、という攻守の構図だが、双方の実力が接近していく。中国は着々と、経済面で国内循環を主体とする「双循環」発展の枠組みを構築し、新型挙国体制で半導体チップ等の米国依存の技術の大部分を解決し、戦略的な「抜け穴と短所」を補い、米国への反攻のタイミングを窺うと予想される。そうなれば、中国は26年以降、米国側から主導権を奪い、米国の抑止と包囲に対して戦略的反攻を開始する力を持つ可能性が高いと鄧氏が予測した

（「中共対美的持久戦」、DW 20年10月25日）。

中国社会科学院の学者も、「貿易戦争から始まり、科学技術面の締め付け、軍事的圧力、政治的揺さぶりといった米側が一方的に攻める第1段階はほぼ一段落し、米中間の競争態勢はすでに第2段階に入っている」「21年10月、楊潔篪主任とサリバン大統領補佐官は両国関係および幅広い国際問題について密室で協議し、『共存・共同管理』という新たな段階に来ていると言えるかもしれない」「これまで数年間の激しい応酬を経て、ある種の『新たな均衡』が形成されつつある」と分析している（劉煜輝「中美博弈已經進入第二階段」、「中美印象」サイト 21年10月31日）。

米中競争は10年続く

もちろん、今後の米中関係が急速に和解、妥協に向かうというような甘い認識、期待を持つべきではない。中国学者は、バイデン政権は中間選挙後の23年には、ハイテク、貿易、金融、エネルギー、価値観など幅広い分野で中国に対する「デカップリングと封じ込め」を進める方向に再び戻ると予想している（柏年説政經、「網易」サイト 21年12月22日）。

では、米中競争はどれぐらいの期間続くか。前出鄧聿文氏は20年の時点で、「ホワイトハウスのタカ派幕僚やその背後にあるシンクタンクチームなどはおそらく、中国抑制が可能な『窓口期間』は5年程度しかないと想定しており、今後5年間で中国を抑えられなければ未来にチャンスがないと見ている」「中国の持ちこたえる力は予想より強く、これは一層ワシントンの戦略計画者に緊迫感を抱かせている」「更に5年間あれば、米軍の介入に抵抗する解放軍の能力も格段強まり、米国にとって中国抑制の代償は大幅に高まる」と展望した（「美国遏製中共的戦略窗口期究竟有多長」、NYタイムズ中文サイト20年9月29日）。

NYタイムズのコラムニスト、ロス・ドーザット（Ross Douthat）も、「もし中国を10年間封じ込める方法を見つけることができれば、中国の世紀の到来を永久に遅らせることができるかもしれない」と書いている（The Chinese Decade，NYタイムズ 20年7月11日）。

崔天凱（さいてんがい）前駐米大使は21年年末、北京で開かれた「２０２１年国際情勢と中国外交シンポジウム」の開幕式で基調講演をした際、次のように述べた。

米中関係の現在のような（拮抗する）歴史的段階はまだ相当な期間続くだろう。米国は社会制度、イデオロギー、文化伝統、更には人種が異なる大国の台頭を素直に受け入れることはあり得ない。

米国の対中政策に、強い人種差別的な要素が含まれている。それについて一部の人は口にするが一部は言わないだけだ。米国は必ずあらゆる手段を講じ、全力を尽くし、底なしに中国を叩き、封じ込め、分化し、包囲討伐してくる。これに対して我々は冷静さを保ち、十分な準備をして、今後にありうる紆余曲折、激動、ないしジェットコースターに乗るようなシーンに対応する覚悟が必要だ。

闘いの目的が人民の利益と戦略的全局を守るためである以上、その過程では、あらゆる手を尽くして、我々の利益と全局にかかわる代価と影響を減らさなければならない。原則として、準備のない戦い、勝算のない戦い、意地を張った戦い、および消耗戦をしてはならない。（香港

鳳凰衛視サイト21年12月21日）

習政権の外交ブレーンである崔前大使のこの発言から、中国側も米中競争が「相当の期間続く」と見ており、「10年間は覚悟せよ」というニュアンスが読み取れる。その間に激動、ジェットコースターのようなアップダウンもありうるとして、意地っ張りなど国内のナショナリズム的な雰囲気を戒めた。

三つのシナリオ

10年スパンで米中関係の行方を展望すれば、三つのシナリオが考えられる。

第一は「日本シナリオ」。米国が引き続き、いやもっと猛烈に圧力を加えて中国バッシングを続け、その圧力に中国がついに屈するというシナリオだ。１９８０年代の日本は米国からの容赦ない圧力に耐え切れず、特に半導体等のハイテク分野で発展の勢いを失い、更なる台頭のチャンスを逃した。中国はまだ多くの弱点と問題点を持っており、自ら転ぶ可能性もゼロではないが、何より米国の中国叩きが今後、一段とエスカレートすることを理解する必要がある。

キッシンジャー米中関係研究所主任で元中国駐在外交官だったロバート・デイリー（Robert Daly）は、米国のタカ派は「たとえ中国が米側の期待するような変更をし、米国の憲法と法律を完全に模倣しようと考えても、競争相手を持ちたくないとの理由から依然として中国の発展を制限し、たとえそれが中国を再び貧困に追い込んでもいい」と指摘した（「即使中国按美国要求倣出改変，美国仍会遏制中国?-」、捜狐サイト21年4月16日）。ワシントンのシンクタンク「Defense Priorities」所属の著名研究者リチャード・ハナニアも「中国の真の脅威は米国の統治思想に対する挑戦」と題する論説で、「中国の持続的な成功は、大多数のアメリカ人の成功や安全を少しも損なわないが、エスタブリッシュメント層にとって重大な脅威」「中国人の生活水準と幸福度に追い越されたとき、米国はどのようにして現在の制度の優位性の神話を維持するか」と鋭く問題の本質をえぐり出した（China's Real Threat is to America's Ruling Ideology, Palladium Magazine, 20年12月14日）。

ただ、中国が内乱に陥り、経済が崩壊し、難民が大量に流出するようになれば、米国はもはやこれ以上叩く必要がなくなり、今度は余裕をもって「民主主義の勝利」と誇らしげに言いつつ、中国に対して「人道主義的」支援の手を差し伸べるだろう。

第二は「9・11シナリオ」。正面衝突の寸前だったが、「9・11事件」の発生、反テロをめぐる協力によって反転し、協力を基調とする両国関係は復活した。今後も、米国内や中東、欧州、朝鮮半島などにおいて米国が全力もしくは相当の力を割いて対処せざるを得ない重大な事態が起きる場合、米中双方が一時的休戦、ないし協力重視へシフトする可能性もある。米国経済の過熱ないし経済危機の出現、ウクライナなどをめぐって米ロ間で緊張がエスカレートするケースもこれに属する。ロシアによるウクライナ侵攻は背景と原因はともあれ、米ロ関係を近い将来まで修復不能な段階まで追い込んだ。米国は中ロに対する二正面作戦が無理になった今、中国との一定の改善、少なくとも対立の激化に歯止めをかけてくると北京で見られている。もちろん第三者要素が米中関係の行方を決定するものではないが、歴史の「偶然」的要素に注目する必要はある。

三番目のシナリオは、中国が米国に追いつき、G2の世界になる可能性だ。中国は当然、このシナリオを一番望んでいる。中国は今を「我慢の時」とし、「負けなければ即ち勝ち」との考えで、防戦を中心に、あるいは互角の応酬をしながら、経済力、技術力、軍事力の急ピッチな整備に没頭している。米側は「十年以内に中国を潰さなければ」と焦っているが、反対に中国側は、「今後十年間を凌げば米国の国力を全面的に追い上げるチャンスがある」ことを国家戦略の中心に据えている。米側は現段階に持っているハード面・ソフト面のあらゆる優位的パワーをフルに動員して中国のKOを狙うボクシング戦法を取るが、中国は相手のパンチを交わしつつ、相手の隙とミスを見つけては反撃し、最終的に相手に戦意喪失させる太極拳の戦法を取っている。この世紀的大競争は進行中である。

第三者の目から見えたもの

米中競争の行方を、第三者や米国民はどう見ているのだろうか。

21年1月19日、欧州対外関係委員会（ECFR）が前年末にEU十一カ国、一万五千人を対象に行った世論調査報告書を発表した。これを詳しく伝えた英ガーディアン紙の記事によると、回答者の61％は米国の政治体制が「破綻した」とし、米国の政治体制が「うまく機能している」と考えている人は27％に留まった。更に回答者の60％は、米国大統領が変わっても、トランプ政権の政策やコロナ禍による地政学構造上の影響は続くとし、自国政府は米中と米ロの対抗において中立を保つべきだと答えた。

中国に関しては、59％の回答者が「今後十年以内に米国に代わって世界をリードする超大国になる」と見ており、詳しくはスペイン79％、ポルトガル72％、イタリア72％、フランス63％、英国58％、ドイツ56％、オランダ54％、スウェーデン52％だった。

より重要なのは、欧州の多くの人が、現在は欧州にとってチャンスであり、米国が国内分裂に陥っている今は特に、EU内部の結束力を増進し、自己保護、自己発展の能力を強化すべきだと考えているということである。米国は欧州を永遠に守る「信頼できる」安全保障パートナーだと考えている回答者はわずか10％だった。報告書の執筆者は、「現在、多くの欧州人は米国が世界をリードすることに不信を感じており、より多くの欧州人はEUが国際社会でより独立し、米国に依存しないことを望んでいる」と締め括った。

バイデン政権の登場後、一時期、ヨーロッパでも対米期待が膨らんだが、21年5月5日付英ガーディアン紙の報道によると、コペンハーゲンに本部を置くNGO「民主同盟基金会」（Alliance of Democracies）が4月まで世界53カ国で5万人に対して行った世論調査の結果、回答者の44％は、米国が世界の民主主義体制にとって最大の脅威だと答えた（中国を挙げたのは38％）。

アフガンの撤退が招いた大混乱、ウクライナ問題をめぐる米国の対応を見て、ヨーロッパや中東の同盟国の対米失望感は再び高まったようだ。

マレーシアのマハティール元首相はコロナ禍が始まる前の19年3月、香港紙のインタビューで、米中貿易戦争でASEANは二者択一を避けたいが、迫られたら自分は豊かな中国を選ぶだろうと発言した。途上国のほとんどは東南アジア諸国を含め、米中対立の中で自分にとって有利に出てくれれば利用するが、「米国の勝ち」に賭ける国は五本の指で挙げられるだろうか。

米国内でも「自信喪失」の比率が増えている。22年6月15日に公表されたヤフーニュース／YouGovが共同で行った世論調査によると、民主党員の55％および共和党員の53％が、米国は将来的に民主主義国家ではなくなる可能性が高いと答えた。6月28日、米モーニング・コンサルティング（Morning Consult）とポリティコ（Politico）のウェブサイトが共同で世論調査の結果を発表したが、バイデン大統領は政策的に米国を間違った道に導いている（on the wrong track）とする回答者は78％に上った。最も不満に挙げられた問題はインフレ、経済、犯罪であり、さらに、コロナ感染による死亡率の上昇、アフガニスタン撤退、不法移民、麻薬の氾濫等だった。6月30日、FOXニュース・チャンネルのウェブサイトも最新の世論調査を発表したが、「今日のこの国を誇りに感じるか」との質問に対し、「イエス」と答えたアメリカ人は39％にとどまり、17年の前回調査より12ポイント下がり、11年以降では30ポイント低下していることが分かった。

興味深いことに、22年1月27日付で日本の内閣府が公表した最新の世論調査結果によると、「米国に親しみ」と感じる日本人の比率は過去最高の88％に上った。これほど「対米一辺倒」の国は世界でも珍しく、アジアではほかにないだろう。

二つの巨大惑星の衝突の行方

米中両国はそれぞれ経済力、軍事力で、他の追随を許さない一位と二位の争いをしているだけでなく、歴史も宗教も価値観も完全に異なるものだ。まさに太陽系中の二つの巨大惑星のような存在で、別々の軌道・衛星体系を持っている。それが中国の「超新星爆発」によって、両者間関係及び他の惑星、衛星の軌道にすべて影響を及ぼしている。二つの巨大惑星の間で互いに激震を与えながら関係の新しい安定を取り戻すのに、今後10年、あるいはそれ以上かかるかもしれない。

現時点では中国は国内の安定と安全（台湾問題を含む）に最大の関心を置いており、すなわちボスライオンからの巣立ちを覚悟したものの、取って代わるという挑戦までは考えていない。しかし米側は経済や国際的信用など足元で揺らいでいるにも関わらず、中国を更に追い詰めていけば、状況が次第に変わるかもしれない。

習政権の外交ブレーン（本人はこう呼ばれたくないと言う）王緝思（おうきし）・北京大学国際戦略研究院院長は、21年10月9日付朝日新聞への寄稿で、米中関係の現状認識と行方への展望を次のように書いた。「（米中間の戦略的競争は）現代史における国際競争の中で、東西冷戦を超えて最も長く激しく、影響の及ぶ国が最も多いものになる」。「08年のチベット騒乱、09年のウルムチ騒乱、14年から香港で続いた抗議運動などは、いずれも米国政府やその意図をくむ関係機関が計画し支持したものだと中国政府は考えている」「何にもまして中国人の反米感情をあおっているのは、米国の台湾政策」。その上で作者は、両国関係は「中国共産党が中国で維持してきた『国内秩序』と、米国が主導し守ろうとしてきた『国際秩序』」という「二つの秩序」をめぐって展開してきたが、「多くの国々がワシントンの偽善や混迷、弱体化したリーダーシップに失望しているが、米国が彼らの地域から退き、力の空白を生むことを望んではいない」とし、米側は中国の国内秩序を、中国は「現在の国際秩序で果たしているワシントンの積極的役割」を、「相互尊重」することで紛争の激化を防ぐべきだと提言した。

しかし「新興国」と既存の優位国の闘いという「トゥキディデスの罠」から米中両国はなかな

か抜け出せそうにない。

もし10年後、中国が米国によって圧倒される、という前述のシナリオ①になれば、米国の覇権的地位は更にしばらく続くだろう。しかしこのボスライオンの老衰の醜態は全世界にますます見抜かれている。評論家高野孟氏が指摘したように、米国は「自らの衰弱を薄々は自覚しつつも、それを正面切っては認めたくないがゆえに、誰かが悪いというように他所に責任転嫁して束の間の安心を得ようとする、『対中ヒステリー』とも言うべき病的な集団心理」に苛まれている（『高野孟のTHE JOURNAL』21年1月13日）。「G1」（米国一強）による世界の安定はもはや期待できない。

では10年後に中国が経済・技術・軍事力などで米国に追いついたらどうなるか。中国自身は、「G2」（米中二強）時代の到来をひそかに喜ぶかもしれない。しかし米中両国が互角に近い形で並ぶとしても、多様化が進み、世界における二強の重みも相対的に低下するという新しい局面において、恐らく多極化への過渡期の始まりである。そこで日本や欧州、世界各地域は逆にもっと発言力が上昇し、「共治」（コモン・ガバナンス）の時代を次に迎える可能性のほうが高い。

第4次産業革命の波、情報化の時代、シンギュラリティの到来といった、人類社会を根本的に変えるファクターも台頭している。米中両国も他の国も、このような時代の流れを踏まえて世界の行方を見ていかなければならない。

第八章　中国外交の再検証――現行秩序内の「現状変更国家」

どのような「現状変更国家」なのか

中国は「現状変更国家」と日本でよく呼ばれる。中国の海洋進出を念頭に、「力による一方的現状変更」といった表現で、国際ルールを無視し、強権的、ないし覇権国家とのニュアンスを表している。

しかし「現状変更」に関する定義の難しさを慶応大学の神保謙教授は指摘している。

主要国が固定化した「現状」の維持に新興国が満足せず、「現状」の否定・対抗・無視などの行為や、再解釈などを通じて新しい「現状」をつくったり、新たな組織や規範を形成したりする行為も広義の「現状変更」として捉えられる。

現代のダイナミックに変化する国際関係のなかで「現状」の定義は揺さぶられつつある。中国を中心とする新興国の台頭は、主要先進国との力の配分を大きく変化させている。Ｇ７がＧ20

と併存するようになったこと、新興国が主導するＢＲＩＣＳ銀行やＡＩＩＢなどの新たな金融メカニズムが誕生したことは典型的な例である。（中略）21世紀の国際システムにおける「現状」が何を意味するのか、我々には深い洞察力が必要とされる。（「現状維持・現状変更――主要国の「定義」新興国は不満」、読売新聞 15年11月30日）

ロングスパンで見れば、国際関係、領域、国境などの現状は常に新しい要素の出現、情勢の変化によって変更する。第二次大戦後にできた国連を中心とする大国主導の国際新秩序は、戦前の「現状」に対する革命的変更だった。国連海洋法の三度の更新、ＷＴＯに代表される国際貿易ルールの構築、地球温暖化に対処するＣＯＰ26会議でできた新しい枠組みなど、いずれも現状を変更し、更新したものである。中国はこの30年の間、大半の隣接国と国境を「再画定」した。これも「現状変更」だった。

中国をネガティブなイメージで「現状変更国」と呼ぶ前に、いくつかの再定義が必要である。第一、中国は現状変更国なのか。答えはＹｅｓだ。中国の国内経済がここまで規模が拡大し、生産能力が過剰になれば、発展の空間を外部世界に求めるのは自然の成り行きである。21世紀初頭、「走出去」（外に出ていく）スローガンの下で、中国企業は試行錯誤しながら対外進出を始めた。その積み重ねと国力の更なる発展を背景に、「一帯一路」構想が国家戦略として13年に打ち出された。まず経済分野において中国は一番の現状変更国だと確かに言える。

21年12月、中国のＷＴＯ加盟20周年記念フォーラムで、中国出身のＷＴＯ元副総幹事の易小準（いしょうじゅん）は、世界経済における中国の「現状変更」を次のように説明した。

過去20年間、中国の経済総量は10倍近く増え、世界経済に占める割合は4％から今日の17％に増えた。中国の貨物貿易総額は8倍に増え、輸入と輸出が世界に占めるシェアは3・8％と4・3％からそれぞれ11・5％と14・7％に増え、世界第1位の輸出国と第2位の輸入国になった。世界経済成長に対する中国の年平均寄与率は30％近くに達し、世界経済成長の名実ともに第1位のエンジンとなっている。また中国は約180の経済体の最大の輸入源地と90余りの経済体の最大の輸出市場になっている（捜狐網サイト21年12月8日）。

陸上国境の解決でより多く譲歩したのは

次に、中国は一方的に実力による現状変更をしている国か。答えはNｏである。新中国が樹立して以来、中国は大半の隣接国との間に抱えていた積年の国境問題を、平和的に解決した。現在の14の隣接国のうち、12の国（北朝鮮、ロシア、モンゴル、カザフ、キルギス、タジク、アフガン、パキスタン、ネパール、ミャンマー、ラオス、ベトナム）と国境を完全に確定した。インドとその保護下にあるブータンの二カ国との国境紛争は未解決だが、中国は現状維持で決着を求めている。

興味深いことに、中国研究者が海外の研究成果をまとめた論文によると、隣国と陸上国境を画定した条約ではほとんど中国側が大幅に譲歩した結果になっている（図表1参照）。

その背景と理由には、隣国との長期的な友好関係の保持を最重視すること、一党支配で民意を

係争相手国	係争地面積（km²）	中国が獲得した係争地の割合
ビルマ	1,909	18%
ネパール	2,476	6%
インド	125,000	26%（中国側の当初の提案）
北朝鮮	1,165	40%
モンゴル	16,808	29%（一説では 35%）
パキスタン	8,806	60%（ただし、実効支配地 1,942km²を譲渡）
アフガニスタン	7,381	0
ラオス	18	50%
ベトナム	227	50%
カザフスタン	2,420	34%（一説では 32%）
キルギスタン	3,686	32%
タジクスタン	28,430	パミールは 4%、他は半々
ロシア	西部国境 東部河川の島嶼 黒瞎子島 408	数字なし 51% 各 50%

図表1 中国の隣国との陸上国境交渉と画定における妥協（譲歩）状況
出所：張清敏「中国解決陸地邊界經験対解決海洋邊界的啓示」。北京『外交評論（外交学院学報）』2013 年第 4 号、9 頁。

問わなくてよい分、敵対大国に隙を与えないよう、一部の領土を犠牲にしても周辺環境の安定を優先的に図りたいことなどが考えられる。

そのうち、典型的な例はベトナムとの関係だ。かつて国境戦争まで戦ったが、１９９９年12月、両国は「陸上国境条約」に調印し、１６４か所、２２７平方キロの面積に関わる係争地に対し、ベトナム側は１１３平方キロ、中国側は１１４平方キロをそれぞれ獲得して画定した。海でも、00年12月、トンキン湾海域の区分で決着し、中国側が46・７７％、ベトナム側が53・２３％の海域を分け合い、「トンキン湾境界画定協定」と「トンキン湾漁業協力協定」が調印された。南シナ海に関していまだに紛争が続いているが、決着までそれぞれ自己主張・立場の強化をどちら側もしている。関係諸国が南シナ海で中国とあたかも一触即発の対峙をしているように報じられるが、30年以上にわたって武力衝突が起きていない。代わりに、他の係争国同士、例えばインドネシアはマレーシア・ベトナムの間、ベトナムとフィリピンの間に摩擦は何度も生じている。中国とＡＳＥＡＮ諸国との間では02年、南シナ海行動宣言（ＤＯＣ）に合意し、現在、紛争を予防するための仕組みで、法的拘束力を持つ南シナ海行動規範（ＣＯＣ）の策定を進めており、かなり進展していると伝えられる。

南シナ海問題の由来

南シナ海問題に関して中国は自分が現状を変更された被害者だとの意識が強い。清朝末期にすでに南沙諸島に対する主権宣言をし、戦時中、それが日本の占領下で台湾総督府の管轄下に置かれていた。第二次大戦後、当時の中国政府は、南沙諸島に対する権利を主張する「九段線」を公示し、46年、米国から提供された軍艦に乗り、その主要な島嶼に主権を示す標識を立てた。その後の国共内戦の激化で、太平島を除いて各島での常駐人員を撤収したが、その隙に、フィリピンやベトナムなどが相次いで占拠した。それらの島嶼で埋め立てをしたり、飛行場を作ったりし、「一方的に」「実力による現状変更」を先に行った。この歴史的経緯について、呉士存『中国と南沙諸島紛争』（朱建栄訳、花伝社、17年4月）を参考されたい。同書冒頭には、日本外務大臣が推薦し、国土地理院承認済み『NEW WORLD ATLAS：新世界地図』（全国教育図書株式会社、昭和38年）に掲載された、南沙諸島を「中国」領と表示する地図が紹介されている。

13年から以降の一年半にわたって、中国は管轄下の南沙諸島のいくつかの岩礁で大規模な埋め立て工事を行なった。中国が埋め立てた「人工島」の規模は確かに大きい。しかし「一方的、実力による」現状変更と批判するなら、ベトナム、フィリピンが先に批判されるべきで、これらの国の動きに後れを取った焦りで中国が対抗措置を取ったものだ。米国は、中国が「人工島」造成に踏み切る前から、南シナ海での軍事的プレゼンスを大幅に強めたり、それまでの「中立」のスタンスを、中国の主張なら何でも反対の立場に変えたりした。これこそ、実力で中国の台頭を抑え込もうとする覇権主義の行為と中国から反発・警戒された。米中対立の激化が南シナ海の緊張を高めた主な背景であることは間違いない。

米国は南シナ海での「自由航行作戦」を展開し、他国の参加も呼びかけている。「自由航行」という原則に中国は反対していない。これまで南シナ海海域において自由航行が妨害された事例は一度も起きていない。中国から見れば、米国が「自由航行」の建前を借りて、軍事プレゼンスを一層強化し、またより多くの国を巻き込んで、中国の孤立化を図るのが狙いだ。そうでなければ、「自由航行」の原則を同様に支持している中国と一緒に、シーレーン防衛をやればいいのではないか。

実は南シナ海の領有権問題に関して米国は長きにわたって中国の主張を支持・黙認してきた。1955年9月、台湾駐在一等秘書官が台湾外交部を訪ね、南沙諸島の主要な20以上の島嶼名リストを渡し、中国領であるかの確認を求めたところ、「すべて中国領である」との回答を持ち帰った。1960年12月、米軍は南沙諸島での測量を企画し、事前に台湾当局に許可を求めた。台湾国防部の許可書は今でも保存されている（『中国と南沙諸島紛争』、95－96頁）。南沙諸島をめぐる米当局の方針が大きく転換したのは前述の通り、2010年頃であり、背後に、中国の急速な台頭に対する米国の外交・安全保障戦略の転換があった。

16年7月12日、オランダ・ハーグの常設仲裁裁判所が一方的に提訴したフィリピン側の主張の大半を認め、「九段線」と中国の「歴史的所有権」を否定する裁定を出した。その結果はフィリピンの「全面勝訴」、中国の「全面敗訴」と報じられた。

中国はこの裁定結果を米国が裏で操る「政治的茶番劇」と呼んで猛反発し、王毅外相は直後に、自国の以下の3点の立場を伝える談話を出した。

第一、仲裁裁判は当事者中国の同意を得ず、二国間交渉を通じて話し合いで紛争を解決するという合意に背き、「南海各国行動宣言」の約束に反して、一方的に起こされたものだ。

第二、「国連海洋法条約」は、加盟国に強制的管轄手続きを除外する権利があると定めており、中国の選択は法律上の根拠がある。裁決内容は、中国の合法的権利を侵害し、主権と領土保全の尊重という国際法の準則に挑戦し、国際海洋法制度の厳粛性と完全性を損なうものだ。

第三、南海における中国の領土主権と海洋権益には確たる歴史的かつ法的基礎があり、裁決の影響を受けない。

仲裁結果による何重もの波紋

その後、フィリピンのドゥテルテ大統領は事実上、この裁定結果を棚上げにして中国との協力を大幅に進めた。中国とアセアン諸国もこれに触れない形で南シナ海問題を協議している。米国政府は公の場で、中国に国連海洋法、裁定結果に従えと求めているが、自身はいまだに国連海洋法に調印せず、多くのダブルスタンダード的な対応をしている。

１９８４年４月、中米のニカラグアが本国に対する軍事行動など違法性の宣言や損害賠償を求め、国際司法裁判所（ＩＣＪ）に米国を提訴した。米側は最初は裁判に応じたが途中で離脱し、１９８６年６月27日に判決が下され、米側行動の違法性を認定した。しかし結局米政府は判決を執行しなかった。その執行を求める決議案も国連安保理で5回にわたって米国の拒否権行使で否決された。米国国際法学会の弁護士ピーター・プラウス（Peter Prows）は、「ニカラグア判決事件の影響は今も残っており、中国はずっと、米国は国際司法裁判所の裁定に参加せず認めなかったのに、なぜ我々が仲裁を守らなければならないのかと言っている」とコメントした（ＶＯＡ中文サイト 16年6月18日）。

なお、同年7月29日発売の米国ブルームバーグ・ビジネスウィーク誌は、今回の仲裁判断を米国が支持する場合、米国自身が一部の小さい環礁や岩石に基づいて決めた排他的経済水域に関する主張が否定され、「広範な海洋権益を喪失する」と指摘した。

オバマ政権の第1期任期でNSCのアジア上級部長を務め、16年当時はブルッキングス研究所のシニアフェローであるジェフリー・ベーダーは仲裁判断が出た後に発表した論文でも、「国連海洋法条約に加盟しない米国が他国にその順守を求めることは説得力がない」「今回の裁定に従えば太平洋地域における米国所有の『島』の多くも『岩礁』に属する。米側が自らの矛盾を是正しなければ、道徳の高みに立って南シナ海周辺国に手本を示せない」と書いた（What the United States and China should do in the wake of the South China Sea ruling, Jeffrey A. Bader, Brookings HP, 16年7月18日）。

中国の学者は「今回の裁定の論理を逆手に取って、米国が海外の17の領地を放棄すること、低潮高地などを軸に米国本土からはるかに離れた海で支配している、『9段線』海域よりはるかに大きいEEZを手放すことを迫るべきだ」とし、日本にも同じ論理で迫るべきと提言している（「南海裁決後 中国應反訴美国不得擁有十七個海外領地」、「察網」サイト 16年7月21日）。

ここで言及した日本は「沖ノ鳥島」を（領海もEEZも設定できない）「岩礁」ではなく「島」だとする主張のことだ。裁定文は、沖ノ鳥島の例を南沙諸島を「岩礁」とする根拠の一つにしていることに関し、直後の記者会見で岸田外相（当時）は、「今回の仲裁判断は沖ノ鳥島等の法的地位に関する判断ではない。拘束されるのは当事国であるフィリピン及び中国のみである」と弁明した。しかし矢吹晋・横浜市立大学名誉教授は、「判例は紛争当事者（中比）を直接拘束すると同時に、判例としての普遍性をもつ。これが法の世界の大原則」とその弁解を追及している（「南シナ海仲裁裁定によって沖ノ鳥島がイワになる」、『情況』誌16年8－9月号）。

それにしても、今回の裁定が中国に与えた衝撃は大きい。在米国の中国人学者は、中国が仲裁裁判に自ら参加の権利を放棄したことは不利な仲裁結果を招いたことを反省すべきとし、「欧米が主導してきた国際法と仲裁などのシステムを内心信用していないこと、重大な問題を顔も知らない仲裁員の判断に委ねることに抵抗がある」との背景を分析し、「国際法という課目の補講を受け、国際化された真の現代国家に脱皮する必要がある」と訴えた（FT中文サイト16年7月20日）。時事評論家丁咚（ていとう）は、鄧小平の「紛争を棚上げにして、共同開発する」構想と国際ルールに基づいて「第3の道」を考えるべきだと提言した（「中国的南海対策需要第三方案」、多維新聞網16年7月22日）。著名な朱鋒（しゅほう）・南京大学教授も、「南シナ海問題に関して至急の命題は緊張情勢の緩和と、関係各方面とも受け入れられるルールを作ること、中国外交も今回の事態を通じて教訓を汲み取ること」と述べている（China Isn't a Threat to World Order, bloomberg.com, 16年8月8日）。

長期的に見て「雨降って地固まる」効果もあるようだ。その後、中国は域外国の介入を警戒・反対しながらアセアン諸国と南シナ海行動規範（COC）を制定するのに真剣さを増した。近年、「九段線」の表現を使わなくなり、国連海洋法で認められる「歴史的権利」という表現に変えている。中国は陸上国境及びトンキン湾の交渉でいずれも大きな譲歩をして決着をつけた。南シナ海問題でも妥協する形以外に解決の道がないことを承知しているはずだ。

呉士存（ごしぞん）中国南海研究院院長は17年末、南シナ海は周辺諸国の「共通の庭」であるとのコンセプトを打ち出し、注目された。近ごろ、「海洋大国はいずれも自由航行の範囲拡大を歓迎する。中国も近い将来、領海の範囲を制限する考え方にシフトする可能性がある」との説明を中国筋から聞いている。

反発される「ダブルスタンダード」

中国に問題がないわけではないが、近年の西側諸国に対する不信が強まる背後に、各国の事情、文化の相違以外に、米国の覇権主義、特にその「ダブルスタンダード」への強い反発がある。

上海国際問題研究院の劉宗義（りゅうそうぎ）教授は、インドと中国へのバイデン政権の異なる対応を次のように分析している。

米国の政治エリートは、インドが自称するいわゆる「民主主義」体制は西側のと大きく異なること、モディ政権が採っているのはヒンズー教のナショナリズム政策であることをよく知っている。にもかかわらずバイデン政権は、インドを抱き込んで中国を封じ込めるため、その人権問題における悪い記録から目を逸らし、インドとの「民主的価値観同盟」を主張しており、誠に偽善だ。

米国内の一部の批判に応えるため、バイデン政権はインドの「人権」に言及するポーズを見せる場合があるが、制裁を加えることはなく、中国の封じ込めを念頭に置く米印協力やQuad協力に悪影響を与えることも決してない。事実を捏造してまでいわゆる新疆問題を利用して中国に圧力をかけるのと正反対のやり方だ。「人権」問題では米国は一貫してダブルスタンダードを取っている。（中評社　21年4月18日）

近年、中国の香港政策が「約束を破った」と西側から批判されるが、実はインドが同じ時期に、もっと重大な歴史的約束を破り、「現状変更」を行ったことは、なぜかほとんど取り上げられていない。

20年8月6日、インド議会が、ジャンムー・カシミール州とラダック地方に対して、その憲法370条で規定した自治権の剥奪を求める法案を採択し、モディ首相は同地域を連邦政府の直轄市にすると発表した。これは1948年の建国の時点で約束したカシミールの自治制度に対する一方的な変更だ。

直後の8月12日のイギリスBBC放送は次のように伝えた。

インドはこれまでに1万人以上の軍警と特殊部隊を派遣し、イスラム教徒人口が多数を占めるインド・カシミールに対し、70年以来最も厳しい軍事封鎖、高圧維持措置を実施してきたが、憲法改正が発表された直後から現地の公共通信網を中断し、道路の幹線道路を封鎖し、インド治安部隊がインド・カシミールの州都スリナガ都市防衛を接収した。
現地では多くの人々がパニックに陥り、その後数千人の人々が街に出て抗議し、インド軍と警察の暴力によって追い払われた。
インド版の「一国二制度」（中略）憲法第370条を廃止することで、インド人民党政権は自動的にインド市民がカシミールに永住し、土地を購入し、地元政府に赴任し、教育奨学金を受けることができるようになった。しかし、それは現地の人々の利益にならず、外交面では隣接するパキスタンや中国の利益を侵害している。

ちょうど香港デモが連日続いた中、中立紙『明報』の8月18日付社説は、「インドは（香港問題と）同じ『一国二制度』の性格を持ったカシミールの現状を破壊した」「しかし香港の騒ぎと違ってインドに対する欧米の反応は抑制的」とそのダブルスタンダードを批判した。

インドはその周辺に真の友好国は一つも見当たらない。独立後、旧宗主国イギリスの後継者だと自負し、南アジアを勢力圏と見なし、周辺国には何かにつけて干渉しているからだ。

燃油やガスといった重要物資の供給をほぼ100％インドに依存するネパールに対して、インドは気に入らないと度々禁輸を敷き、圧力を加える。15年、ネパールの新憲法が南部地域のインド系少数民族の要求を満たしていないことを理由に、ネパールに燃料、ガス、医薬品、その他の生活用品の禁輸を実施した。17年末、インドは再び国境貿易の制限を実施した。直前のネパール総選挙の結果に対する不満を見せつけるためだと指摘された。それゆえ、ネパールは近年、中国に接近し、チベットから本国までヒマラヤ山脈越えの鉄道建設に熱意を燃やしている。

シッキムという小国は1975年、インドに一方的に併合された。その王族は中国や国際社会に助けを求めたが、中国はまだ文化大革命の混乱の中にあり、欧米は黙り込みを決めた。もう一つの南アジア小国ブータンはかつて英領インドの保護国で、イギリス撤退後の1949年、インドと調印した「永久平和と友好条約」で「対外関係でインドの指導を受ける」条項が盛り込まれ、今日に至る。近年、ブータンは外交と安全保障面で自立を目指しているが、実現していない。これにも民主主義や、国家間の平等と主権尊重を口にする西側からクレームが出てこない。

そもそもインド自身は、人間が生まれて不平等に扱われるにカースト制度が存在しており、最も不浄な存在とされてきた最低階級ダリト（不可触民）の人口は11年の調査で、全人口の16・6％を占め、実に2億人の人々がいまだ過酷な差別を受けている（池亀彩『インド残酷物語 世界一たくましい民』集英社 21年11月）。

中国を批判しているのは「国際社会」か

ここで、インドを特に貶しめるつもりはない。ロシアのウクライナ侵攻に関する国連での表決でもインドは中国と同じように棄権票を投じた。歴史悠久の大国であり、発展途上だから、中国と同じで、単純に「民主主義」という一本の物差しで測れないものがある。問題は西側のダブルスタンダードである。

中国をめぐる問題になると、「国際社会の批判」という表現がよく使われる。「香港、台湾問題や中国を論じるメディアが、『国際社会』や『世界』という言葉を使って中国を批判する文章が目立つ。自己主張を『世界』と一体化させ、それと中国が対立する構図の中で論理展開する」「中国を『世界』から孤立していると見なす自説を補強する『権威付け』に使ってはいないか」と共同通信客員論説委員の岡田充氏が指摘している。

SNSでは、日本が言う「国際社会」は実は世界のごく一部にすぎないことを皮肉る漫画が出ており、紹介する（図表2）。

中国が香港で「国家安全維持法」を発効させた20年7月1日から開かれた国連人権委で、日本

図表２「あなたがいつも耳にする『国際社会』とは」 出処：中国SNS

など27カ国が「国安法」が香港の自由を奪ったと非難したことが大きく伝えられたが、同じ会場で直後に53カ国が中国擁護を表明した。更に7月3日の時点まで中国支持を表明した国が20以上増え、70カ国以上になったが、アジアで非難を表明したのは日本だけだった。インドと韓国は棄権し、アフリカからは発言保留の南アフリカを除いてすべて中国を擁護した。

中国支持が圧倒的に多いことに関して「北京から金をもらっているから」だけでは到底解釈できない（アラブ湾岸諸国は中国より金持ちだ）。やはり、途上国の大半は国家・民族の統一、外部の干渉反対という点において最大の共通点を有すると見るべきではなかろうか。

新疆の「人権」「強制労働」問題（第十一章で検証）に対しても、21年10月後半、国連の社会・文化・人道問題を審議する第三委員会で主に米国とヨーロッパからの23カ国が中国の新疆政策を批判する共同声明を発した。アジアからはまた日本だけが連署した。それに対し、途上国の54カ国が中国の政策を擁護する共同発言を行った。10月22日の中国外交部の記者会見で報道官は更に、併せて100近くの国が国連小委員会で中国の立場を支持する発言をし、もしくは書簡を出したと説明している。

中国が西側諸国から孤立させられているという表現の方が正しいかもしれない。その背後には、前述の、途上国は「マジョリティ」を重視し、先進国は「マイノリティ」を重視する意識の相違があるとともに、大半の途上国は植民地支配の時代を経験しており、主権と覇権に対して特に敏感であること、更には米国などが中国を地政学的脅威、競争相手と見るために生じた心理的バイアスと報道のスタンスなどの原因が挙げられよう。

中国外交の二面性

だいたい大国は周辺の中小国家との関係をうまくやっていけない。歴史上の摩擦や、小国がアイデンティティ確立に必要以上に「違い」を強調することから、警戒され悪口を言われる宿命にある。ロシアはバルト三国やポーランドなどから歴史的に警戒されている。ウクライナは今や、不倶戴天の仇となった。実は米国も同じだ。カナダはその文化的影響を圧倒的に受けながら、「米国とは違う」ことを強調する思考方式があると言われる。メキシコ以南のラテンアメリカの国は、伝統的に反米感情が強い。メキシコのロペスオブラドール大統領は22年5月17日、米国のキューバに対する厳しい経済禁輸は「ジェノサイド政策」だと公に批判した。

それに比べ、中国は「まし」なほうかもしれない。ロシア、モンゴル、中央アジア諸国、パキスタン、ネパール、ラオスなど大半の隣接国と緊密な関係にある。ベトナム、インドとは民間感情が悪いが、最重要の貿易相手国である。

ベトナムは中国と南シナ海問題などでぎくしゃくする側面もあれば、最大の貿易相手国であり、近年は米国に利用されて「火中の栗」を拾う危険性に気づき、むしろ中国に接近している。ハノイでの最初の市内レール交通ラインが中国企業の建設で21年秋に開通した（日本が建設を請け負うホーチミン市の地下鉄はまだ見通しが付かない）。同年9月11日、ベトナム共産党書記長グエン・フー・チョンがハノイを来訪した王毅外相と会見した際、中国からの300万人分のコロナワクチンの供与に謝意を表した上で、両国は「同志プラス兄弟」の全面的戦略協力パートナーであり、「誰も中国との団結や協力を揺らし、変えることができない」と表明した。「同志プラス兄弟」は中越友好の絆だったホー・チミン故主席が使った表現だが、久しぶりに復活した。ファム・ミン・チン首相も王毅氏に、「対中外交を最優先事項とする」と説明し、双方は南シナ海問題の複雑化、争議の拡大化に導く一方的行動を互いにとらないことで合意した。その直前に、ハリス米副大統領、オースティン国防長官、岸信夫日本防衛大臣が相次いでハノイを訪問したが、ベトナムの両首脳は北京に向けて「外部の思惑に振り回されず、中国との関係を最重視する」というメッセージを発したのだろう。

中国の対外姿勢には、諸外国から分かりにくい二面性がある。まずは「原則」重視の一面。何でも自国の主張を「歴史的」、論理的に整理し正当化する（各国とも似ている部分はあるが）。また他国の批判にすぐ反論する（それで「戦狼外交」と批判される）が、自分の過ちに対して「お詫び」をほとんど言わない。原則とメンツを重視する国柄の現れだ。しかし別の一面もある。外部の反応、批判をかなり気にする。表には出ないが、内部報告書では外部の批判がよく紹介される。「まずい」と感じたら秘かに軌道修正していく。内政でも原理原則を強調しながら実施と応用には柔軟性を見せる、との二面性を持つ。

コロナの試練を受けて試行錯誤中

近年の中国外交は「戦狼外交」と揶揄されるが、それも各側面から見る必要がある。中国に言わせれば、ライバル・競争相手を追い落とすのに手段を選ばない米国、およびイデオロギー的、人種的偏見に偏る欧米の一部からここまで散々に非難、歪曲、汚名化されているのに、その十分の一ぐらい反論、反撃をしてどこが悪いか。このような憤懣の気持ちがある。ただ、台頭する国、大国になるほど、疑念、恐怖ないし敵意を持たれる宿命がある。米国も多く批判されるが、ソフトパワーをもって比較的にうまく対応している。外交は相手からの理解を取り付け、意思疎通を図るのが本分で、ひたすら反論、喧嘩するのは逆効果になる。歪曲・誤解されるものを淡々と説明した上で、もっと胸襟を広げ、低姿勢、謙虚に世界に向けることが求められる。その意味で、中国は体が大きくなったが、「大国らしさ」はまだ模索中だ。コロナの蔓延拡大過程で、中国はそのような模索を続けている。

コロナ発生初期に当たる20年前半、中国は初期対応の問題点が追究され、特にトランプ政権の中国バッシングの材料になるのを恐れ、各国駐在の外交官が現地の批判に真っ向から反論し、中国の医療物資の支援が各国でいかに歓迎され、感謝されているかの宣伝が多かった。試行錯誤を経て同年後半以降、微妙な軌道修正が見られた。９月後半に開かれた国連総会のオンライン会議で演説した習主席は、国際社会と中国の役割について次のような認識とスタンスを示した。

①コロナの発生は、我々が相互につながり、苦楽を共にする地球村に住んでいることを示唆した。

②コロナの発生は、経済グローバル化が客観的現実と歴史的潮流であることを示唆した。（中略）ＷＴＯを礎石とする多国間貿易体制を維持し、旗幟鮮明に一国主義、保護主義に反対し、グローバル産業チェーン、サプライチェーンの安定・円滑化を維持すべきだ。

③コロナの発生はまた、人類は自己革命が必要であり、グリーン発展方式と生活方式の形成を加速し、生態文明と美しい地球を建設する必要があることを示唆した。

④新型コロナは、グローバルガバナンスシステムの改革と改善が急務であることを示唆した。多国間主義の道を堅持し、国連を中核とする国際システムを維持しなければならない。各国の権利平等、機会平等、規則平等を推進し、グローバルガバナンス体系が変化した世界の政治経済に合致し、平和的発展・協力・ウィンウィンの歴史的趨勢に順応すべきだ。

この国連総会オンライン会議での演説が見せた中国指導部の新しいスタンスには、「戦狼外交」より、「責任ある大国」の理念と貢献を語ることに重点を置き、自国の危機脱却と国際貢献を誇示する姿勢から、国際協調、途上国への積極的支援にシフトし、口頭での宣伝より黙々と行動を

図表３　馬蘭花児童声合唱団　22年２月の北京冬期五輪開会式より

優先する、といった変化が見られた。

21年5月31日に開かれた党中央政治局・第30回集団学習会で習氏は、「開放的で自信に満ち、控えめで謙虚で、信頼され、愛され、敬愛される（「可信、可愛、可敬」）中国の姿を創り上げていかなければならない」と発言した。

外部から、中国の「戦狼外交」が続いているとの受け止め方は依然あるが、経験と教訓を生かして、対外的には少しずつ自信をもち、一定の柔軟性を見せるようになっている変化も見るべきだ。22年2月の北京冬季五輪開会式を08年の北京夏五輪と比較した中国人評論家は次のように書いた。

08年の北京五輪は、自分を世界に見せることを渇望していた。22年の北京五輪では、我々はすでに十分に強く、自己誇示は不要になった。

前回のスローガンは「北京はあなたを歓迎す

る」だったが、今回は「共に未来へ」になった。自信に裏付けられ、完璧さを求めなくなった。外国人がイメージする中国の要素を並べることなく、国内外の有名人の演技も人海戦術も使わなかった。前歯が欠けた子がトランペットで吹奏した。5つの山間農村小学校の生徒からなる「馬蘭花児童声合唱団」の44人がギリシア語で「オリンピックの歌」を歌った。（新浪網サイト22年2月6日）・

コロナ禍の衝撃をもろに受けた「一帯一路」

変化は「一帯一路」構想の調整にも現れている。

この構想は13年に打ち出された。「債務の罠」などと西側で一部批判されたが、関係国、特にアフリカ諸国から大きく歓迎された。17年に北京で開かれた第一回「一帯一路サミット」ではその成果、影響力の拡大が誇示され、「平和・繁栄・開放・革新・文明」の理念が自信満々に訴えられた。19年の第二回サミットでは外部の批判を受けて一定の軌道修正をし、「協力・開放・グリーン・廉潔・民生・持続可能」のスローガンで成果がPRされた。

しかし20年に入って、新型コロナウイルス、米中摩擦の激化というダブルパンチをもろに受け、中国外交部の王小龍（おうしょうりゅう）国際経済局局長が当年6月に行った説明によると、「一帯一路」の着工項目のうち、コロナによって20％は深刻な打撃を受け、ほかの30～40％は一定の影響を受けた、と認めた。

20年3月末、中国はコロナが猛威を振るった武漢に対する二か月のロックダウンを解除してから、一帯一路関連の対外対応に乗り出し、まず「マスク外交」と呼ばれる医療物資の対外支援を積極的に行った。

アフリカでは、中国はエチオピア、ジンバブエ、アルジェリア、コンゴ（両方）など9カ国に医療チームを送り、常駐の46の医療支援チームも国内の医療機関とつなげて現地国支援に携わった。中国の現地企業、国内の企業や民間団体も支援に参加し、ジャック・マー（アリババ前会長）の率いる基金会の支援だけでも米国政府の約束したアフリカ支援金額を上回ったと、6月10日のBBC放送が伝えた。

5月中旬に開かれたWHOのオンライン世界大会で講演した習近平主席が、途上国支援に20億ドルを拠出、グローバルな人道支援物資のハブを開設すること、ワクチンの開発に成功すれば国際的公共財に供与などを約束するとともに、特にアフリカに関して、30のアフリカ各国の病院（と、中国国内病院）との対等的ドッキングメカニズムを立ち上げ、アフリカCDC（感染病対策センター）本部の繰り上げ落成に協力することを表明した。

コロナ禍を受けて「一帯一路」が最も試されたのは、予定通りに返済できなくなった巨額の融資の扱いだ。ドイツのケルン経済研究所（IW）の20年8月1日付報告書によると、過去20年間、中国が途上国と新興国で行った融資総額は22の先進国からなるパリクラブの貸付総額を上回った。その結果、一帯一路沿線国の債務は2150億ドルに達し、19年の中国GDP総額の1・5％相当になっているという。20年6月に入って中国は債務問題に取り組み、G20の途上国債務返済猶予イニシアチブに応じて、77カ国の債務返済の一時停止に同意し、同年末に満期を迎えるアフリカに対する無利子貸付の返済免除も表明した。

一方、中国人民大学の王義桅教授は、ネットワーク化、地域化、マルチよりバイ（二国間）の関係の強化という世界の新しい趨勢を踏まえ、一帯一路構想も「リスク分散、重層化の推進など新しい軌道修正が求められている」と指摘した（同氏の「聯合早報」20年6月13日寄稿）。コロナ発生後の情勢変化と中国の強みを背景に、20年末、中国は、「健康シルクロード」「デジタル・シルクロード」「グリーン・シルクロード」という三つの新しい一帯一路協力プラットフォームを提示した。

三つの新しいコンセプト

その一つ目は「健康シルクロード」。20年6月18日に開かれた一帯一路国際協力ハイレベルオンライン会議で王毅外相は、①習主席が公約した20億ドルの国際援助を沿線国に優先使用、②ワクチンの研究開発や使用において関係国のニーズに合わせて技術交流・協力を推進すると説明した。

その後、中国は米英と並んでワクチン開発に成功し、巨大な製造能力を生かして「ワクチン外交」を展開した。21年末まで、中国は110の国とWHOなど二つの国際機関に20億人分のワクチンを提供し、他の国のトータルを上回り、特に途上国への供与分の8割を占めた。WHOが20年7月にワクチンの公平な普及のために立ち上げた仕組みCOVAXファシリティにも中国はいち早く参加し（米国はバイデン政権になって初めて参加を表明）、7000万人分余りのワクチンを供給し、ほかに1億ドルを寄付した。さらに30余りの国と「一帯一路」ワクチン協力パートナーシップを立ち上げ、20の途上国に原液を提供し共同生産を展開した。

21年8月、中国は「『一帯一路』衛生協力及び『健康シルクロード』北京公報」を発布し、「健康シルクロード」の協力内容を更に以下の各項目に広げた。①衛生分野の南北協力・南南協力・トライアングル協力を推進すること。②「一帯一路」衛生政策研究ネットワークを設立し、関係諸国の重大伝染性疾病のモニタリング、予防・抑制と対応、突発事件の衛生応急の協調と協力を促進すること。③関係諸国で女性児童健康プロジェクトを実施し、小児科及び産婦人科の適切な技術を普及させること。④「一帯一路」病院連盟を設立し、先端医学科学技術、重大疾病予防治療、ワクチン研究開発、臨床研究などの分野で共同研究と技術難関突破を展開し、薬と医学器具参入基準の相互承認などの協力を検討すること。⑤関係諸国への医療援助チームを引き続き派遣し、病院間の協力を展開し、短期のボランティア診察及び薬と医療器具を支援すること。

第二は電子ビジネス、IoT、AIなどの技術を活用する「デジタル・シルクロード」である。前述の王毅外相演説は「パートナー国とのイノベーション協力を強化し、『デジタル・シルクロード』やスマートシティ建設、環境にやさしい発展における協力を推進する」ことを呼び掛けた。中国はリードするデジタル技術を活用し、ファーウェイとZTE二社だけで28のヨーロッパ国家はじめ、特に一帯一路沿線国で5G関連施設の建設を進めている。日本の研究者も、「アリババ、ファーウェイ、テンセントなど、情報・通信関連巨大企業はすでに一帯一路沿線国で存在感を高め、資金ギャップを埋めるなど融資機能も有するようになっており、そうした傾向が強まるとの予測もある」と分析している(金森俊樹「中国『一帯一路』構想……経済・政治の二視点から見た今後の展望」、幻冬舎ゴールドオンライン20年12月2日)。

三番目は「グリーン・シルクロード」だ。20年11月末、中国国営通信社「中新社」は「ポストコロナの時代、プロジェクトのグリーン転換が必要」との専門家の見解を特集した。中国はすでに南アフリカのクリーンエネルギー共同研究センター、モルディブの持続可能な固体廃棄物処理システム、カザフスタンのザナタス風力発電プロジェクト融資協定、南アフリカのデ・ア風力発電プロジェクト、ブラジルの超高圧直流送電プロジェクトなどを展開しており、過去10年のうちの9年間、グリーンエネルギーへの投資が最も多い国となっている。17年のトランプ政権のパリ気候協定脱退（バイデン政権は復帰）は、グリーンエネルギーの国際市場をさらに中国に明け渡していると米学者も認めている（VOA中文サイト20年12月25日記事）。

中国は特にアフリカでクリーンエネルギーのプロジェクトを重点的に展開しており、20年におけるエネルギー関連の対外融資46億ドルのうち、半分以上がアフリカに向けられた。サハラ以南諸国は47・7％の人口しか電気を使っておらず、この巨大な市場に中国が圧倒的なシェアを占めている。

B3WとPGIIを「歓迎」する中国の余裕

以上の三つに加え、21年11月20日に北京で開かれた「第3回一帯一路建設座談会」で習近平主席は、知財権保護の国際協力、科学技術面の研究協力強化などを内容とする第4のコンセプト「イノベーション一帯一路」を提示し、外部からの批判や懸念を念頭に、以下のリスクと問題対策を指示した。「企業の主体責任及び主管部門の管理責任」の厳格化、国外プロジェクトリスクに関する全天候型早期警戒評価総合システムの構築、中国の海外企業と公民が現地の法律を遵守し、現地の風俗習慣を尊重するよう教育・指導すること、渉外の反腐敗法律法規体系の整備、国境を越えた腐敗対策の強化、規律違反・違法問題に対する迅速で厳正な処理など。

既定のインフラプロジェクトも進めている。21年末時点で「中国パキスタン回廊」の70のプロジェクトが「感染者ゼロ」を確保した下で進行中。インドネシア高速鉄道の最大難関である1号トンネルと長距離鉄橋が開通した。中国ラオス鉄道、ハンガリー・セルビア鉄道（一部）は運用を開始した。ほかにイスラエルのハイファ新港、バングラデシュの大橋、ボスニア・ヘルツェゴビナとスリランカの高速道路、ギリシアのピレウス港などは建設完了か、もしくは運用が始まっている。

各国がコロナに翻弄される中、21年、中国の一帯一路沿線国に対する輸出入総額は前年比で23・6％増え、対外貿易総額の29・7％を占めた。それに伴い、中国と欧州を結ぶ国際貨物列車「中欧班列」はすでに73の運航路線が開通し、ヨーロッパの23の国の170以上の都市とつながっている。21年の運行本数は前年比22・4％増の1万5183本（輸送されたコンテナ数は前年比29％増）と大きく増加し、22年1月の時点で累積5万本を突破した。「一帯一路」建設に参加したメンバー国と地域は180に達し、うち10カ国はこの1年で加盟した。

一帯一路構想は、1970年代以降の日本の対外進出の経験と教訓の両方を相当学習している（李彦銘論文「戦後日本の歩んできた道と『一帯一路』への示唆」）。コロナの試練を乗り越えて、その推進にさらに自信が増している。

21年6月、イギリスで開かれたG7サミットは、中低所得のインフラ整備を支援する「より良い世界再建」（Ｂ３Ｗ、Build Back Better World）という新構想に合意し、特にアフリカで「価値観に基づいた、高水準で透明性のある」パートナーシップを提供するとし、バイデン大統領はそれを「中国の一帯一路に代わる、より質の高いものにしたい」と述べ、対抗心を見せた。それに対し、中国外交部報道官は21年11月９日、「世界のインフラ分野は協力の余地が広く、各種の関連イニシアチブに対抗したり、互いに取って代わったりする問題が存在しない。世界が必要としているのは、橋を外すのではなく橋を架けること、閉鎖的な排他ではなく互恵ウィンウィンである。米国側が着実な行動を示し、世界各国の共同発展と振興を推進することを希望する」と歓迎する余裕を見せた。22年２月27日の米中「上海コミュニケ」50周年記念オンライン会議で王毅外相はＢ３Ｗをめぐって米側と協力する用意があり、米国の「一帯一路」参加を歓迎すると発言した。

Ｂ３Ｗ構想に続き、22年７月末にドイツで開かれたＧ７サミットは更に、途上国などへのインフラ投資促進に向けた新たな枠組み「グローバル・インフラ投資パートナーシップ（ＰＧＩＩ）」を打ち出した。これも「一帯一路」に対抗するためと明言され、27年までに投資総額６０００億ドルを目指す、とされている。中国メディアから、そのいずれも「悪意を内包した政治的な計画」に過ぎず、肝心な資金調達について、Ｂ３Ｗは40兆ドル超の資金を約束しながら、１年経っても６００万ドルしか投入されておらず、ＰＧＩＩも財源があやふやで、主に民間資金を当てにしているというＡＦＰ通信の指摘を引用して、「ぬれ手に粟（あわ）」、素手で丸儲けを図るたくらみに過ぎないと揶揄した（中国国際放送ＣＲＩサイト　22年６月28日）。

ウクライナ侵攻が突き付けた試練

22年秋に開かれる党大会では習近平氏の続投が内定しているので、この一年の内政と外交は「花火を上げる必要はないが、混乱を避けよ」との方針の下で、経済政策は穏便な路線を取り、北京冬季五輪も「無事に行われる」ことを目標に安全運転を進めていた。

冬季五輪の開会式に30以上の国と国際機関の首脳が出席したが、一番目立った存在はプーチン大統領だった。そのために北京に飛来して滞在した9時間のうち、両国首脳の間でロシア天然ガスの大量購入（ユーロで支払い）を含む経済・技術・宇宙開発など幅広い各分野で協力を強める旨の15の共同文書が調印され、特に共同声明では台湾と南シナ海問題での全面的中国支持、NATOの拡張・米国の「インド太平洋戦略」・米英豪「AUKUS小集団」と豪への原潜売却・日本の福島汚染水放出への共同批判、ロシアの一帯一路参加表明など、ほぼ中国にとっての「満額回答」を与え、「核心利益の相互尊重」「友好協力に上限なし」「新型国際関係の構築」も表明された。

これを外交の成果としてPRした矢先の冬季五輪閉会の翌日、プーチン大統領は、ウクライナは歴史的にその一部と正当化する演説をし、2月24日、ウクライナへの全面侵攻を開始した。

米国はロシア側の作戦計画を事前に把握し、中国にも5回以上伝えたと報じられたが、米中対立が続く中、それは中ロ引き離しの「策」と判断され、一蹴された。実はゼレンスキー大統領も1月28日の記者会見で、ロシアによる侵攻が差し迫っているとする説を真っ向から否定し、「ウクライナ経済を危険にさらしている」として、「パニックを作り出さない」よう西側諸国に求めていた。しかし、全面侵攻の第一報に接すると、北京首脳部は内心、プーチンに一本取られたと思ったかもしれない。

それでも、中国はウクライナ問題の対応において自分なりの原則を貫いた。外部ではウクライナを台湾と比較する向きがあるが、中国では、ウクライナは主権国家だが、台湾は世界から承認される中国の一部であり、しいて比較すれば、台湾はウクライナ東部の二つの自治共和国相当だと見られている。中国はいまだにクリミアに対するロシアの併合も承認していない。複雑な歴史的経緯（長くロシアの一部だったが、ウクライナ出身のフルシチョフ書記長がある種の政治的パフォーマンスで、その管轄権をウクライナに渡した）と住民の構成（大半はロシア系）があるので、今後は両当事者の交渉結果に任せるが、ドネツク・ルガンスクという二つのロシア系住民が多い自治共和国を、ウクライナの主権下の高度な自治権を持つ地域と認めることがあっても、台湾の独立と分裂を絶対阻止するという中国の立場から見て、その分離独立と併合は認めないだろう。

不透明な中ロ関係の未来

では、中国はなぜ、ウクライナに対するロシアの侵攻を批判しないのか。これには複雑な理由がある。

ロシアは西方面で、中国は東方面でそれぞれ米国の軍事的、外交的圧力を受けているので、両者は歩み寄って米国をけん制する協力関係をここ数年強化してきたと中国は見ている。ロシアが崩れたら、米国は更に中国に対する攻勢・圧迫を強める。ここ数年、米側は、最大のライバルと見なす中国から引き離すため、むしろロシアに何度も働きかけてきた。プーチンは西側に対してほぼ絶望的な思いを持っているためそれに乗らなかったが、中国が米国の「口車」に乗ってロシアを追い詰めれば、「ロシアの今日は中国の明日」、「唇亡びて歯寒し」の将来が待ち受けている。米側がよほど中国を安心させるような行動と約束をしなければ、中国はウクライナ問題などで米国の望む通りの行動を取ることはなく、「是々非々主義」に徹していくだろう。

そもそもこの戦争を招いた原因の一つは、米国のＮＡＴＯの東方拡大政策にあると中国は見ている。08年４月に開かれたＮＡＴＯ首脳会議でブッシュ米大統領（当時）が旧ソ連の加盟共和国だったウクライナとジョージア（旧グルジア）のＮＡＴＯ加盟を提案し（両国も加盟を表明）、ドイツとフランスが反対したにもかかわらず、両国の将来的な加盟について合意がなされた。近年、その加盟の動きが公然化してきた。ウクライナ国境からロシア首都のモスクワまで５００キロ強しか離れていない。かつて１９６２年のキューバ危機の際、ソ連が米国のひざ元で大規模な破壊兵器を配備することに対し、ケネディ大統領（当時）は核戦争も辞さない対決の姿勢を取った。だから今回「侵攻は正当化できないが、双方の安保上の深刻な懸念が解消されなければ完全解決にならない」と中国は主張している。

中国は、巨大隣国ロシアとの長期的関係も視野に入れている。世界最長の国境線を挟む相手と30年以上かけてようやく安定・協力的な関係を築いてきたのに、今「背後から刺す」ような行動をしたら、今後数十年にわたって恨まれる。かつてのベトナムとの国境戦争により、数十年後の今も民間感情がなかなか修復しにくい。それを教訓にしている。

中国は内心でロシアを完全に信頼しているかというと、そうではない。かつて１９５０年に中ソ同盟条約が締結されたが、１９６９年の国境戦争、１９８０年の条約破棄も経験している。21世紀に入って関係が改善され、「第二の蜜月」と言われるものの、「大喧嘩して離縁したカップルが再度同棲する」ようなもので、ロマンチックな感情はなく、「生死を共に」といった契りもあり得ないだろう。現在の中ロ接近は米国による圧迫でできたようなものだ。

かといって米国との関係の更なる悪化も北京は望んでいない。公にロシアを非難はしていないものの、経済貿易・技術・金融面での対ロ協力・交流を大幅に縮小した。米国は直接参戦以外のほぼすべての手段を使ってウクライナを支援しているのに、中国は「全面的戦略協力パートナー」と称するロシアに肝心の各分野では何も支援をしていないと、ロシア側からクレームが来ているとも伝えられた。中国にとって、長期戦略上、米国との関係の安定こそ実際は最重要なのだ。

今回のウクライナ紛争がどのような形で決着するかはまだ見通せないが、米ロ間の対立は簡単に修復しない。米国はさすがに中ロ二正面に対する軍事戦略は今の国力では立てにくくなっている。イラン、北朝鮮問題もその間激化する可能性がある。米中ロの三角ゲームと一段と複雑化した国際関係の構図は、プーチンのウクライナ戦争によって新しいステージに入った。

朝鮮半島へのコミットが積極化

ウクライナをめぐる緊張が高まった21年後半以降、北朝鮮は一連のミサイル発射実験を行い、22年1月19日に開かれた労働党中央政治局会議では、米国の敵対政策と軍事的脅威が危険水域に達したとして、「先制的・主動的に行ってきた信頼構築措置を全面的に見直し、暫定的に中止したすべての活動（ＩＣＢＭ、核武力を指す。著者注）を再稼動する問題を迅速に検討するための指示を出した」と発表された。このような強硬姿勢の後ろ盾は中国だと言う人もいるが、実は北朝鮮の外交こそ世界一流のしたたかさがあり、国際情勢と大国間の疑心暗鬼をうまく利用しているのだ。

朝鮮戦争以来の中朝関係の「秘史」を知るには、筆者が翻訳した沈志華著『最後の「天朝」毛沢東・金日成時代の中国と北朝鮮』（岩波書店、２０１６年９月）の一読をお勧めする。その歴史のいくつかの特徴は今でも引き継がれている。一つは、中国やロシア、米国などの大国がスクラムを組んで迫ってくる場合は一旦大幅に譲歩・我慢するが、大半の場合、むしろ大国間の矛盾・対立をうまく利用し、最大限に独自の戦略と利益を追求することだ。

16年から17年にかけて、国連安保理では米中ロが一致して北朝鮮のＩＣＢＭ発射や核実験に対して厳しい制裁決議を６回も採択した。米軍が北朝鮮の核施設を攻撃しかねず、中国がそれを黙認するといった動向が伝えられると、平壌はさっそく「国家核武力の完成」を宣言し、「経済建設総集中」の新しい「戦略路線」への転換を発表した。その後、18年2月の平昌冬季五輪に金与正の率いる代表団を送り、同年4月、金正恩委員長は文在寅・韓国大統領と軍事境界線で会い、半島の「完全な非核化に積極的に努力をする」旨の「板門店宣言」を出した。2か月後の6月、シンガポールでトランプとの米朝首脳会談が実現し、「金正恩委員長は朝鮮半島の完全な非核化に向けた断固とした揺るぎない決意を確認した」との共同声明が発せられた。

その間、米中関係が悪化し、金正恩委員長はトランプとの首脳会談に臨むタイミングで訪中し、中朝関係は一気に改善した。その4回の訪中を受けて、19年6月、習近平主席は中国首脳として

14年ぶりに訪朝し、外部情勢がどう変わろうとも「中朝関係の強固な発展に尽力する確固とした立場は変わらず、朝鮮人民に対する友好的な友情は変わらず、社会主義朝鮮に対する支持は変わらない」という三つの「変わらない」約束を行った。前述の22年1月の北朝鮮政治局会議で表明された対米対決姿勢への復帰は、米中対立の激化、中朝関係の修復という環境の変化が背後にあったことは言うまでもない。

この間、中国の半島政策に変化が見られた。北朝鮮の核開発批判の強調から、「非核化の実現と半島平和メカニズムの確立」という「双軌併進」路線にシフトし、王毅外相は、国連安保理の制裁決議の緩和を呼び掛けている。直近の北朝鮮によるミサイル実験に対しても、中国外交部報道官は22年1月11日の記者会見で、「関係各方面が対話と協議を通じて各自の懸念を解決するとともに、『双軌並進』の構想と段階的、同時歩調の原則に従って、半島問題の政治的解決プロセスを推進するよう希望している」と述べるにとどまった。

北朝鮮の核開発に、中国は依然反対の立場を取っている。それが韓国、日本の核開発を誘発するというドミノ、および米朝対立の激化ないし衝突への懸念、北の核保有は中長期的に見て中国にとっても脅威になりうるとの認識がある。

18年以降の中国の半島政策には、ある著しい変化が見られる。それまで、核を除く南北関係問題にあまり積極的関わりの姿勢を見せなかったが、耿爽（こうそう）外交部報道官は18年7月25日、中国は「半島問題の重要な当事者として、また『休戦協定』の締約国として、そのためにしかるべき役割を果たす」ことを述べた。21年11月1日、中国の朝鮮半島担当特別代表である劉暁明（りゅうぎょうめい）も、韓国側代表とのオンライン会談で「半島問題の重要な当事者」との立場と、「建設的な役割を果たす」

との意欲を再度表明した。

この変化は、それまで38度線以北を対米の緩衝地帯と考えていた中国が、今は半島全体を緩衝地帯と捉えるようになった現れだと解釈できるかもしれない。

22年3月の総選挙で、韓国では保守系の最大野党の尹錫悦(ユンソクヨル)候補が次期大統領に当選した。米韓同盟重視を再三表明し、中国に厳しい発言も選挙期間中にあったが、韓国経済の中国依存度が高く、北朝鮮対策でも中国の協力が不可欠との立場を考えれば、前政権の対中路線は維持されると思われる。一方、半島全体を緩衝地帯と見なしている中国も、韓国との関係改善・強化に取り組み、ある種の「南北均衡」外交を続けていくと見られる。

中朝関係については、喧嘩と齟齬が時々伝えられるが、修復も早いという別の特徴が見られる。金日成時代には中国との対立・摩擦が多々あったが、「いざという時、中国同志と相談せよ」との遺言を残したと言われる。金正日氏は90年代末、中国が「資本主義に変節した」との内部批判を行ったが、生存の最後の一年間、中国を5回も訪問し、金正恩氏も連れて行き、いわば「後継者をよろしく」と頼んだ。現指導者も7年間以上中国との冷たい関係が続いたが、18年以降、一気に修復し、緊密化した。日中関係は改善に時間がかかるが、悪化は一気に来るのと対照的だ。南北双方に対する中国のコミットの積極化が半島情勢の行方にどう影響していくか、注目される。

世界の「覇権」を目指すか

中国は近年、「責任ある大国外交」を進めていくと度々発言しているが、「大国」との表現は日本で顰蹙を買っている。確かに「戦狼外交」と呼ばれるような強硬な言動ばかりでは他の国々から親近感と信頼は得られない。ただ、当局が「大国外交」を口にしているのは、米国との競争を最重視することを示すとともに、国内向けに、怨念が残る「過去」に溺れず、ナショナリズムに走らないよう説得する狙いもある。前に紹介したが、崔天凱前駐米大使は21年末の演説で「意地を張った戦い、消耗戦」をしてはならないと戒めた。一党独裁の中国だが、その外交は外部の考える以上に国民感情、ネット世論に影響されている。そこで故・呉建民(ごけんみん)元駐仏大使、崔天凱大使のような真の外交家は、謙虚・冷静・胸襟ある「真の大国外交」を呼び掛けている。

では中国はアジアないし世界の覇権を目指しているか。中国が予想以上の躍進を遂げてから、米国の一部(『百年マラソン』著者マイケル・ピルズベリーなど)は、「最初から米国打倒、世界制覇を企んでいる」と陰謀論的に主張している。バイデン政権の国家安全保障会議(NSC)のアジア担当ディレクターに抜擢された対中戦略研究者のラシュ・ドッシ(Rush Doshi)も21年6月に出版した『持久戦:米国秩序に取って代わる中国の大戦略』のなかで、中国はまず地域、次にはグローバルで米国を圧倒する三段階の「大戦略」を持ち、着々と実施に移していると書いている。

鄧小平時代からの「韜光養晦」方針は後に、「爪を隠し、相手を倒す時期の到来を辛抱強く待つ」ものと解釈されたが、中国語の元々のニュアンスは、世の中の論争、特に覇権争いから距離を置き、自国の発展を阻害する外部の要因を解消し、経済発展に没頭するという発想だ。外部から「攻撃的」「覇権主義的」と言われる昨今の中国外交について、中国の学者は「否応なしに批判・警戒される大国になったが、実際は『韜光養晦』の新しいバージョンを続けている」と見る。現行の米国主導の国際秩序は中国の発展にとって依然有利であり(もちろん一部の不満もあるが)、米国の覇権に真っ向から挑戦するのは得策ではないとの認識は、中国の外交部や、大半の政府に近い学者に共有されている。筆者も、少なくとも今後の20、30年にわたって、中国は世界の「覇権国家」を目指さないと考えており、以下の三つの理由を列挙する。

①農耕民族中心の中国人は伝統的に、自分の「庭」より外に興味と関心が薄く、儒教、仏教、道教を信仰のベースとする思想体系を持っている。キリスト教文明のように「世界を救う」意識が弱く、自分自身の充実・向上を最優先に考える。

②近代以来の苦い体験、更に文化大革命の失敗を経て、中国は真の先進国、文明まで到達する距離がまだ長いと考える。したがって欧米に取って代わり、「中国スタンダード」を世界に広げる発想は広まっていない。

③「世界一流」の実現目標は30年後の2050年に据えられている。近年、米国のドタバタを横目に見て、経済規模、技術力ないし軍事力で米国と肩を並べる目標の前倒しをめざしているようだが、発想の根底にあるものは「追い上げ」「追いつく」であって、米国を追い抜いた後の世界制覇はまだ脳裡にない。そもそも世界ナンバー1になる理論も「普遍的価値観」も有していない。

国立台湾大学の石之瑜（せきしゆ）教授は、現代中国の「国際秩序」観を次のように分析している。

中国にとって秩序は各国を中心に世界へ放射されるもので、各国内部の秩序と安定を維持することがグローバル秩序形成の前提となる。

中国の「調和のとれた世界」と「運命共同体」、「中国の夢」の構築に関する表現は、重点は「自分のことをよくする」ことにあり、そのグローバルガバナンスに対する貢献はガバナンスの規範を広めるのではなく、ガバナンスの手本を確立することにある。

中国は（他国への）介入行動に賛成するか否かを決定する際、主に「ガバナンス」を考えており、相手国の元の秩序の維持とその「自己管理」能力の強化を重視するが、新しい秩序を押し付けるのではない。（石之瑜他「中国式不幹預主義：治、治理性與全球治理」、中国『社会科学』誌２０１７年第3号）

リー・シェンロン首相の忠告

中国外交に問題がないわけではない。「戦狼外交」を含め、問題はその「覇権」思想より、その未熟にあると言える。「超新星爆発」した中国は自他ともに「これからどのような世界大国を目指すか」が問われている。

中国は「民主」「自由」も目標に掲げる社会主義の現代化強国を目指し、世界の主要プレイヤーになったとの自覚をもった以上、21世紀に入って一段と重視される人権問題に取り組まなければならない。欧米諸国が自国の問題を直視せよと求めるのと同じように、中国も人権派活動家の保護など「マイノリティ」の権利の重視、言論の自由などの問題に真剣に対処していく必要がある。

ウクライナ問題で米国による拡張、ロシアへの安全保障上の脅威を指摘するとともに、ロシアの

「侵略」についてももっと明言すべきだ。

「中華民族の偉大なる復興」は、近代以来の没落を体験した中国人の共通の夢である。だが、ここまで大きくなった中国は、外部から見て「復興」はほぼ達成されており、それが国内向けの説明と釈明したところで、外部世界に誤解されやすく、「世界における中国の権益拡張」すなわち覇権の追求と一部の悪意的解釈に余地を残す恐れもある。やはり「世界との共同発展」「世界への貢献」をもっと前面に出すべきだ。「人類運命共同体」のスローガンは素晴らしいが、世界各国に共鳴・賛同させるような中身はまだ充実されていない。「共同富裕」を国内の発展目標としている以上、「世界の共同富裕」も打ち出し、そのために中国がどのように貢献するかを明示すべきだと、大西広慶應大学名誉教授が提言している。この提言には大賛成だ。

シンガポールのリー・シェンロン首相は21年8月、あるオンライン安全保障フォーラムに参加した際、米中両国関係の現状に深い憂慮を示し、互いに間違った「パーセプション」を持っているとの問題点を指摘した。彼は、米中ともそれぞれ国内の要因と思考様式の相違により、互いに誤解しており、両者の衝突は世界にとって災難だとの認識を示し、両国の指導者は「政治家の風格、勇気とリーダーシップ」を示す必要があると指摘した。

リー首相は、米国が永久に衰退しているという多くの中国人の見方は間違っていると戒めた。その二つの理由として、米国は世界中から才能豊かで活力に満ちた人材を引き寄せる魅力を有し、これがその強さを保ち続ける源泉になっていること、時に間違った方向に向かうが、自分を再び立ち上がらせる自己調整能力があることを挙げた。

一方、米国に対しても、中国は活力にあふれ、人材を擁し、世界の一角を占める決意を持っている国で、ソ連とは違って消えないこと、中国の活力の一部は「大衆路線」に扇動され、植え付けられた世界観に起因するかもしれないが、自国に対する深い誇りと自信に由来する部分も大きいことを挙げて、中国を敵に回した場合、いかに恐ろしい敵になるかを認識すべきだと警告した（『星島日報』21年8月5日）。

米中両国に対するその助言を読むと、父親のリー・クアンユー元首相の鋭い洞察力とバランス感覚を彷彿させる。米中とも、この助言に耳を傾けるべきで、日本外交もそのような先見の明とバランス感覚から学ぶところが多いのではなかろうか。

第九章　「必殺技」戦略——旧ソ連の教訓を汲んだ軍事力整備

中国が突出した軍拡の国か

中国の対外関係を見るうえで切り離せないのはその軍事力の動向だ。

ストックホルム国際平和研究所（以下、略称ＳＩＰＲＩを使う）が発表したデータによると、21年の中国の国防費は日本の４倍で、00年に比べれば７・２８倍になる。

石原慎太郎が東京都知事を務めた１９９０年代半ば、「中国の国家予算は東京都の予算にも及ばない」と話したことを今でも覚えている。それが中国経済が「超新星爆発」的に拡大したのと相俟って、国防費は確かに大幅に増えた。

ただ、横の比較をすればどうだろう。ＧＤＰ総額に占める軍事費の比率は、その国の「軍事傾斜」の度合いを図る上で参考になるが、米国の比率（ＳＩＰＲＩの統計による20年の比較、米ドルベース、以下同）は３・７４％、ロシアは４・２６％、インドは２・８８％、イギリスは２・２５％、フランスは２・０７％であり、それに対して中国は１・７５％である（中国の国防白書によれば１・

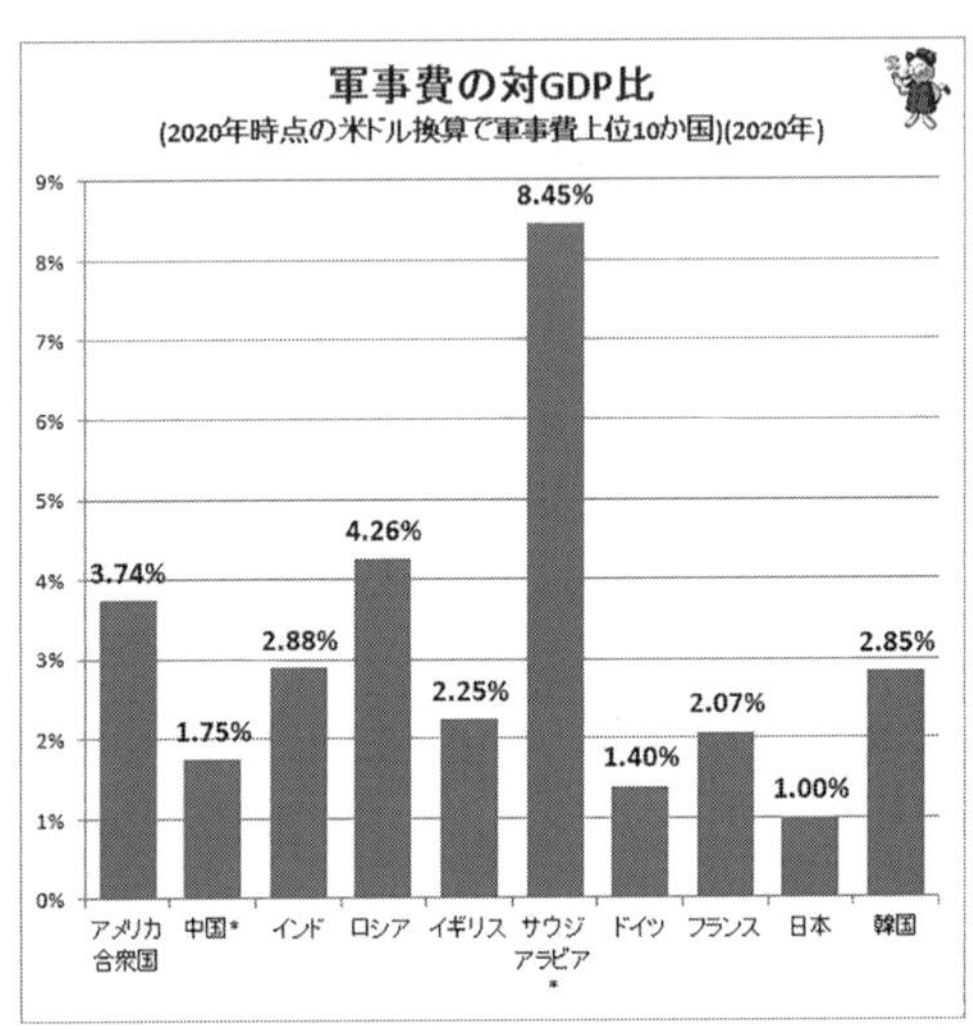

図表１：軍事費の対 GDP 比 (米ドル換算、2020 年)。不破雷蔵「諸外国の軍事費・対 GDP 動向をさぐる (2021 年公開版)」から引用。

３％以下）。それより低いのはドイツの１・４０％と、日本の１・２４％（岸信夫防衛相が22年1月14日の記者会見で「ＮＡＴＯの基準」として述べた数字）だが、主要国の中では中国は低い方である（上の図表参照）。

また、財政支出に占める国防予算の割合で見ると、20年の数字だが、米国は約10％、ロシア約12％、インド約９％に対し、中国は５・３％程度であり、このパーセンテージは１９７９年の１７・３７％に比べ、約12ポイント低下している。

自民党は防衛費を国内総生産（ＧＤＰ）の２％水準に引き上げる公約を掲げているが、理由は一人当たりの同数字が低いからとしている。日本の国民一人当たりの防衛費（20年度、防衛省数字）は４万円ほどで、確かに米国22

万円、韓国と豪州の12万円、イギリスの9万円、ドイツの8万円より少ない。しかし中国の国民一人当たり国防費になると、日本の3割程度しかない。

急増した国防費の内訳

１９８９年から２０１５年までの26年間、うち二年間を除き中国の国防費は毎年前年比、二桁台で増え続けた。これだけを挙げると、突出した「軍拡」に見える。実は日本も１９６１年からの19年間、東京オリンピック翌年の不況を除き、防衛費はずっと二桁台で伸び続けた。１９６８年、日本は西ドイツを抜いて世界第二位の経済大国になったが、中国は２０１０年、日本を超えて世界第二位となった。軍事費の急増はやはり、経済大国に躍進する段階の共通した現象だと言える。

国防費が不透明との批判を受けて、中国は１９９８年から何度も国防白書を発表し、国防費の保障範囲、主な用途、財政支出に占める割合などを公開している。07年から、中国は国連の軍事費透明化制度に参加し、前年度の国防費の基本データを毎年国連に提出している。19年版白書によると、中国の国防費は主に人員の生活費、訓練維持費、装備費という三つの用途に、およそ三分の一ずつ振り分けられている。人員生活費は将校、文民幹部、兵士と非現役の雇用人員、および軍が扶養する離職・退職幹部の給与、手当、食事、被服、保険、福利、扶助などに充てられる。訓練維持費は軍の訓練、軍教育機関の教育、工事施設の建設維持及びその他日常的な消耗的支出に充てられる。装備費は武器装備の研究、試験、調達、メンテナンス、輸送、貯蔵などにかかる。国防費の使用範囲には現役部隊、予備役部隊、民兵などが含まれる、という。

人民解放軍の現役軍人は205万人、予備役は200万人、準軍事部隊（武装警察）は152万人、ほかに800万人の民兵がいる（SIPRIの統計数字）。長年の一人っ子政策と生活水準向上の影響で近年、軍人志願者が減る一方で、軍人の給料が急増している。中国ネットメディアの情報によると、解放軍の中士（軍曹）の給料は約7400元（約14万円）、上士（曹長）は約8500元（16万円近く）。下級将校から並べていくと、連長（中隊長）は約1万元（約19万円）、営長（大隊長）は約1・2万元（23万円近く）、団長（連隊長）は約1・4万元（約27万円）になっている（「2021年軍人工資表」、菏澤律師網サイト 21年5月9日）。

世界最強の米国の軍事費は7782億ドル（20年）に上り、中国（2523億ドル）の3倍（中国自身の公表国防費なら4倍）であり、全世界の約4割を占め、2位以下の10カ国の合計よりも大きい。22年3月末に政府から議会に提出した新年度（10月より）の国防費予算は8133億ドルで、バイデン大統領はこれを「安全保障史上最大の投資」と自ら表現した。最大の軍事費、最先端の武器装備と運用ノーハウを有する米国は更に日本などと軍事同盟関係にあり、中国を依然「最大の競争相手」と見なしている。それに対して中国が感じる脅威を理解しないと、近年の中国の軍事力発展の方針とその行方を正確に把握できない。

中国の軍事力拡張の理由は、長い国境線の警備（インド方面では対峙中）、中東・中央アジアからのテロの脅威、経済の対外進出に伴うシーレーン防衛などに加えて、特に台湾の分離独立の阻止に最大のウェートを置いている。いざ台湾で戦えば、米軍は絶対介入してくることを前提と考えているので、米国の脅威に備えるのが一番の理由であろう。

六回の「国恥」で奮起

なぜ米国を特に脅威と捉え、軍事力の整備強化を必要と感じるのか。何度も米国より軍事的「苛め」を受けたからだとの答えが返ってくる。

中国のネットメディアでは「１９９０年代以来の六回の『国恥』」との表現がよく出てくる。国の顔に泥が塗られた六つの最大の恥とは、１９９３年の「銀河号」事件、94年の黄海での中国原潜への模擬攻撃事件、96年の台湾海峡危機、99年のユーゴ中国大使館に対するミサイル攻撃事件、01年の海南島沖の軍用機衝突事件、08年の四川大地震ヘリコプター墜落事件とされている。

１９９３年７月23日、米国は信頼すべき情報を得たことを理由に、ペルシャ湾を航行中の中国貨物船「銀河号」にイラン向けの禁輸の化学兵器原料を積んでいるとして、軍艦２隻とヘリコプター５機を同時に派遣し、公海の海上で強制的に乗船と検査を要求した。当然拒否されたが、米側は船の所在海域のＧＰＳナビゲーションサービスを停止させたため、「銀河号」は方向を喪失し、航行停止を余儀なくされ、中国人乗組員は３週間以上にわたって船室に閉じ込められた。気温は摂氏50度以上、食料不足で船員は魚を釣って凌ぎ、新鮮な野菜が不足したため、みんな皮膚がただれ始めた。結局、中国側が譲歩し、１か月後の８月23日、サウジ、米国と中国の共同検査を受け入れた。徹底的な検査にもかかわらず、糾弾された化学原料は見つからなかった。にもかかわらず米国側はその後も、「信頼される情報源に基づいた検査」として謝罪すら拒否した。

国連の５大常任理事国の一つであるにもかかわらず、意のままに貨物船を停止させられ、強制検査を受けたことについて、立ち会った元中国国連大使の沙祖康（さそこう）氏はあるインタビューの中でこの事に触れた際、13回も「悔しい」と口にし、更にこう続けた。「今回の事件は中国に、強大な軍隊がなく、強大な海軍がなければ、国外での貿易活動に安全がないことを強く認識させた」（捜狐サイト 22年1月3日）。

94年10月の事件は、更に米軍にコケにされた屈辱的なことだった。北朝鮮に対する制裁の名目で米空母リトルホーク号戦闘群が黄海に進入し、朝鮮西海岸を封鎖した。国連海洋法条約によれば、公海での封鎖行動は同海域に隣接する周辺国に事前に通報する義務があるが、米海軍は通報せず、中国領海の接続水域を巡航し続けた。ちょうど遠洋での訓練から中国海軍の漢級核攻撃潜水艦が帰航したが、騒音が大きい原潜はすぐ米海軍より探知され、海空双方向の模擬対潜攻撃を7回も受けた。原潜が基地支援を求めたが、米軍はEA－6B徘徊者（プロウラー）電子戦闘機を派遣して沿海レーダーを妨害し、電磁制圧と中国側の対応能力をテストした。原潜乗組員は後に「相手はアクティブソナーで探知し続け、浮上させようと迫った」と証言し、70時間以上対峙した最後、中国空軍が米艦隊への攻撃態勢をとったため、ようやく原潜への模擬攻撃が解かれた。

96年の台湾海峡危機においては、米軍の空母艦隊の出動が中国軍の動きを止めたとされるが、より正確に言えば、米空母から発進したEA－6Bハンビロニア電子戦闘機が中国大陸沿海への試験的電子攻撃をかけたことによるものだった。電子攻撃を受けて、中国軍の沿岸部隊はレーダーに真偽不明の敵機の信号が大量に表示されるほか、部隊間の電子通信が妨害され続け、演習中の轟－6爆撃機の火器管制レーダーも目標を特定できなくなり、ミサイルは信号が遮断され、発射できない状態になった、という（捜狐サイト 19年12月5日と、台湾「中時新聞網」サイト 21年12月17日記事などによる）。

「必殺技」戦略の形成

米軍からの屈辱的な苛めを受け、人民解放軍は、ＧＰＳへの依存脱却、妨害電波対策、そして強大な海軍を建設することを決意した。

この新しい方針は「殺手鐗（さあすおじえん）」戦略と呼ばれる（本書では「必殺技」戦略と訳す）。中国のユーゴ大使館が米軍ミサイルに命中された99年に正式に提起されたとされる（18年5月22日付「鈍角網」サイト呉戈論文）。全般的に軍事的優位を有する相手に対し、痛めつけ、脅威を感じさせる殺し技、必殺技を持つ、という意味。

「銀河号」事件ではＧＰＳナビを止められて船が動けなくなった。後に08年5月、四川大地震の救助に出動した中国の軍用ヘリコプターは使用中のＧＰＳナビが突然止められて山に激突して墜落した。そこで中国はＧＰＳに代わる独自の北斗衛星測位システム（ＧＮＳＳ）の開発に乗り出し、12年12月、アジア太平洋地域での運用を開始し、18年末、全世界向けのサービスを開始し、20年6月23日、最後の55基目の北斗用人工衛星を打ち上げて地球規模の運用を完成した。

直後、元駐日外交官がＳＮＳで、08年に許其亮（きょきりょう）空軍司令官（当時）が訪米の帰途に東京の中国大使館で行った内部談話を披瀝した。許氏は、情報社会に入った現代、戦争の勝敗を決めるのは軍事情報技術であり、中国はこの分野で大幅に遅れていると認めた上、「いざＭ国と戦争ということになれば、中国が自らのＧＰＳを持たなくては、目が不自由な身障者vs健康の人とのボクシングのようなもので、完全に非対称で勝ち目はない」と語った。

中国軍の「電子戦」の能力もこの間、飛躍的に向上した。台湾側が21年8月に公表した「中共軍事力報告書」によると、解放軍は「北斗」の全時間域測位と結びつけ、台湾周辺の外国籍機・艦の動きを掌握するとともに、台湾側の動きをリアルタイムで監視している。「中国軍は現段階で、第一列島線以西の地域に対する物理的・非物理的電子攻撃を行い、通信を遮断・無効化する能力、有線・無線によるグローバルネットワーク攻撃を仕掛ける能力、台湾の防空、制海、反制作戦体制を麻痺させる能力を初歩的に備えた」と分析した。

21年9月、珠海航空ショーで初めて中国軍のJ－16D電子戦闘機が披露された。台湾紙は、「20数年前の二回の対米空軍電子戦の劣勢を挽回するため」と解説している。

中国海軍と空軍のハイテク装備も急ピッチで整備されている。F35に匹敵するJ－20ステルス戦闘機、遼寧号、山東号という二隻の空母に加えて、米軍最新鋭空母に迫る電磁式カタパルト発着装置を搭載した三隻目の空母（「福建」号）も22年6月に進水した。ワシントンDCにある「戦略予算評価センター（CSBA）」の上級研究員のトシ・ヨシハラ博士が20年5月に出した日中の海軍力比較に関するレポートは、「中国は、GDPが世界第2位となり日本と立場を逆転した10年以降、現在に至る10年間、艦隊の規模、総トン数、火力など重要な軍事指標において日本の海軍力を追い越した」と評している。

繰り上げられた米軍追い上げ目標

中国軍の「必殺技」戦略に対して、米側も深刻に受け止めている。米議会所属のUSCCは18年5月10日、安全保障問題研究で定評あるイギリスの調査機関ジェーンズ・マーケット（HIS

Market）に委託調査した、中国のハイテク兵器の開発に関する250頁の報告書を公表し、「米国が中国の猛烈な最先端兵器の開発能力に対処できるのにあと10年しか残っていない」と警告した。それによると、中国は宇宙能力、無人システム、大気圏再突入可能キャリア、指向性エネルギー兵器、磁気軌道砲、超高音速兵器という5種類の「必殺技」ハイエンド兵器システムを重点的に開発しており、「中国の宇宙制空能力の発展は10年以内、米国の宇宙作戦能力を低下させるか、米国の軍事能力運用に必要な重要なパイプラインを低下・遮断する可能性がある」「短期的にはこの5種類のハイエンド兵器システムの開発を通じ、その反介入／地域拒否（A2／AD）能力を強化し、武力投入能力を確立することであり、長期的には自律無人システムと人工知能が中国の主な兵器発展目標となる」「米国は依然として全体的な優位を維持しているものの、中国の躍進に十分な反応ができなければ、その軍事的優位は確実な脅威にさらされる」という。

中国軍事力の急追は、米国に覇権的地位の喪失への懸念を一段と深めさせている。一方の中国は、米国は中国を圧倒するのに残された「最後の10年」の間に、最大限の圧力をかけてくることを警戒している。

17年末の19回党大会の政治報告では、「2020年までに軍の機械化を基本的に実現し、情報化建設を大きく進展させ、戦略能力を大きく向上させる」とし、「2035年までに国防・軍隊の現代化を基本的に実現し、今世紀中葉までに人民軍隊を世界一流の軍隊に全面的に築き上げるよう努める」という軍事力整備の目標が提示された。

しかし20年になると、米中関係の悪化、トランプ政権末期の対中圧迫を受けて、「若い雄ライオン」は、経済・技術面の巣立ちを加速するとともに、軍事力の面でも、27年、すなわち建軍1

00周年の年に「軍の現代化」を実現するという目標を再設定した。これは基本戦力で米軍に接近するという35年目標の8年前倒しと解釈することができる。

なお、21年11月に採択された党の「百年歴史決議」を解読する形で、張又俠中央軍事委副主席は11月30日付人民日報に記事を掲載し、「我が国の強大化に対する敵対勢力の包囲、圧迫、封じ込め」に直面して、「解放軍はハードコアの実力を鍛え、攻防の鋭利な武器を作り上げ、敵を抑止し制する切り札の発展を加速させ、強力な連合作戦の体系的サポートをしっかりと構築し、敵より優れた戦略戦法を大いに創新し、戦略的主導権を掌握しなければならない」と述べた。この中の「敵を抑止し制する切り札」は「必殺技」と読み替えてもいいだろう。

核戦略を修正する動き

22年1月3日、米中を含む国連常任理事国5か国が核戦争や軍拡競争を防ぐための共同声明を発表し、「核兵器の保有国どうしの戦争の回避と、戦略的なリスクの軽減が最も重要な責務」、「核戦争に勝者はおらず、決して戦ってはならない」と強調した。これは歓迎されるべき意思表示だが、米ロ、米中間の相互の警戒心が強まっていることの裏返しでもある。

SIPRIが発行する『シプリ年鑑（SIPRI YEARBOOK）』によると、21年1月時点の全世界の核兵器保有数は13080であり、うち9割以上を米ロ両国が保有している。米国は5550発、ロシアは6255発、中国は350発となっている。米国は爆発威力の大きい戦略核兵器を大量に保有するだけでなく、近年は核砲弾、核魚雷、核爆雷、核地雷及び中性子爆弾など低出力の戦術核兵器を多く開発・保有している。

米国は核兵器を唯一、広島、長崎に投下して実戦使用した国であり、中国に対しても、朝鮮戦争、1958年の「台湾海峡危機」などの際、核使用の計画を何度も立てた。18年、ジョージ・ワシントン大学が入手し公開したペンタゴンが1964年に制定した核攻撃計画（SIOP）は、対ソ攻撃と並んで、中国の30の主要都市に核兵器を投下し、中国の都市人口の30％を消滅することを準備していた（BBC News 中文サイト18年9月5日）。

勝つためには手段を択ばない米国のやり方を強く警戒する中国は近年、「核の先制不使用」という毛沢東時代以来の原則と核戦略について「部分的」に見直す可能性があるとネットで披露された。それによると、米軍高官は17年頃、「中国の核兵器基地やその他の核施設が米国の精密誘導通常兵器で打撃を受けた場合、中国が核兵器で反撃するかどうか」という質問を何度も中国軍高官にぶつけたところ、中国側は、「先制不使用」の原則を堅持するが、「3つの特殊なケース」において使用がありうると答えた。それは「中国の核兵器あるいは核施設が敵のさまざまな通常兵器による攻撃を受けた場合」、「中国の航空母艦、戦略ミサイル原潜が敵の核兵器あるいは通常兵器による攻撃を受けた場合」、「中国本土の重要施設や水利工事、あるいは住民の居住地が敵の攻撃を受けた場合」の3つのケースを指している、という（「中国被美日印越逼急！突然公布核武使用三原則」、「自由微信」17年12月9日）。

国際平和カーネギー基金の研究者趙通（Tong Zhao）は、次のように中国の関連動向を分析している。

中国の習近平国家主席が21年3月に更なる「高水準の戦略的抑止」システムの構築を命じた。それは、大国競争の正念場である現在、中国の核能力の弱さが米国の敵意を助長し、中国の台頭を台無しにしかねないとの懸念を深めているからだ。

中国当局者は、米国が（近いうちに）経済的に、（将来的に）軍事的にも追い越されないように、今やより狂気じみて力ずくで中国を破壊しようと行動していると述べた。

北京の核能力整備は最終的に、ワシントンに戦略的攻撃を放棄させ、「脆弱を共有」する関係を受け入れさせようとする試みであることは明らかだ。（「Why Is China Building Up Its Nuclear Arsenal?」、ＮＹタイムズ 21年11月15日）

核兵器の数を大幅に増やすべきとの声も上がっている。強硬で率直な言論で知られる環球時報前編集長胡錫進は20年5月、「中国は少なくとも１００発のＩＣＢＭミサイルを含め、比較的短期間で核弾頭数を１０００発の水準に拡大すべき」と提言し、その理由として「我々は核兵器の先制不使用を約束しているが、米国の戦略的野心と対中攻撃の衝動を抑えるためには、より大きな核兵器庫を持つことが必要」「我々はますます理性的でなくなった米国との難しいやり取りに直面しており、相手は実力だけを信じている」と挙げた（環球網サイト 20年5月8日）。

もう一人、民間シンクタンクであるチャハール学会と昆侖策研究院研究員彭勝玉（ほうしょうぎょく）は、米ロ両国はそれぞれ５０００発以上の核兵器を保有し、これが世界の軍事強国としての象徴になっており、米国が今、手段を択ばずに中国を抑え込もうとしているのに対し、中国は３０００発の核兵器を保有し、これを「最低限の実力の保障とすべき」と発言している（「崑崙策網」サイト 21年12

月24日)。

ウクライナ紛争にＮＡＴＯが直接に軍事介入しなかったのは、ロシアが持つ巨大な核兵力による抑止効果だと中国の専門家の間で総括されている。今後、中国が核兵力を米ロの保有数に対して現在の15分の1程度から4分の1ないし3分の1（1000から2000発）に拡張していく方向と予想される。ペンタゴンが21年11月に公表した最新の「2021年度中国軍事力発展報告書」は、中国はすでに「核三位一体」を初歩的に確立し、空中、地上、海上から核ミサイルを発射する能力を持っている可能性があると判断し、27年までに中国が発射可能な核弾頭を最大700発保有し、30年までに少なくとも1000発の保有を意図している可能性があるとの見通しを示した。

米軍追い上げを隠さなくなった

江沢民時代からの軍事力整備戦略は、もう一つのニュアンス、すなわちいくつかの「必殺技」を開発するが、大規模な実戦配備をせず、経済発展優先の基本路線と齟齬しない考えだった。これは鄧小平からの基本戦略だった。まだ発展途上の段階で、国防予算を多く投入する余裕がないし、旧ソ連の崩壊の教訓もあった。長年、軍事力に多大な財政支出をしていた旧ソ連は1980年代初期、レーガン大統領（当時）が打ち出した「スターウォーズ」軍事戦略に過敏に反応し、更に軍事力の整備に奔走した。これによる財政危機と経済の疲弊に対する国民の不満の爆発が、体制崩壊への最後の一撃になったと、中国で総括されている。

その教訓と中国の実情に合わせて、「必殺技」戦略は10年代前半まで、GPSからの自立と、台湾紛争の介入に必ず出動してくる空母対策（「空母キラー」と呼ばれるミサイル）と、第5世代ステルス戦闘機（J－20）の開発などいくつかの項目に絞って進められた。そしてハイテク軍事装備の開発範囲を次第に広げるが、巨額の軍事予算を使う大量の実戦配備はしない、という方針だった。この軍備増強と経済躍進の両立路線は、その軍事技術の急速な向上をもたらす一方、GDP、財政支出に占める軍事費の割合は低く抑えられた。

しかし習近平時代に入り、その戦略に一定の変化が見られている。経済規模が日本を超えて余力ができてきたこと、特に米中対立の激化がその転換を促した。それ以後、「必殺技」となるハイテク軍事装備の開発範囲は更に空母、原潜、宇宙、超高音速ミサイルなどに広げられ、実戦配備の面でも、一帯一路への支援、「台湾有事」に備え、海軍力の整備に特に力を入れた。

22年1月3日付インド「エコノミスト・タイムズ」紙の記事は、「18年、英シンクタンクは、それまでの5年間に中国が建造した海軍艦艇の総量は英国海軍全体の規模に近く、フランス海軍の規模を上回ったと『警告』したが、今や21年だけで新たに総トン数17万トンの戦艦が就役し、1年で欧州中等列強一国の海軍を作ったことに近づいている。そのうち、戦略原子力潜水艦1隻、075型両用攻撃艦2隻、055型1万トン級駆逐艦が含まれている。075型は平らな飛行甲板を持ち、空母のようにも見える」として驚きを隠さない。ちなみに、現在の英海軍の総トン数は約43万トンで、イタリアは約27・5万トン、スペインは22・5万トン、オーストラリアは12万トンである。

米海軍情報局（ONI）のデータによると、解放軍艦艇の数は20年末時点で360隻に達し、米国の297隻を追い越したが、空母など大型戦艦は依然米側がリードしている。しかし中国の船建造の実力は圧倒的に強く、世界の造船市場の40％を占め、2位の韓国の25％を大きく上回った（18年の数字）。19年、中国は3億トンの戦艦と商船を建造した。第二次世界大戦中、米国の造船総トン数は4000万トンを超えなかったが、米側専門家は、30年まで中国海軍は全世界に展開され、規模と戦力両面で米海軍に匹敵するとも予測している（CNN 21年8月3日記事）。

近年になって中国は軍事力で米国に追いつく野望と自信を隠さなくなっているようだ。21年末、中国の軍事専門家は「中国の軍事費はドル換算では米国の数分の1だが、購買力はその3倍以上なので、海軍・空軍の装備が米軍に追いつくのは時間の問題」という以下の検証記事をネットメディアに投稿し、話題を呼んだ。

同タイプの軍艦を建造する場合、中国の造船コストは米国の半分ないし3分の1に過ぎない。例えば米海軍が現在も量産中のアリ・バークⅢ型駆逐艦は単価が約27億ドルだが、作戦性能がはるかに上回る中国の055大型ミサイル駆逐艦の単価は約10億ドルだ。

購買力格差の原因は簡単だ。米国の武器会社はすべて民間企業で、超過利潤を追求するため、米軍の装備調達費用はずっと高止まりしている。18年の米「Air Force Times」の記事は、米軍が調達するコーヒーカップは1280ドル、C－17とC－5輸送機のトイレの価格は1万ドル超と自ら暴露している。

だから中国の軍事費総額は米国の4分の1程度だが、海軍艦船を「ギョーザ作り」のように「量産」するだけでなく、空軍と陸軍の装備更新も同時に進めている。更に高超音速ミサイル、レーザー兵器、量子レーダーなどの先端科学技術の研究にも十分な経費が割り当てられている。人民解放軍は全体的な技術レベルで米軍に接近しつつあり、一部の「必殺技」領域では米軍を追い抜くまでになっている。これは購買力の差にほかならない。（利刃軍事「中国真実軍費超過一万億美元？」騰訊サイト21年12月27日）。

中国のSNS上、外交部元軍備管理局長で国連核兵器拡散防止委員会中国代表を務めた沙祖康（さそこう）の以下の発言（未確認）が伝えられている（22年1月20日受信）。

中国の軍事装備は同等の性能であれば製造費用は米国の3分の1から7分の1、人件費も米国の5分の1だ。ドルで計算すれば、軍事費がはるかに大きい米国との差は広がるはずだが、実際は縮まっている。これは近代以降、中国の軍事実力が世界一の国の軍事力と最も接近した時である。軍事のみならず、科学技術、金融、文化面でも同じ状況だ。そうでなければ、米国はこんなに焦って狂うこともないだろう。

軍事大国ゆえにもっと明確な対外説明が必要

中国の軍拡が米国からも憂慮されるほどになったが、GDP、国家財政支出に占める軍事費の比率を今後もほぼ抑えていく見通しだ。経済・技術力の追い上げこそ根本だとの認識は変わっていない。党幹部を育成する中央党校の教授は筆者も参加するSNSグループで、「軍事力はとどのつまり、再生産にならない経済の負担であることを中国は理解しており、戦略上、軍備競争と地域紛争の泥沼（南シナ海、釣魚島、中印国境など）に陥らないように自戒している。だから、米国がいくつかの国を巻き込んで作る対中包囲網や軍事力の中国シフトに過剰に反応しない。戦略的包囲網などは、戦争にならなければ本質的に無駄なことだ」「中国を仮想敵とする米日などの軍備強化も、経済的余裕がないのにやっているもので、結果的にその衰退を加速するだけ」と書いている。

旧ソ連は米国との軍事競争で経済破綻したが、今、米国は中国の脅威という幻影におびえて無理に軍事力の更なる整備に奔走している。アフガン、イラクなどの戦争で落ちた国力を更に消耗していくのが必至だ。中国も今は「超新星爆発」の最中だが、経済成長の鈍化が見えてきた中で、軍事力の整備が足かせになる覆轍になるか、自省する必要がある。

中国の軍事力は規模や技術レベルのいずれにおいて米国に迫る勢いを見せている。これまで台湾の分離独立に加担する米軍の介入を阻止するためと説明されてきたが、「台湾」問題への対応を超えたその急速な整備と拡張に関し、中国はその意図や目的、対象に対してもっと世界に説明する必要が出てきた。特に周辺諸国からの懸念を拭うための対話・説明・共同ルール作成などに早急に取り組むべきだ。

米国は中国の台頭による「脅威」を特に軍事力の整備で「抑止」する基本方針だが、国力の限界、ロシアとの緊張激化、バイデン政権の国内重視による「対外的な守りの姿勢」など新しいファクターの出現に伴い、これまでと異なる、外交と軍事の両面が結合した方向を模索する可能性もないわけではない。21年10月11日付米誌『ナショナル・インタレスト』に掲載された米国土安全保障省出身のデービッド・パイン（David Pyne）の寄稿は「トゥキディデスの罠」の提唱者グラハム・アリソン氏の言葉を引用し、米国の指導者たちは、自分たちが夢見る世界は実現できないことを素直に認め、勢力圏が地政学の中心的な特徴であり続けるという事実を受け入れ、核心的かつ重要な利益を保護するため、「戦略的縮小」を実施し、新しい「ヤルタ協定」を中露と結ぶべきだと提言した。

寄稿者は、米ソ英の三巨頭が１９４５年に調印した「ヤルタ協定」が半世紀以上にわたって欧州の平和を守ることに成功した経験を踏まえ、以下のような「新ヤルタ協定」を構想した。米国は西半球全体、日本、オーストラリア、ニュージーランドを含む最大の勢力範囲を保持し、「核の傘」を提供する。欧州自身が主導的な役割を果たすため、米国は北大西洋条約機構（ＮＡＴＯ）から脱退してもよい。大国間戦争に巻き込まれるリスクを下げるため、他国に対する軍事占領と政権支援を避ける。東欧、中央アジア、中東などの地域からも最前線部隊を撤退する。一方、ロシアの勢力圏には、旧ソ連時代の加盟共和国、セルビア、イラン、イラク、シリア、リビアが含まれる。中国の勢力圏には、北朝鮮、パキスタン、アフガニスタン、東南アジア諸国、および約６つの共産主義国が含まれる。

パイン氏は、このような包括的な合意は、３つの核所有の超大国の切実な利益を互いに尊重し、懸案紛争を解決し、軍事衝突の潜在的なリスクを最小化することになるとそのメリットを説き、論文の最後は、米国指導者は直ちに中ロに対して、台湾や旧ソ連の加盟共和国などの問題に軍事介入を実施しないと表明すべきだとし、これによって中ロが米本土に攻撃を仕掛ける機会を低下させ、「中ロ間の同盟関係を大幅に弱める」という戦略的縮小の最大メリットも得ることになると書いた。

ウクライナ紛争による中長期的インパクト

「新ヤルタ協定」は少数派の意見だが、軍事大国同士のバランスを直視し、その直接衝突による災難を防止する「ガードレール」を設置すべきだとの思考様式は米政権内で現れている。

21年11月3日、マーク・ミリー米軍統合参謀本部議長は、アスペン安全保障フォーラムで行った演説で、世界は米中ロという「3極構造」を再構築しており、急速に到来する技術革命と合わせて、過去の40から70年間よりも戦略的に不安定な世界に突入し、米国が支配的な地位を占める時代は終わった可能性があると述べた。

ミリー氏は、中国について「40年前は主に農民を基盤とした巨大な歩兵軍だったが、今は宇宙、サイバー、陸海空の強い戦力を持っている」と説明し、三極世界の中でペンタゴンは中国を主要なライバルと見なしていると明言し、「中国は明らかに地域レベルで我々に挑戦しているが、彼らの願いは世界レベルで米国に挑戦することだ」とも述べた。（北京「環球時報」21年11月4日）

しかしまさに米国が軍事力や同盟国の力を「最大の競争相手」中国に結集しかけたところ、ロシアによるウクライナ侵攻が起こった。したたかなプーチン大統領は、これを、NATOの東方拡大を押し返し、ないしウクライナを含むスラブ帝国を再建する好機と捉えたのかもしれない。

ウクライナ紛争がどんな結末を迎えようとも、米ロの対立は決定的になり、米国が中国を抑え込むのに集中できなくなったと見て、中国は内心ほっとしているところがあると推察される。中国の学者の見方では、「米中ロ」の三角ゲームにおいて、今やNo2の実力を備えるようになった中国は特に危ない立場にある。実力はNo1に及ばないし、No1はNo2を単独で圧倒できない場合、No3と手を組む可能性がある。50年前のニクソン訪中はまさに、No1の米国がNo2のソ連を圧倒するために、No3の中国と接近した象徴的出来事だった。近年の米国は中国を、自分に挑戦するNo2と見なし、何度もロシアに働きかけ、ロ中間の距離を引き離そうとした。しかしウクライナ侵攻で、世界の一位と三位の連合という中国にとっての「最大の悪夢」はほぼ消えた、という（翟東升「我対俄烏戦争的若幹問題的回答」22年3月8日）。

プーチンの誤算でロシアは更に孤立し、衰退していく趨勢は明らかになった。米中間の競争は今後も続くが、「中国を抑え込むのに残された最後の5年から10年」の間に、軍事衝突が発生する可能性はある程度遠のいた。

ウクライナ紛争に対する西側諸国の対応を目の当たりにして、「台湾有事」など米中が先鋭に対立した場合、軍事的オプションが優先されない代わりに、G7を巻き込んだ厳しい経済制裁が科せられる可能性が大きいことを中国は警戒している。

この延長で考えれば、米中間の相手を過剰に警戒した「チキンゲーム」は当面続くが、衝突すれば共倒れになるため、極端な選択肢は互いに取れないことに互いに気づく日も遠くないと考えられる。特に経済力だけでなく、軍事面でも米国にもっと接近した解放軍建軍100周年の27年を境目に、習近平政権が3期目を終え、米国も「次の次」の大統領選挙を迎える前後、米中両国の間で「戦略的均衡」ないし「新関係枠組み」が協議される可能性がある。もちろんその前提はそれまで中国が米国など西側諸国との関係を「新冷戦」の段階に悪化させず、国内改革を一段と進め、相互理解と信頼をベースにした関係の基礎が固められるかにかかっている。

第十章　鳴くまで待とう——中国の台湾統一戦略

台湾問題の歴史的経緯

台湾、香港、新疆。その関連で中国のイメージが悪化したことは、米中緊張の激化という背景と切り離せない。この三つのイッシューへの中国の対応に問題がないわけではなく、説明不足もあるが、オバマ政権時代ではほとんど問題にならなかった。トランプ大統領の安全保障担当補佐官だったジョン・ボルトンは20年夏、回顧録『The Room Where It Happened』（邦訳『ジョン・ボルトン回顧録　トランプ大統領との453日』、朝日新聞出版20年10月）を出したが、その証言によれば、トランプ大統領も当初、中国の台湾、香港、新疆政策に理解を示す発言をしていた。しかし中国の急速な台頭に米国のオピニオンリーダー層が焦りだす中、コロナ対策の失敗でトランプ政権は責任転嫁のために中国叩きを強め、台湾問題などを先鋭化していった。後続のバイデン政権は人権問題重視という民主党の伝統に加え、中国の台頭を抑え込む政策も継承した。それにより三大問題は一層クローズアップされた。それに関する日本主要メディアの報道はほぼ米側一辺倒の論調だった。これらの報道を頼りに判断すれば、筆者も大半の日本人と同様に中国嫌いになったかもしれない。問題は、真実、真相は本当にそうなのか、ということだ。

長年教鞭を取っている筆者は教え子に、人間はなぜ二つの目が必要かとよく質問する。片方の目でも十分に見える。しかし遠近の距離感が掴めない。実際に片目で見た物体が遠くにあっても、「近くにあるよ」と誘導されれば、そのように見えて信じてしまう。この種の「誤認」を避けるため、人間やほとんどの動物は二つの目を持つようになった。両目は僅か左右数センチしか離れていなくても、「複眼的に」ピントを合わせ、遠近を区別し、錯覚を減らすことができる。国際問題を見る時も一辺倒の世論、すなわち片目の見方には疑いを持ったほうがいい。異なる見方、言い分にも耳を貸し、両者を比較した上で自らの判断、結論を出せばよい。台湾、香港、新疆に関しても中国側の本音、実態を知る必要がある。

「台湾」はもともと問題ではなかった。第二次大戦後、日本は日清戦争で中国から割譲した台湾を手放し、中国に返還した。その後の長きにわたって、台湾は中国の一部であることに、世界は疑問を持たなかった。ところが国共内戦で蒋介石政権が中国大陸から追われて台湾に移り、それ以後、中国の版図に、北京と台北という二つの、それぞれ「自分こそ正統」を主張する政権が並立した。国際社会では、1971年を境目に、それまでは台湾が国連安保理常任理事国の地位を占め、「中国」を代表したが、その後は北京が取って代わった。今日の世界では、北京を「中国の代表」と認める国は200近くあり、台北を「中国の代表」と認める国は13前後だが、「中国から独立した台湾」を承認する国は一つもない。

1972年9月、日中国交正常化の際に発表された共同声明の第3項は、「中華人民共和国政府は、台湾が中華人民共和国の領土の不可分の一部であることを重ねて表明する。日本国政府は、この中華人民共和国政府の立場を十分理解し、尊重し、ポツダム宣言第八項に基づく立場を堅持する」となっている。「台湾が中国領土の不可分の一部」に関して日本政府は「十分理解し尊重する」と表明しただけと言う人がいるが、最後の一文「ポツダム宣言第八項に基づく立場を堅持する」を付け加えたことの意味を、72年当時の外務省条約課長栗山尚一氏は後に次のように回顧した（『霞関会会報』２００７年10月号）。

「中華人民共和国政府の立場を十分理解し、尊重する」とのわが方案に対し、中国側の回答は、「ノー」であった。（中略）訪中前に条約局は、中国がわが方案を拒否した場合に備え、ぎりぎりの第二次案（中略）としてわれわれ事務当局がポケットに入れておいたのが、当初案の末尾につなげて「ポツダム宣言第八項に基づく立場を堅持する」との一文を加えたものであった。わが国が降伏に際して受諾したポツダム宣言の第八項（領土条項）において、「カイロ宣言ノ条項ハ履行セラルベク」と規定している。そして、同じ三国の首脳が１９４３年11月に発出したカイロ宣言は、台湾、膨湖諸島は中華民国（当時）に返還することが対日戦争の目的の一つであると述べている。「一つの中国」という立場から、中華人民共和国政府が中国を代表する唯一の正統政府と認めるのであれば、カイロ宣言にいう「中華民国」とは、中華人民共和国が継承した中国である。したがって、カイロ宣言の履行を謳っているポツダム宣言第八項に基づく立場とは、中国すなわち中華人民共和国への台湾の返還を認めるとする立場を意味するのである。

オバマ時代のシミュレーション

それ以降の数十年間、「台湾」をめぐって米中間で幾度も緊張が発生したが、特に中国が超新星爆発的に伸びたこの数年間、台湾問題は一段とクローズアップされた。米中の認識ギャップと相互不信により、北京は「米国は太平洋の覇権を維持するため、台湾の中国からの分離・独立を図っている」と警戒し、それに備えるとして「分離・独立を阻止するため」の軍事力を大掛かりに整備した。一方のワシントンは、同盟国を巻き込んで台湾の国際的プレゼンスを高める外交努力とともに、台湾への武器売却を増やし、また中国の「武力統一」を阻止するための様々な軍事的オプションも用意した。

相手こそ脅威との認識が根底にあり、「弱みを見せてはならない」とのチキンゲームは20年以降、エスカレートした。トランプ政権が外交、軍事面で台湾へのコミットを強めたのに対し、中国軍は台湾周辺での軍事的デモンストレーションを強化した。

オバマ政権当時、米中関係が比較的安定した時期に、両軍の関係者は偶発的な事件と衝突の発生を防ぐため、台湾海峡などで起こりうる様々なシナリオを挙げて、台湾、米国、中国三方の反応・対策をめぐってシミュレーションを重ねていたと消息筋から聞いている。これを契機に中国は、米側が「台湾独立」支持と受けとめられる対応を一歩進めれば、中国も圧力を一歩強めるという戦術をとるようになった。だから、トランプ政権後期の「台湾」をめぐる「レッドラインを越えた挑発」に対し、中国軍はシミュレーション通りに軍用機、海軍艦船を出動して、しかも相手の言動のエスカレーションに対し、出動の頻度、強度を上げていった。22年8月、ペロシ米下院議長が訪台したのに対し、中国軍が台湾近海でミサイル実験などの軍事演習を敢行したのがその最新例になった。

このような強硬姿勢をとる中国に対し、トランプを受け継ぐバイデン政権の中で、人民解放軍による武力統一の可能性が真剣に議論され始めた。

21年3月9日、米インド太平洋軍のデービッドソン司令官（当時）が上院軍事委員会の公聴会で、中国は2050年までに米国に取って代わって世界のリーダーになる野望を強めている、と展望した上で、「その前に、台湾がその野心の目標の一つであることは間違いない。その脅威は向こう10年、実際には今後6年で明らかになると思う」と証言した。

この「6年以内の台湾侵攻説」が出た後、米政府内、議会と学者の間で、武力統一の可能性、時期に関する議論が一気に広まった。中国側は、その背景について、①中国の全方位的台頭は米側から見てそのアジア太平洋地域における優位が脅かされ、不安・パニックになっていること、②米側の思考様式では、中国の対米挑戦の突破口が台湾だろうと判断していること、③台湾をめぐる戦争になれば米国に勝算がないことが明らかになり、余計焦り、緊張が出たためと、北京大学米国研究中心主任の王勇（おうゆう）教授は分析した（中国「韜聞」サイト 21年3月21日）。

「武統」をめぐる大激論

デービッドソン司令官の証言が出て以降、米議会や一部の軍事専門家から「台湾に対する軍事的コミットを明確にすべきだ」との勇ましい声も出たが、結果的に、従来の「一つの中国」の枠内の曖昧戦略の維持に議論が収束された。

4月29日に開かれた米上院軍事委員会公聴会でアブリル・ヘインズ（Avril Haines）国家情報長官は、米側が台湾をめぐる戦略的曖昧性を変え、台湾が攻撃を受けた時の介入を表明すれば、中国はそれを深刻な安定破壊行為と見なし、全世界範囲で米国の利益に挑戦することを誘発することを指摘し、「中国は台湾開戦に関心がない」とも認めた。もう一人、国防情報局長のスコット・ベリエ（Scott Berrier）陸軍中将も、「中国は軍事力増強を加速させつつあり、約6年後には基礎的な軍事近代化を達成し、15年以内に最も破壊的な軍事能力新規導入に成功する可能性がある」と予測する傍ら、「習近平主席が台湾との統一プロセスを決断したかどうかは分からない」と証言した。

元国防次官補で中国駐在公使だったフリーマン（Chas Freeman）も5月下旬、テレビインタビューで、①中国の真の対米挑戦は経済とハイテク分野にあり、軍事面ではない、②米中どちら側も台湾をめぐる戦争に完全勝利がない、③中国は仮に負けても必ず再度戦うし、どんな戦争でも台湾島は廃墟になるだけ、④「米中双方の間で、戦争が起こらない形で台湾問題を処理する方法を見つけなければならない」と話した。

米政府が出資する対外放送ＶＯＡでは7月、台湾問題に関する専門家の見解が特集で紹介され、「未来の数年間、北京の主要目標は台湾の独立阻止にあり、武力統一ではない」「北京は台湾統一という単一目標を実現するため、ほかの目標を犠牲にすることはあり得ない」「追い込まれた時を除いて、一方的な台湾統一行動は中国の内政と外交に決定的なダメージを与えることを北京は分かっている」といった慎重な意見が大半を占めた。

議論が高まる中で、米軍制服組トップのマーク・ミリー統合参謀本部議長は6月17日、米議会上院歳出委員会の公聴会で証言し、「中国が台湾全体を掌握する軍事作戦を遂行するだけの本当の能力を持つまでには、まだ道のりは長い」とし、「台湾は中国の国家的な利益の核心部分だ」と提起しながら、「中国には現時点で（武力統一するという）意図や動機もほとんどないし、理由もない」と語った。

ウクライナ紛争の勃発後、米国内で「台湾支援」論の声が再び現れたが、著名なシンクタンク、戦略国際研究センター（ＣＳＩＳ）が22年3月22日に開いた「ウクライナと台湾：類似点と経験教訓」と題するオンラインセミナーでは、政府に影響力ある専門家は「台湾戦略の明確化は現時点では良い主張ではない」との見解で一致した。18年まで米国家情報委員会の東アジア上級情報官を務めたジョン・カルバー（John Culver）は、それは「米国内政治のパフォーマンスであり、逆に台湾海峡での戦争を早期に招くだけで、台湾を地球上で最も強力な両軍の戦場にする」と警告した。直前にバイデン政権の派遣した非公式高位級代表団メンバーとして訪台したマイク・グリーン（Mike Green）とＣＳＩＳ研究員ボニー・グレイサー（Bonnie Glaser）も同意見で、後者は「戦略明確論を提唱する人々は抑止力の弱体化を懸念しているが、そのやり方の危険性やマイナス影響がはるかに大きい」と付け加えた。

習政権の最大のレガシーは何か

一連の議論と政府内の検証を慎重に見極めた上で、バイデン政権はついに「一つの中国」政策を守り、「台湾独立を支持しない」と公式に表明するように至った。7月6日、米国家安全保障会議（NSC）のキャンベル・インド太平洋調整官（実質的にバイデン政権のアジア政策の統括者）はシンクタンクのイベントで、台湾との関係について「強力で非公式な関係を支持しているが、独立は支持しない」と述べ、「一つの中国」政策を歴代米政権と同じく踏襲する立場を改めて示した。

日本メディアでは「6年侵攻説」の根拠として、「習近平氏が続投を図るために（台湾統一という）レガシーが必要」と挙げられたが、元共同通信の台湾支局長、現客員論説委員の岡田充氏は次のような冷静な分析を行った。

中国は台湾問題を「核心利益」と見なし、「妥協や取引はしない」という強硬姿勢を貫いている。（中略）だからといって、中国は客観的条件や環境を一切無視して、台湾統一を実現しようとしているわけではない。

戦略目標のプライオリティーは「近代化建設」と、それを実現するための「平和的環境」作りであり、台湾統一の優先順位は決して高くない。

習は19年1月、彼の台湾政策「習5点」を発表した。その特徴を挙げれば、平和統一を実現する宣言書であり、統一を「中華民族の偉大な復興」とリンクさせ、論理的には2049年（建国100年）以前に統一を実現する必要がある、台湾との融合発展を深化し平和統一の基礎にする、台湾独立による分裂と外部の干渉勢力に向け「武力使用の放棄はしない」、などである（「中国が台湾に武力行使をしない3つの理由」東洋経済オンライン21年5月21日）。

台湾との統一は確かに中国の悲願である。香港、マカオの復帰後、それは屈辱的な近代史から取り残された最後のトラウマである。それを乗り越えないと、中国のエリート層は「暗い過去は終わらない」と思い続けるだろう（佐藤栄作氏がかつて話した名言「沖縄の復帰なしには戦後が終わらない」が想起される）。台湾が分離独立されたら、中国共産党は政権の正統性を失う。だから、「負け戦」と分かっても戦う以外に選択肢がない。

しかし現政権にとって、取り組む最優先事項、すなわち最大のレガシーは「台湾」ではなく、10年以内に経済規模が米国に追いつくことであろう。この認識は中国のエリート層でほぼ一致している。19世紀前半から下り坂を辿った中国は２００年ぶりに世界トップへ復帰し、「復興」の「中国夢」が手の届くところまで来ている。これ以上のレガシーはない。

中国の本音は現代化の実現を最優先し、それに伴って平和統一を目指すことだと考えられる。これは鄧小平時代以来、一貫してぶれない基本方針だ。鄧小平が１９８２年の第12回党大会で「現代化建設」「台湾を含む祖国統一」「反覇権と平和外交」を「党の三大任務」として提示し、その中で「経済建設が核心で、国内外の諸問題を解決する基礎」と強調した。これを受け継ぐ形で江沢民主席は２００１年、現代化が一位、祖国統一が二位との順序で「新世紀の我が党の三大任務」を表明した。この戦略順位は今日に継承されており、習近平主席が19回党大会で提起した中国共産党の歴史的使命としての「新三段階戦略」の中でも、35年の「初歩的現代化」、50年の「全面的現代化」が優先目標と位置付けられ、台湾との平和統一はその付属目標になっている。

「反国家分裂法」が限定した「武力行使の三前提」

05年3月、中国は「反国家分裂法」を制定し、その第8条に、「非平和的手段やその他の必要な措置をとり、国家主権と領土保全を守らなければならない」三つの前提条件を列挙している。

①「台湾独立」を掲げる分裂勢力がいかなる名目であれ、いかなる形であれ台湾を中国から分裂させるという事実、

②または台湾の中国からの分裂を引き起こす可能性のある重大な事変、

③または平和統一の可能性が完全に失われた場合。

言い換えれば、この三つの条件を満たさなければ中国は武力行使をしないとの表明である。習主席は21年11月のバイデン大統領との会談で、「台湾独立勢力が一線を越えれば、断固たる措置を取る」と表明したが、これも、台湾海峡の現状に関してはその「一線」を超えたと判断しておらず、武力行使の理由にならないことをほのめかしている。

中国は武力行使の選択肢の放棄を絶対約束しない（どの主権国家も同様だ）が、本音では、台湾との統一は可能な限り、武力行使を避けたい。これについていくつかの理由が考えられる。

一つは前述の通り、米国に並ぶ国力の整備が最優先の国家戦略である。一方的な平和局面の打破として国際社会から批判され、孤立を招き、中国自身の「平和的台頭」の機運さえ失ってしまうと認識されている。

ウクライナ侵攻を行ったロシアに対し、西側諸国が厳しい経済制裁を発動した。中国は同様な制裁に対し、「双循環戦略」などで対策を急いでいるが、万が一そのような制裁を受ければ、米

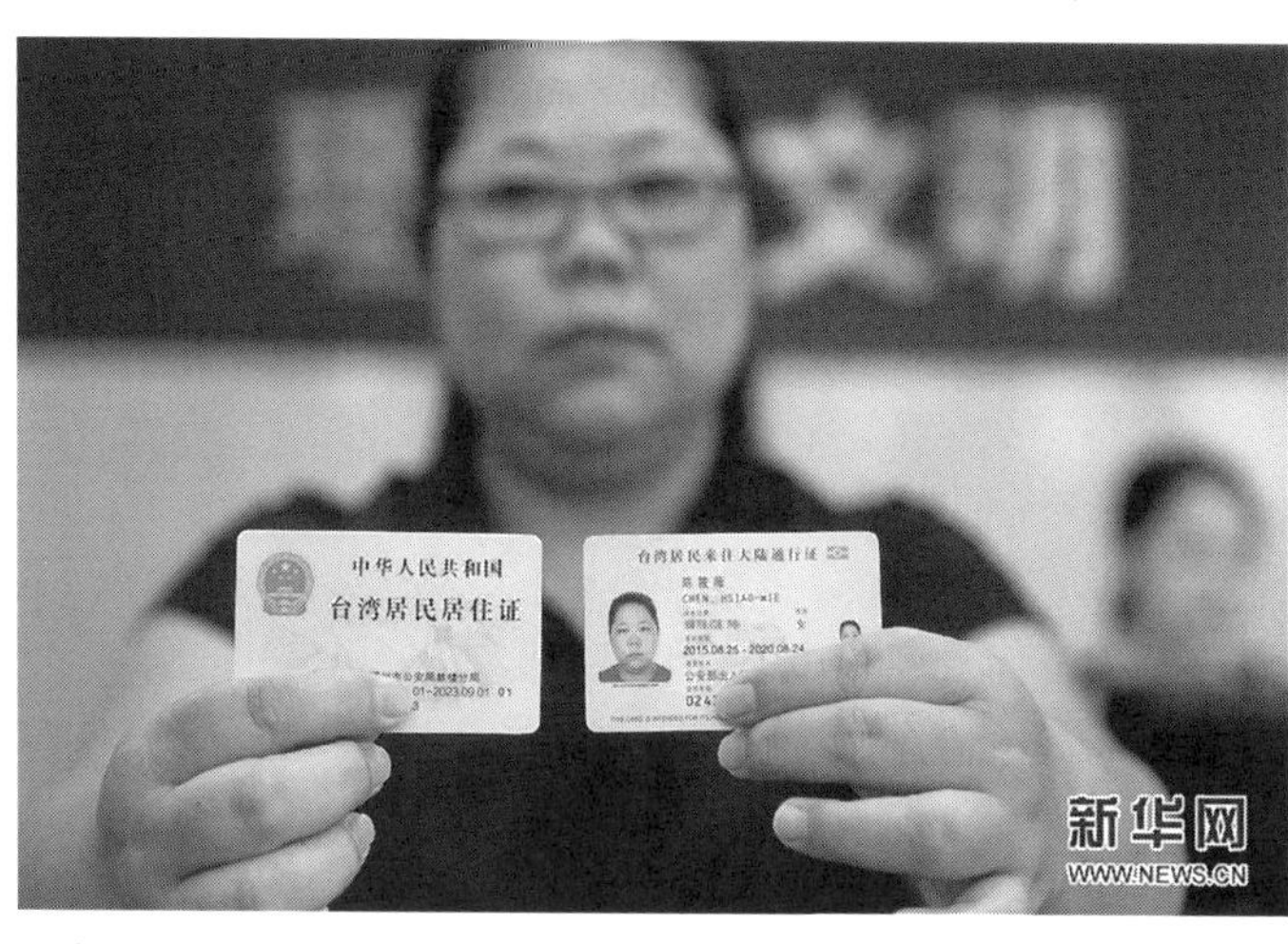

図表１　大陸在住の台湾住民が移動、在住に使うＩＤカード

国に追い上げる復興の夢がついえることも承知している。

二番目は、中国社会の根強い反対も予想されることだ。福建省、浙江省等の沿岸部地域は投資、貿易などの面ですでに台湾経済と事実上の共同体を成している。台湾との戦争は自分たちの生活も台無しにすることが分かっている。ウクライナ紛争を通じて、「21世紀の今日、市民を巻き込んだ戦争に絶対反対」との声は中国でも著しく台頭している。

三番目に、今仮に武力で台湾を統一すれば、台湾民衆を「苦しい社会」から解放する「解放軍」になるのか、それとも強い抵抗を受ける「占領軍」になるのか。中国大陸の一党支配の体制を台湾に押し付けて、それで安定することは想像しにくい。この点も北京は内心では理解している。

今日の台湾の民意が統一を望んでいないことは十分に承知している。北京はそこで、台湾が自ら公然と独立さえしなければ、時間をかけて「将来の解決」に下駄を預けることとし、それまでの間は経済カードを駆使し、台湾が離れられないように対策を取っている。台湾当局とけんかしながらも、一方通行的な対台湾ＦＴＡ「ＥＣＦＡ」（両岸経済合作架構協議）を提供し続けている。トランプ前大統領は中国との貿易不均衡を理由に貿易戦争を仕掛けたが、実は中国大陸は台湾に対して20年は１４００億ドル以上に上る貿易赤字を敢えて容認している（21年の双方貿易の伸び率は更に25％以上）。台湾の対外投資も四割以上、中国大陸向けだ。

近年、台湾の民衆を引き付ける措置も次々と打ち出されている。台湾で取得した大卒証書や医療免許は認められ、台湾の医者はそのまま北京や上海で開業できる。大陸在住の台湾住民（香港、マカオを含む）は50万人以上（統計以上に多く、最大は２００万人超との説も）に上っており、彼らが中国大陸で支障なく移動、居住できるよう、大陸住民の身分証明書と同じようなＩＤカードを発行している（前頁写真）。

米国にとって台湾は取引のカード

中国から見て、米国の国家戦略における台湾の位置づけは、領土的野心はなく、あくまでも外交もしくは軍事戦略上の価値にある。台湾を簡単に失ったら、太平洋における米国の独占的地位が脅かされるし、「絶対守る、守れる」という信用はアフガン、ウクライナ紛争より十倍、二十倍傷つけられ、その覇権の終焉の始まりになる。

しかしそれは言い換えれば、これらの「心配の種」が薄れ、もしくは利益交換（まさにトランプ氏が愛用した「ビッグ・ディール」の意味）の対象になれば、米国は台湾を手放し、もしくは妥協・取引の対象になる可能性が十分にあると北京で見られている。

実際に、新中国の樹立後、米国は少なくとも2回以上、台湾を手放し、もしくは取引に出す前歴があった。

一回目は1950年1月12日の「アチソン声明」だ。当時のディーン・アチソン国務長官は、西太平洋における対共産主義防衛線（不後退防衛線）をアリューシャン列島・日本・沖縄・フィリピンを結ぶ線とする声明を発表し、台湾と朝鮮半島、インドシナ半島をそれから除外した。同じ月、アチソン長官は台湾不干渉声明も発表している。建国直後の中国首脳部に「対ソ一辺倒」を思いとどまらせるため、台湾に対する人民解放軍の武力解放を黙認する（「内戦の埃が静まるまで米国は静観する」との表現）とのメッセージを公に出したのだ。しかし2月に入って、中ソ同盟条約が締結された。その後、米側は台湾政策を修正し、朝鮮戦争開戦から2日後の同年6月27日、第7艦隊を台湾海峡に派遣し、中国の台湾解放を不可能にした。

二回目はニクソン訪中前後だった。両国首脳の間では台湾問題の「解決」をめぐって突っ込んだ意見交換が行われた。先に秘密訪中したキッシンジャー大統領補佐官は北京に誠意を示すため、「一つの中国」「台湾の独立を支持しない」と表明して手土産とした。続いて72年2月にニクソンが訪中したとき、「秘密の取引はない」と再三に表明しながら、大統領は周恩来首相に対し、「台湾に対する日本の影響力を制限する」「（台湾という障害を念頭に）関係正常化に向けて努力する」と伝えたことが後に秘密解除された公文書で明らかになった。

後に中国側関係者は、「双方は実はニクソン大統領の二期目の任期で台湾問題を解決するという暗黙の了解を交わしていた。残念なことにウォーターゲート事件でニクソン大統領が辞任に追い込まれた」と吐露している。79年1月1日、米国は台湾との条約廃止・駐在軍人の撤収・断交という「三大条件」を受け入れて北京と国交を樹立した。ここでも、中国を反ソ陣営に引き入れるため、台湾が取引のカードに出されたのだ。

もう一つの興味深いエピソードがある。リーマン・ショック後、米国が債務危機に直面した中で、11年11月10日付『NYタイムズ』紙に「我々の経済を救うため、台湾を見捨てよう」（To Save Our Economy, Ditch Taiwan）と題するコラム記事が掲載された。記事は、ハーバード大学ケネディスクールの研究員ポール・ケインが執筆したもので、当面の米国の国家安全保障に対する最大の脅威は莫大な債務だとし、台湾を見捨てることと引き換えに、中国が保有する1兆ドル以上の米国債を帳消しにすることを提案した。

翌11日、ヒラリー・クリントン国務長官（当時）は補佐官から、「興味深い記事」とのタイトルを付けたメールをもらい、「読む楽しさを与えてくれる記事だ。あなたのブラックベリーで読んでみたら」とも書き添えられた。クリントン長官は、「読んだ。賢い考えだ。議論してみてもよい」とすぐ返答した。

クリントン国務長官は台湾を中国との巨額国債の取引にかける考えについて「賢い考え」「議論してよい」と書いた。この点も重要だが、もう一つの落ちがある。その最も信頼された補佐官はほかでもなく、バイデン大統領が右腕として頼っている現職のサリバン補佐官である。

このメールのやり取りは、国務長官として指定された公式の電子メールアドレスではなく、私用の電子メールアドレスを使ったため、盗み取られる隙を残した。15年、クリントンの「メールゲー

Leaks News About Partners

UNCLASSIFIED U.S. Department of State Case No. F-2014-20439 Doc No. C05787353 Date: 10/30/2015

RELEASE IN FULL

From: H <hrod17@clintonemail.com>

Sent: Friday, November 11, 2011 6:46 PM
To: 'sullivanjj@state.gov'

Subject: Re: Interesting article

I saw it and thought it was so clever. Let's discuss.

Also, we only have 15 minutes left in here.

Original Message ---

From: Sullivan, Jacob J [mailto:SullivanJJ@state.gov]
Sent: Friday, November 11, 2011 06:19 PM .

To: H
Subject: Interesting article

For your reading pleasure while you endure open governance and try to steal glances at your blackberry:

OP-ED CONTRIBUTOR

To Save Our Economy, Ditch Taiwan

By PAUL V. KANE

Published: November 11, 2011

Washington

WITH a single bold act, President Obama could correct the country's course, help assure his re-election, and preserve our children's future.

He needs to redefine America's mindset about national security away from the old defense mentality that American

power derives predominantly from our military might, rather than from the strength, agility and competitiveness of our

図表２　「台湾取引」をめぐるクリントンとサリバンの間のメールやり取り。
出所：WikiLieaks のスクープ

ト」事件が発覚し、国務長官在任中に私用メールアドレスを使って約6万通のメールのやり取りをし、うち3万通が機密性が要求される公的活動に関するものであることがスクープされ、本人はそれを渋々と認めた。クリントン長官とサリバン氏による台湾をめぐるやりとりの内容もその中に含まれた（上はウィキリークスで暴露されたメールの本文）。

これら歴史上の「台湾取引」に関する言動を中国は熟知しているので、台湾を再度テーブルに引き出せるタイミング、および取引の「代価」を極秘に検討していると推測してもおかしくないだろう。

現代版の墨子「非攻」

米国とビッグ・ディールをする一番よいタイミングは、中国の経済規模が米国に並んだ時と考えるのは自然なことだ。米国は弁護士的な思考様式を持つ国と認識されている。まだ勝てると思う時は手段を択ばず、相手を叩き潰すのに夢中で、妥協は難しい。しかし勝てないと分かった時点で、「和解」を求め、取引に応じやすい。

中国は米国をこのような「ビッグ・ディール」に追い込むため、まず台湾が要となる「第一列島線」内に米軍に簡単に手を出させない軍事力の整備を急ピッチで進めている。中国の軍事力の大半は、台湾問題に、米国の軍事介入をさせないためのA2AD（anti-access area denial 接近阻止と領域拒否）戦略のために整備されている。ただ、本当に米国と熱戦をやるとなれば、二つの核大国同士では共倒れの結果しかない。中国の現代化、200年ぶりの世界一流への復帰も水の泡になるとの認識は中国指導部内で共有されている。そのため、軍事的準備は米国を、台湾を軍事力では守れないとの判断に追い込むことが「ビッグ・ディール」をさせるための手段の一つだ。

キッシンジャー氏も21年11月21日にCNNの解説番組で、「中国は今後10年以内、台湾の『実質的自治』を弱める措置を取っていくが、武力統一することはないだろう」と展望した。

孫子兵法に由来する「戦わずして勝つ」という台湾に対する「平和統一」の戦略は、戦術面では同じ春秋戦国時代の墨子の「非攻」戦術に学んでいると思われる。『墨子』の第四部「公輸」篇に、墨子が楚国に出使し、公輸盤という城攻めの技を持つ名人と机上でシミュレーションを行い、すべてのケースにおいて相手が勝てないことを悟らせ、楚王に宋国への企てを放棄させるやり取りが記されている。

米中間では、互いに墨子の「非攻」兵法を使っていると言える。米側が中国に、武力統一の代価がいかに大きいかを見せつけているのに対し、中国側は、軍事的に米国を介入させないという準備を進めるとともに、台湾との平和統一を実現していくための戦略を着々と進めている。

その一つ目は、10年以内に国力（ハイテク、軍事力を含め）で米国に追いつくことで、台湾をめぐる力関係において米国との互角の態勢を形成すること。

二つ目は、台湾が中国大陸から離れられないような依存・連帯関係を積み重ねていき、「一国二制度」で台湾との統一を実現すること。

22年8月のペロシ議長の訪台直後、中国は台湾近海で大規模な軍事演習を実施し、同時に台湾に対する一部の経済制裁措置を発表した。これに対して米政府の反応は予想以上に控えめだった。ウクライナ戦争の進行中に中国を過度に追い詰めたくない思惑があるとともに、中国の一連の「報復措置」は「台湾独立の阻止」への決意を一段と見せつけ、台湾民衆に対しても中国大陸との絆を自ら破るなと「警告」するのが狙いだが、「北京の台湾に対する基本戦略は変わっていない」とホワイトハウスが判断したからであろう。

軍事演習が終了した8月10日、中国政府は22年ぶりの三回目の「台湾白書」を発表し、最大の誠意をもって平和統一を追求し、武力行使は「最後のやむをえない手段」と表明した。

では、北京は台湾統一の時間軸目標を設定しているのだろうか。明確なタイムリミットは、ないと思われる。中国自身も分からないからだ。最近の中国では、「2035年、台湾を国内旅行しよう」との歌が流行っている。ここから推測すれば、「新三段階戦略」の第二段階である35年を「(可能なら)努力する目標」とし、第三段階の50年を「(必ず実現する)期限目標」と掲げているように解釈できる。ただしその間、分離・独立の動きが顕在化すれば、中国は大きな代価を払ってでも武力を行使し、台湾統一に踏み切る可能性もある。

北京が今すでに、機が熟せば米国との戦略的な取引を行うためのカード・条件をひそかに検討していることすら推測される。現時点で詳細を予測するのは難しいが、太平洋における米側の戦略的優位を承認すること、東アジアにおける米国の(同盟国を含む)利益を尊重すること、台湾に高度な自治を認めること(米側が台湾を失ったとの内外の圧力を軽減させるため)などが考えられる。このような「ビッグ・ディール」は前述したデービッド・パイン氏が提示した新しい「ヤルタ協定」の趣旨と脈が通ずるものがある。

21年8月20日付北京『環球時報』社説は「中国の力が増え続け、軍事闘争の準備と統一の意志が十分である限り、米国が最終的に台湾を見捨てるのは避けられない宿命だ」とし、六つの理由を挙げた。①台湾海峡に出兵して台湾を防衛することを求める公式法律文書は米側に一つもない、②中国は核大国であり、近海での軍事闘争の準備ができている、③民進党当局はかつての国民党より弱い、④台湾政権を維持するコストが収益を大幅に上回ることを確認すれば、米国は台湾を見捨てる、⑤米国の台湾放棄は米中の力構造の変化の一環、⑥自国の国運を台湾に賭けることについて米国内でコンセンサスが得られない、という。

台湾の独立派も無力さを吐露

台湾の分離・独立を図る勢力はいまだに強いが、実は台湾の独立派の中枢でも動揺が広まっている。蔡英文総統のブレーン、対日本窓口機関「台湾日本関係協会」の邱義仁（きゅうぎじん）会長（当時）は21年7月4日のラジオ放送単独インタビューで、「台湾の独立は、台湾の人民が自ら決定できることではない。国際社会の情勢と中国がとる行動なども考えなければならない。米国もそれに賛同しないだろう」と発言した。台湾住民の大半は今でも、「大陸（中国）からの侵攻」を信じていない。邱氏発言は台湾民衆の一般的認識、北京の決意と米国の本音を見極めた上での独立派の無力感と本音を示したものとして注目すべきだ。

バイデン政権のアフガニスタンからの撤収、ウクライナ紛争における対応を目の当たりにし、台湾内部では、米国の「梯子外し」「自国利益優先」「北京との取引」に関する見方が増えている。21年7月7日付台湾『中国時報』の社説も、「米国は世界各地に介入しがちだが、都合が悪ければすぐ逃げる癖がある」「新中国樹立の時の蒋介石政権扱い、ベトナム戦争、最近のアフガンはいずれもそれを裏付けている」と論じ、それを「抽腿慣性」（手を引く癖）と呼んだ。

ロシアによるウクライナ侵攻の台湾へのインパクトについて、台湾内部で激論が交わされているが、左正東（させいとう）台湾大学教授によると、主として2つの傾向が現れている。一つは、民進党政権が「反露挺烏」（ロシア反対、ウクライナ支持）の世論を主導していること。もう一つは、西側によるウクライナへの支持が口先と軍用物資の供給にとどまっているのを見て「米国に見捨てられる危険をより警戒するようになった」ことだ、という（米国中文サイト「海外看世界」22年3月15日）。

実は蔡英文氏も、北京に対して強硬発言をしているが、「ウィキリークス」が暴露した米側公文書（No.09TAIPEI903）によると、民進党主席だった09年に、米国在台協会（ＡＩＴ）の責任者と談話する中で、「もし民衆投票の結果が統一支持であれば、民進党は妨害しない」と表明した。ＡＩＴの報告書は、蔡氏は民進党出身の前任主席らとは大きく違って「中国に対して比較的開放的な見解を持っている」と評した。16年5月の総統就任演説では、蔡氏は「中華民国憲法」と「両岸人民関係条例」に触れ、「92年コンセンサス」を認めないが「92年精神」はあるとし、暗に「一つの中国」の枠組みに留まるメッセージを北京に送った。北京からの最初の反応は肯定的なものだったが、間もなく厳しい方向に変わった。蔡氏に就任演説のことで助言した趙春山（ちょうしゅんざん）台湾淡江大学栄誉教授は「北京側がなぜ途中から拒絶に転じたのかいまだに分からないが、蔡氏が善意を持っていたのは間違いない」と後に証言している。

中国語に「賢いウサギは三つの巣がある」とのことわざがある。パフォーマンスはともかく、裏では複数のパイプを持ち、いざという時は実利を重視して行動する。中国文化の神髄を共に継承する台北と北京の指導者の智慧としたたかさを低く見積もってはならない。

近年、両岸関係が悪化し、台湾の世論は北京に厳しい。トランプ政権以降、「一つの中国」の枠組みに挑戦する言動が活発化している。22年3月に台湾を訪れたポンペイ前政権の国務長官は公然と「台湾を国家承認せよ」と発言した。今後、「一つの中国」の枠組みが残るかどうか、それは台湾海峡で戦争に向かうか、それとも平和的解決の糸口が見つかるか、その分かれ目になると思われる。

「米国こそ台湾で戦争したい」と警戒される

「一つの中国」について実は、米中台三者とも各自に解釈している。突き詰めていくと、「同床異夢」にほかならない。しかし異なる夢を見つつも「同床」でいられることが重要だ。

三者ともその枠組み内で、自分の望む方向に向けて「グレーターゲーム」を展開している。中国はまず国力で米国に追い上げ、それに伴って平和統一を実現する計画を進めている。米国は中国との直接対決を避け、「インド太平洋」戦略で中国に対する包囲網を作り、同時に台湾の「国際地位」の向上を図り、中国による武力統一をけん制している。一方の台湾側は、民進党政権は「中華民国憲法」を残し、独立を目指すという党規約の内容を凍結しながら、今後の成り行きで事実上の独立の期を窺っている。国民党側も統一のことを内心考えていない。両者の共通点は、今後に起こりうる中国大陸の変化および国際情勢の変化を待って次の出方を決めることだ。

中国国内では近ごろ、米中緊張の激化を背景に、米国は中国の台頭を抑え込むのに今後5年間を「ラストチャンス」と見て、「一つの中国」という脆弱な均衡を破って逆に中国が台湾に（武力行使の）手を出すように追い込む狙いがあるのではないかとの見方が出ている。

第九章（２７２頁）で触れた彭勝玉論文は、米国は台湾を犠牲にし、中国に早く戦争を起こさせるかもしれないと分析する。「米国が最も見たくないのは、中国に追い越されて世界最強国の地位から転落することだ」として、台湾をめぐる戦争を誘発することによって、西側世界を巻き込んで中国に対して長期にわたるエネルギー・経済・貿易・金融・人的往来など各分野での厳しい制裁と封鎖を敷くことが可能になる。仮に台湾が制圧されても、中国の台頭を中断させることができると見ている。

もう一人の人気ブロガーも、「米国のタカ派は、覇権を奪われないために予防的な戦争で、中国の脅威を根絶すべきだと考えている。必ず一戦ある以上、時間は早いほどいい。そのための一番良い方法は台湾の独立を煽り、中国の武力統一を招き、更にそれを口実にして中国に戦争を仕掛けることだ」と指摘している（「西西弗評論」21年11月7日）。

トランプ時代の後半に、台湾当局内部も、米側が中国をわざと戦争に追い込む思惑があり、真珠湾攻撃前の日本に対する圧迫に似ていると分析していたことを台湾の専門家がスクープした。20年夏に台北で開かれた会議で「台湾国安部門の上層部」は、「米軍は最近、故意に解放軍が定めた航行禁止区域を飛び越え、12海里から6海里までの領海曖昧区域の外を通り、以前とかなり異なる行動を見せている」「この手は太平洋戦争前夜、米国が手段と方法を選ばずに日本に開戦を迫ったのと似ている」と指摘し、「かつて貿易封鎖、資源チェーンの断絶、石油禁輸などを通じて、一歩一歩と日本を追い詰めたように、現在もほぼ同じ戦術で中国を追い詰めている」「中国が第一発を打てば、世界最大の武器工場、軍需工業複合体である米国は国全体の戦争マシーンをフル動員する正当な理由が生まれ、小規模な戦争で経済的苦境と内政矛盾からも脱却できるようになる」と分析している。

台湾の軍事評論家張競（ちょうきょう）も、「歴史上、強権国家が自分の優位を守るために、様々な罠を仕掛けたり、武力行使の口実を作ったりする前例はいくらでもある」「現在、米国が絶えず圧力を加えているのは、その戦略において北京を、なるべく早く米国との決戦に引き込ませるため」「こうなれば、ワシントンは堂々たる理由と大義名分を持ち、国際社会で中国に対する全面的な抑え込みにかかれるようになる」と分析している（北京「国観智庫」サイト20年5月16日）。

バイデン政権はウクライナ、内政問題の対応に追われ、台湾問題で中国にしかける可能性は低いが、議会主導なら状況が変わる。米議会は新しい「台湾政策法」を制定中で、台湾との外交関係の昇格など中国が到底容認できない内容が盛り込まれる見通しだ。それをめぐる対応で、米中両国首脳の知恵が試されている。

最大公約数は「中華連邦」か

ウクライナ戦争はある意味で、「雨降って地固まる」役割を果たし、台湾海峡両岸の民衆に、「あのような悲惨な戦争を絶対してはならない」との共通認識に歩み寄らせたと言える。中国大陸では「中国人同士の殺し合いを意味する平和統一以外の道を絶対避けたい」との声がSNSで溢れた。台湾社会でも同じような衝撃が走っている。台湾のシンクタンク「台湾民意基金会」が22年3月22日に発表した世論調査によると、ウクライナ紛争を目の当たりにして、いざ台湾海峡で戦争になった場合、米軍の参戦を信じる人は前年10月調査の65・0%から34・5%に急落し、台湾のみで中国に対抗できると考える人は15・8%で、「できない」と答えたのは78・0%だった（朝日新聞朝刊 22年3月23日）。

呂秀蓮（ろしゅうれん）民進党系元副総統はウクライナ危機が高まった2月17日、蔡英文氏の政策を批判し、「米国が助けに来てくれることを期待するな」「若い世代は生きているうちに必ず北京とどう向き合うかという問題に直面する」と述べた上、「『統一』を『統合』に置き換え、『一つの中国』を『一つの中華』に置き換え、互いにメンツを立てて生きていく道を見つけなければならない」と話した（「中国時報」22年2月18日）。「独立派」の重鎮だった呂氏の発言だけに、大きな波紋を呼んだ。

ウクライナ紛争は中国政府の台湾政策にも微妙な影響を及ぼしていると思われる。「いざ」に備えて米軍の介入を阻止する軍事的準備を進める一方、平和統一路線にもっと軸足を移していくとも予想される。

米国がわざと台湾の独立を唆して中国に戦争を仕掛けることも、ここまで経済的軍事的大国になった中国に対しては考えにくいだろう。アフガン、ウクライナをめぐる対応を見て、米国は直接参戦ではない方法で紛争を解決したい本音も見えてきた。

これは見方を変えれば、米中台三者の間で歩み寄る可能性が、かすかだが現れたことを意味する。もちろん三方とも一定の妥協を覚悟する必要がある。

筆者の知っている限り、故鄧小平氏の遺言として示された「最後の解決法」は、「中華連邦」を作ることだ。現在の台湾を中華人民共和国の一部に編入することや、武力統一のオプションは極めて難しく、代価が大きいことを理解している以上、北京はより大きな包容力ある構想をもって米国や台湾に働きかけて、最大公約数を見出していくべきではなかろうか。これで大国中国の胸襟を示し、世界平和への貢献として国際的評価が上がるだろう。

第十一章　香港と新疆――「国民国家」に脱皮する陣痛

「一国二制度」は脆弱な均衡

香港のこの3年間のドラマティックな変化とその結末について、今から振り返ると、偶然の中に必然性を感じさせるものがある。

「香港」問題は1840年のアヘン戦争、その2年後に城下の盟として結ばれた南京条約にさかのぼる。ただこの年に割譲されたのは香港島だけで、続いて1860年のアロー戦争後調印された北京条約で九龍半島が割譲され、更に1898年、現在の香港の9割の面積を占める「新界」が99年間の租借という形でイギリス支配下の香港に合併された。

前の二か所は国際条約でイギリスに割譲された土地で、厳密にいえば中国に返還される義務がない。しかし9割の面積を占める新界は1997年に返還しなければならないので、それをめぐる交渉で、紆余曲折を経て、イギリスは香港の三つの部分を一括に返還すること、それに対して中国は、「一国二制度」「高度の自治」「50年変わらない」との約束で返還が実現した。一つの国の中で大陸は社会主義、香港は資本主義という二つの体制が併存するとの妥結は最高の智慧と呼ばれたが、「一国」と「二制度」の間の不均衡、それをめぐる駆け引きと衝突は常にはらんでいた。

戦略家の鄧小平が香港で「一国二制度」を導入することを決意した深謀遠慮は、イギリスとの妥協を図ること以外に、少なくとも三つの狙いがあった。一つは、台湾との平和統一に向けて「模範例」を作ること。二番目は、中国の経済発展に必要な資金や技術を香港という窓口を通じて導入すること、三番目に、中国大陸自身の近代国家建設に向けて、香港から参考モデルとノーハウを導入することだ。実際にこれまで、香港の民法、都市と土地の管理など多く学んだ。そして中国自身の将来的「現代化」は「民主化」も避けられないことを見越して、香港で「漸進的民主化」の実験を行う考えもあった。

意外と知られていないが、中国の既得権益層の中に、中国大陸と区別される香港の存在を都合よく思う人も少なくない。海外移住、資金の移転の場として利用できるからだ。また、香港の資産家の多くも、政治的には北京寄りの言動をするが、実際は面従腹背であり、北京に政治介入されるのを極力嫌がる「抵抗勢力」でもある。返還後の香港内部では、「司法は欧米人が握り、教育は英米方式、メディアは米国が主導、経済は財閥がコントロールする」といわれる構図が長年続いた。

背景は複雑だが、「一国二制度」に最大の公約数が見出された中で、中国は1990年に全人代で採択された「一国二制度」の憲法的保障である「中華人民共和国香港特別行政区基本法」(「香港基本法」)に従って、21世紀に入ってから、制度の法制化、民主化の推進に着手した。しかし各勢力の思惑の違いにより何度も挫折した。

挫折を重ねた法制化・民主化の試み

1997年の返還後、初代行政長官を務めた董建華（とうけんか）氏は、7割の住民に住宅を提供する大規模な公営不動産開発、海の埋め立てによる土地利用の計画を打ち出したが、既得権益が侵害された財閥の妨害と反対でとん挫した。一時期、不動産価格が3割も下落したが、05年以後、再び高騰に転じ、土地価格の世界記録を塗り替え続けた。

03年、「基本法」第23条（中国政府に対する反逆、分離、転覆を禁止する内容の国家安全法の制定を規定）に従って、香港の立法会は国家安全条例を制定し、試行の段階に入った。しかし表現と報道の自由などの権利が侵害されるとして、それに対する大規模な抗議デモ（主催者側は50万人と発表）が発生し、結局、条例が撤回に追い込まれた。

「基本法」第45条は香港の行政長官の選出方法の「漸進的民主化」について次のように規定した。「特別行政区長官は、選挙または協商を通じて選出され、中央政府が任命する。実際の状況に合わせ、漸進的改善方法の原則で、最終的には広範な代表性を有する指名委員会が民主的な方式に基づいて指名した後、普通選挙（住民一人一票の総選挙）で選出するという目標に到達する」。すイギリスによる植民地支配の時代には、香港に一定の自由があったが、「民主」はなかった。すべての権限はイギリスの総督によって握られていた。しかし返還に際し、イギリスが求めた民主化に対し、中国は「漸進的民主化」の導入を受け入れ、この「基本法」第45条をもってその実現を約束した。

04年4月に開かれた全人代では、香港の政治改革は五段階（「政改五部曲」）を経て遂行されるとのロードマップが示された。それを受けて07年12月29日、全人代常務委員会は「香港特別行政区12年行政長官と立法会の選出方法及び普通選挙問題に関する決定」を採択し、ここで北京は、17年に行政長官の普通選挙を実現し、20年には完全に直接選挙で立法委員会を選出すると約束し、「民主化」の実現に向けた重要な一歩を踏み出した。

14年7月、全人代の決定に基づき、梁振英（りょうしんえい）行政長官が事前に北京と協議した上、17年の行政長官選挙では500万人の有権者が一人一票で実施されることに関する実施報告（「香港政改報告」）を全人代に提出した。これが香港政治改革五段階の第一段階と位置付けられた。それに対し、翌8月の31日、全人代がゴーサインを出し、政治改革の第二段階をクリアした。

ところが改革案の内容が公表されると、「民主派」勢力は、長官候補者数が2～3人に制限され、1200人からなる指名委員会の「過半数」の支持が必要と規定されたことに反発し、大勢のデモ参加者が中心街に押し寄せて79日間に及ぶ「占拠」抗議運動（雨傘運動）を行った。

15年4月22日、香港の林鄭月娥（りんていげつが）（キャリー・ラム）政務司長（後の行政長官）は立法会で香港普通選挙の政治改革方案を公布した。6月の審議に向けて世論が二分化し、多数派を占める民主派の議員からは反対されたが、主要メディアの主な論調はむしろ「まず民主化の第一歩の成果を勝ち取ろう」との意見だった。

『SCMP』紙は「政治改革案は完璧ではないが、一歩前進ではある」と題する社説を掲載し、「民主派はこれを偽の選挙と呼ぶが、基本法の規定で最終決定権が全人代にあり、一人一票の選挙を実現するにはこの案を受け入れる以外に選択肢はない。『雨傘運動』が証明したのは、対抗手段をとれば、北京の態度を硬化させるだけ、ということ」と書いたうえで次のように現実的妥協を訴えた。「いま、二つの選択肢が目の前にある。一つは、中央が定めたモデルを受け入れ、まず一人一票の特別選挙を実現する。もう一つは、それを否決した後、旧来の選挙モデルを踏襲する。理想主義者は後者を選ぶが、実務派は一歩前進することを選ぶ」。

しかし民主派は「断固反対」の姿勢を貫き、6月18日、彼らが多数を占める香港立法会で政治改革決議案を否決した。結果が出ると、民主派支持者は大声で勝利を宣言し喜んだ。

19年の抗議デモの裏側

政治は妥協の産物だ。強引、無理に成果の最大化を求めれば、往々にして逆の方向に行ってしまう。15年の政治改革法案否決はまさにその典型的事例だ。香港の「漸進的民主化」の歩みはここで止まった。直後に人民日報が掲載した論評は、「反対派は香港の民主的発展を阻害する全責任を負わなければならない」「普通選挙法案の否決は、実質的には『一国二制度』の方針と基本法に反対するもので、その目的は中央から香港の統治権を奪い、香港を独立した政治実体に変えようとすることである」と批判した。

「香港で何か起こると、北京は一定の譲歩を見せるが、民主派に『不十分』と反対され、膠着・後退の局面になる」という15年のジンクスは、19年の「逃犯条例」反対に触発された大規模な動乱、そして最終的に押し込まれることに再現され、その予行演習になっていた。

19年夏以降の香港の激動は日本メディアでも詳細にわたって報道されたが、再検証すればいくつかの新しい視点が現れてくる。

「風が吹けば桶屋がもうかる」。大規模抗議デモの起因は台湾にあった。18年2月、台湾で香港人が殺人事件を起こし、犯行後、香港に逃げ戻った。台湾の警察は、香港に犯人の引き渡しを求めたが、台湾と香港の間に犯罪者の引き渡し条例がなかった。香港はイギリス植民地時代、世界の20数か国と引き渡し条例（逃犯条例）を結んでいるが、台湾、マカオ、そして中国政府とは結んでいなかった。そこで台湾との間に結ぶ交渉を始め、併せて中国政府とも結ぶことになった。

しかし、その前に、15年、「銅鑼湾書店」の店長ら5人が、習近平愛人説の本を中国大陸に密輸したとされる罪で相次いで拘束された事件があった。北京への不信感が蔓延する中で、中国との「逃犯条例」を結ぶと、香港人容疑者が簡単に移送されてしまう、との恐怖感を反中勢力が煽り、条例修正案撤廃を求める運動が始まり、それが6月9日、主催側発表では103万人（警察発表は24万人）の大規模抗議デモに発展した。

香港当局は予定通りに立法会で「逃犯条例」の審議を進めたため、衝突が激化し、反体制勢力は、条例の完全撤廃、暴動定義の取り消し、逮捕者解放、警察職権乱用の追究、行政長官の辞任という「五大訴求」を掲げ、16日、更に規模の大きいデモを発動した（主催側は200万人超と、警察は33万8000人と発表）。それ以後、反体制勢力が立法会に乱入し一時占拠し、国際空港を二度占領し、世界的注目を集める大動乱になった。

抗議運動を受けて、林鄭長官は譲歩する姿勢を見せ、「逃犯条例」案の撤廃を発表し、事態の収拾を図ったが、反対勢力は「五大訴求」という五つの条件はすべて受け入れろと求め、更に「行政長官と立法会の即時の直接選挙を実施せよ」と要求を引き上げた。その後、年末にかけて地下鉄駅の施設や銀行ATMの破壊、店の放火などが各地で起こり、香港社会と経済が事実上マヒ状態に陥った。

北京がルビコン川を渡った

19年9月の予告された大規模デモに関し、北京中南海では生中継で見られていたと言われる。そこで、「重大な決意」が固まっていった模様だ。

米国在住の中国人学者は、その経緯を次のように分析した。

19年6月に勃発した「逃犯条例」反対運動をきっかけに、香港の若者と現地政府が半年にわたって街頭で戦い、東方の真珠だった香港を硝煙が立ちこめる街頭政治の戦場と化させ、香港経済と金融が崩壊寸前になった。香港の現行の枠組みのままでは反対派に勝てないことを認識した中央政府は、これまで踏襲されてきた英国的政治法体系から飛び出し、中国的政治法体系に組み入れることを決意した。反対派に民意の基盤があるが、中央には国家機関と香港の政策決定権がある。

そこで新型コロナの蔓延で香港のデモが下火になった機会を利用して、北京は急ピッチで国家安全維持法（以下、「国安法」と略称）の準備にかかった。「国安法」の施行は政治上の「二次回帰」（二回目の中国返還）を示し、いわゆる「愛国者治港」の方向が決定され、ある種の政治的戒厳令の性格を有し、これまで香港基本法が香港人に与えた政治的・法的権利の多くも事実上凍結された。（息曙光論文「中国：歴史與未來」サイト21年12月12日）

この唐突にも見える大転換は欧米から、「中英共同声明の約束を破った」「『50年間の現状維持』という鄧小平の約束が殴り捨てられた」と批判された。単純に法律論で言えば、これらの批判はあながち間違いではない。問題は何が中南海にそこまで踏み切らせたか、だ。前述の通り、北京はもともと「漸進的民主化」の方向を想定していた。19年末の時点で、後遺症が残るのを覚悟のうえで大転換を決断させたのは、内外情勢の大きい変化と、それに対する北京の危機感だった。

今回の香港暴乱の過程で、北京指導部が動揺し、そしてついにルビコン川を渡る決断を下したプロセスは、整理すると次のようになる。

「逃犯条例」に反対する19年6月の二回の大規模な抗議デモが発生した時点で、北京は民主派勢力を批判しながらも、陰では林鄭長官ら香港当局の動きを冷ややかに見ていた。今回の混乱は林鄭長官らが、北京と十分に事前協議をせず、香港内部でも十分な根回しがないまま、条例修正案を急いで打ち出したことが起因だと、北京は見ていた。

9月5日、林鄭行政長官が移送条例の完全撤廃を発表したが、北京の中央電視台（ＣＣＴＶ）のニュース番組はこれに一切触れなかった。それは香港当局の二転三転した対応への不満の現れだと一部の欧米メディアも解説した（ＲＦＡサイト 19年9月6日）

「北京は（03年にいったん提出したが失敗した）基本法23条の法制化を香港政府に求めたが、後者は『逃犯条例』の制定という「それほど厳しくない」対応で、北京の圧力を交わす計算があったようだ」との説も聞いた。

9月以降、香港駐在の中央政府代表、「中聯辦主任」王志民（おうしみん）が交代させられ、深圳で「香港危機対処センター」が設置された。

しかし、「逃犯条例」案が撤回されたにもかかわらず、抗議デモはエスカレートする一方だった。現行制度の完全転換を迫ることを意味するいわゆる「五大訴求」、「長官と立法会の即時の完全直接選挙」が打ち出され、しかも「五つの要求」の「完全実施」が要求された。デモ参加者は更に立法会に乱入し、警察本部を包囲し、国際空港を二度も占拠した。これで妥協の余地が完全になくなった。北京当局はそれ以後、林鄭長官ら香港政府と密に連携して反政府デモを取り締まる方針を明確に打ち出した。

この転換について、リー・シェンロン・シンガポール首相は直後の10月16日、フォーブス誌のシンポジウムで、「香港抗議者のいわゆる五大要求は香港を救うためのものではなく、当局を辱め、退陣に追い込むためのものだ」と語り、「では五大要求が実現したら次はどうするの」と問い返した。「急がば回れ」という香港民主派の結末を早くも予言したのだ。

暴かれた「民主派」の裏側

反体制デモの真実は何なのか。それに密着取材した日本のフリージャーナリスト安田峰俊氏は19年9月5日付文春オンラインサイトに掲載された香港ルポで次のように「不都合の真実」を伝えた。

欧米メディアは旧英国領の国際都市・香港に好意的で、近年世界的に警戒論が高まる独裁国家・

中国に批判的だ。ゆえに香港の「暴徒」たちがいくら乱暴狼藉を重ねても、カメラのなかの香港デモは「純粋な若者の民主化運動」としての顔が強調される。自由と正義のために戦う少年少女の、心を打つ姿ばかりが真実として配信されていくのだ。（中略）

デモ隊は自発的に宣伝部隊や外国語対応部隊を作り、SNSを通じて自陣営に有利な情報を「ガイジン」に吹き込み続け、マズい情報は隠蔽する。たとえ日本語や英語の投稿であっても、不利な意見には外国語部隊が火消しを仕掛ける。（中略）

私自身が現地で見聞したところでは、デモ隊の日本語話者が日本のジャーナリストやテレビクルーの通訳者に入り込み、自分たちに有利な意見や情勢分析を伝えていく事例も3件観察された。

そして10月5日付で掲載された香港ルポ連載④は、香港デモが「無大台」（組織がない）であるとデモ関係者が対外的に必ず口にする言葉に対し、「統括組織Xの存在を疑わせる要素は少なくない」と指摘し、「主張の統一、大規模なデモや集会の全体戦略や日程・場所の策定、海外の反中国勢力や香港内のシンパの富豪などから大量に流れ込んでいるとみられる活動資金の管理といった高度な意思決定は、統括組織Xの内部でかなり慎重に決められているのではないかと思える」と分析していた。

米国在住の民主派活動家胡平（こへい）も、手段を選ばぬその非妥協的姿勢が失敗を招くと、早い段階で警告を発した。

一部の香港人が武勇（暴力）で抗争することは、道義的に正当性があるにしても、政治的有効性を過大評価してはならないし、その副作用も軽視すべきではない。（中略）一部の武勇派は、一緒に死のうと叫ぶ。彼らは暴力革命、武装蜂起を企画しているのではなく、ただ公共施設を破壊し、交通渋滞を起こし、政府の施政を妨害しているにすぎない。どこの社会も混乱の長期化を容認しない。結局、当局がほぼ無理な譲歩をするか、力ずくの弾圧をするかの二者択一を強いられてしまう。（中略）
彼らは過大な期待を西側、特に米国にかけた。（中略）いま、百万人の平和的抗争の効果は見えなくなり、少数の武勇派だけが立ち回り、少数の人の行動が運動全体の方向を拉致した。
一般的な対策では事態を収拾できないと当局が悟れば、独立関税区の地位喪失も辞さず、緊急法に基づいて、より厳しい抑えつけを打ち出す可能性がある。（胡平「最好的因可成最壊的果」、Matters.news 19年8月18日）

「どうせ損なら軽いほうを選ぶ」

香港警察はイギリス警察の伝統を受け継ぎ、少数精鋭主義の体制を取っている。21年6月時点で、警察官は総数2万7648人、うち女性は18％を占める（ほかに事務職4200人）。香港政府は軍隊を持たないので、すべての治安、海上パトロールと「国境警備」を警察が担当し、抗議デモや不測事態に対応する機動部隊は七個の常設大隊（計1190人）及び二個の訓練大隊（340人）しかない。半年以上続いた動乱への対応には、交番担当や海上警察から引き抜き、増援チームを緊急編成したが、反体制側は警察の限界を見抜いてわざと破壊活動を分散させるゲリラ戦術を取ったため、警察の対応が限界に来つつあった。前段階の対策失敗で警察トップも交代した。そこで北京は香港の治安について最悪のシナリオを検討し始めた。

もしコロナ禍が起こっていなければ、香港では、20年春以降も前年後半同様、激しい抗議デモ、ゲリラ的破壊活動が盛り上がっただろう。立法会はじめ、空港、地下鉄等が再び占拠され、経済も社会もマヒし、香港警察がついにお手上げ状態に追い込まれた時点で、中国政府は基本法に従い、秩序維持のために介入しなければならない。だが、その介入は巨大な政治リスクを抱えるものだった。

北京が動くとすれば、解放軍か武装警察を出動する以外に選択肢がない。しかし、国家分裂、反乱扇動等の取締りの法的根拠がないままでの出動になれば、いかなる釈明がなされようとも、米国はじめ、日本も含め多くの先進国から、「民主化の弾圧」「第二の天安門事件」と厳しく批判されるだろう。経済制裁も課されたかもしれない。それによって、香港のみならず、中国自身も大混乱と孤立に追い込まれるのが必至だった。

このようなシナリオを中国政府は想定していた。そこで、先手を打って「国安法」の制定をもって、法体系の欠如した部分を急遽補強し、香港を制御不能から救うとの選択肢を選んだ。中国語に「両害相權取其軽」という表現がある。「どうしても損を避けられないなら軽いほうを選ぶ」という意味だ。「第二の天安門事件」で国際社会からの決定的孤立と経済停滞という最悪のケースを回避するため、外部から一定の批判を受けても香港の秩序維持を優先する、という「次善」の策を選んだ。

「全国港澳研究会」の田飛龍理事が率直に北京の「苦渋」の心境を分析した。

「逃犯条例」反対運動がなければ、北京が香港版国安法に踏み切ることはなかっただろう。今回の反体制活動は中央に、一国二制度の危机と制度の脅威を真に感じさせた。（中略）13年の繁華街占拠という「占中運動」はまだ「実験版」だったが、今回は完全に「反革命版」になり、容認限界のレッドラインを越えたと受け止められた。現行の法制と警察力では制御できないことが明らかになり、中央が（軍隊と武装警察を出動しない代わりに）治安と秩序を直接管理するしかないとついに決意した。

国安法は「一国二制度」を変えるためではなく、香港が永遠に中国の香港であるようにするためのものだ。（「多維新聞網」20年7月9日）

北京指導部は国安法の導入で失うものが多いことを承知していたはずだ。もともと香港の「一国二制度」は台湾との平和統一に範を示す狙いがあった。しかし国安法の導入後、台湾民衆の北京に対する反発が一層強まり、強硬路線をとる蔡英文が総選挙で圧倒的な支持率で再選した。欧米からの批判、香港社会に与える衝撃も予想できたものだった。にもかかわらず、国安法に踏み切ったのには、「第二の天安門事件」の回避という一面とともに、米中対立の激化を背景に、香港が米国の対中揺さぶりの梃子になっていると中国側が判断した背景も見る必要がある。

「米中間の政治サッカーボール」

シンガポール元国連大使で現在シンガポール国立大学のキショール・マバブニ教授は、香港問題は今や、米国が対中揺さぶりの材料の一つにし、中国はその仕掛けを予防的に断ち切る、という攻防戦になっていると、次のように分析した。

香港民衆の不満は根底には経済格差と社会問題に起因したが、外部がそれに過大な政治的意味合いを加え、煽った。

米国は自国内のマスコミに関して、17年まで外資支配のテレビ局の設立を認めず、現在も「外国代理人登記法」をもって管理しているが、香港ではもっぱら政府を批判するテレビ局とマスコミの存在を「自由の象徴」とし、資金援助している。

NYタイムズの記事によれば、米国は第二次大戦以後、1980年までの間だけで、他国の選挙に公にもしくは秘密裏に介入した事例は81件ある。

米国が起こした対中国の地政学的戦略競争の中で、相手の弱みにつけこむのは超大国の常套手段だ。香港はそのための『政治的サッカーボール』にされてしまった。（香港「鳳凰網」サイト20年6月30日）

19年9月17日、米国連邦議会の中国問題に関する公聴会で、14年の「雨傘運動」を率いた黄之鋒（こうしほう）らが招かれて登壇し、「米国が自由を守り、民主化を求める香港市民の側に立つよう」訴えた。

中国はこれで、米国からの支持と資金援助が香港の反体制勢力を支えていると確信した。実際、反体制勢力のデモでは、星条旗がいつも掲げられていた。

6月の大規模デモの直後、米議会で「香港人権と民主主義法案」が提出され、11月に採択された。翌20年夏には米議会で更に「香港自治法」が成立し、トランプ大統領によって批准された。

中国が特に苛立ったのは、北京の香港政策を最も厳しく批判してきた香港「言論人」とされる『蘋果日報（デイリーアップル）』紙創業者の黎智英の存在だった。20年7月の国安法発効後、それに違反する容疑で一旦逮捕されたが、当日中に保釈された。しかし同年12月に入って、まず16年から20年まで同氏の会社の建物を賃貸契約の規定外の目的で不正使用していたとの詐欺罪で起訴され、続いて、国安法で起訴された。21年5月、無許可で反政府デモを計画した罪で実刑判決を受けて、すでに服役していたが、更に12月、禁固13か月の実刑判決が言い渡された。

黎氏の逮捕は「民主化への弾圧」と非難され、トランプ大統領が彼を応援する談話を発表したが、実はその助手で米国籍のマーク・シーモン（Mark Simon）がトランプ陣営と組んで、バイデン（次期大統領）の息子に関するスキャンダルを米国メディアに流す工作に深くかかわっていたことが間もなく明らかになった。

シーモンの父親はかつてＣＩＡに長年勤務し、本人もＣＩＡの職歴があり、１９８６年から１９９０年までの四年間米国海軍情報局に勤めていた。00年に蘋果日報に入社し、肩書は情報総監、広報担当だった。黎智英が持つ17の会社のうち、三つは二人の共同保有で、他の2社はシーモン氏が取締役を務めた。米国共和党香港支部のチェーマンで、駐中国米大使と親密な関係にあり、香港の一連の反体制活動を裏で工作していた。米国から４０００万香港ドル（６億円）もの巨額の資金を持ってきて、香港独立を求める組織と活動家たちに援助をしていたことが香港メディアでスクープされた（香港『東方日報』20年9月10日記事）。彼は反体制活動家から、米国の「SP」（特別）大使とも呼ばれた。19年7月、ワシントンでペンス副大統領と黎智英との会談が行われたが、これもシーモンのアレンジによるものだった。

香港住民の複雑な心情

国家安全維持法の施行で、今までの香港に戻れなくなった。では香港の未来はどうなるか。香港の未来はとどのつまり、現地住民の意思が決める。国安法の導入後、ごく一部の住民が海外移住を選んだが、大半は香港にとどまった。経済と社会は活気を取り戻し、香港株価指数も下がらなかった。これで見れば、香港住民は混乱と国安法との二者択一を迫られ、大半は後者を受け入れたことを意味する。

ただ、大半の香港住民の「一国二制度」の形骸化に対する懸念が消えたわけではない。北京は、香港民衆の不満の根本は「民主化」ではなく、生活基盤の不安にあると考えている。香港には住宅難、就職難があり、世界でもまれな所得格差がある。不動産は高騰するばかりで、一般の人たちには手に入れることができなくなっている。

かと言って経済が発展し、豊かになれば民主化が要らないことにはならない。この問題は中国大陸自身の民主化のプロセスに連動する形で続いていくだろう。

一方、香港は中国の一部という現実を外部の人間も忘れてはならない。バイデン大統領は21年

2月16日、その数日前に行われた米中首脳会談について、前述のようにＣＮＮのインタビューに応えて、「習近平は、まず一つの国にまとめると言っている。私には理解できる。だから私は、彼との電話協議で、香港のことを取り上げなかった」と発言した。それぞれの立場による公の場での応酬があっても、バイデン政権は香港問題の本質は理解していると言える。

香港は欧米のシンクタンクが行ってきた「人類自由指数」の調査ではずっと世界の最前列に位置している。カナダのフレーザー研究所（Fraser Institute）が毎年公表している「The Human Freedom Index」は個人の自由、公民の自由、経済の自由、警察と司法の公正・廉潔度など79項目の指標から総合して評価し、香港について16年までは長年の世界1位、17年は世界2位、18年から世界3位、21年12月に発表された最新版報告書でも3位と採点された（1位と2位はニュージーランドとスイス）。同研究所が国安法施行1年後の21年9月に発表した「世界経済自由度２０２１年度報告」では、法治の後退への懸念に触れたものの、依然として香港を「経済自由度世界1位」にランクした。22年も同様の結果である。

米国のヘリテージ財団とウォールストリート・ジャーナルが共同で発表している「経済自由度指標」では、香港はずっと1位だったが、20年は2位だった（シンガポールが1位）。財務の健全性は99・9点、ビジネスの自由度は96・2点と高得点を維持した。もっとも、21年3月4日の発表では、「主権を持つ独立した経済体のみを評価対象とする」理由で香港とマカオへの評価を回避した。

香港には「民主」はこれまでもなかったが、自由があるからこそ、世界の金融センターになることができた。政治の問題があるが、香港経済の自由環境がほぼ維持されていることも併せて見たほうがいい。

香港の将来は中国の変化と連動

米中対立が激化する中、中国は香港を「一国」の中にもっと強固に組み入れて、対中揺さぶりの梃子にさせないよう今後も構えていく。一方、中国にとってかけがえのない金融センターであるという価値も存在し続ける。そして香港住民の大半は社会と経済の安定を重視しながらも、自由と民主に対する渇望が依然根強い。

この点は、北京も分かっているはずだ。当面は香港を広東、マカオと合わせた大湾区経済圏に組み入れ、まずその発展、居住・雇用を改善し、香港市民の内心の不満、挫折を和らげることに取り組んでいる。三つの地域をつなぐ「粤港澳（かんとん・ホンコン・マカオ）大橋」も18年10月に開通した。そして分離独立の芽を摘んだうえ、もう一度、民意反映の制度化すなわち民主化の問題に取り組まざるをえない。行政長官の漸進的直接選挙案の復活を含め、完全に夢が潰えたものではない。

理由はまず、北京指導部の意思と関係なく、中国大陸でも、自由と民主を求める権利意識が高揚し、20年代の後半、また一つの臨界点を迎えること。中国大陸の民主化に香港も連動される。また、中国政府内部では、これからの経済成長は従来の政策・制度の延長では達成できないという点においてほぼコンセンサスを得ている。新しい制度の模索のため、前述の通り、浙江省を「共同富裕」の先行実験区、上海浦東を次世代ハイテク実験区、深圳を行政改革の先行実験区とそれぞれ指定し開始した。恐らく深圳だけではスケールが足りない。鄭永年（ていえいねん）香港中文大学（深圳）学院院長は22年1月、「第3次制度型開放が必要で、香港を含む大湾区をその実験区とせよ」と提案している（「騰訊網」サイト22年1月26日）。

制度改革の実験は21年9月初め、北京が1週間のうちに香港とマカオに関係する二つの改革実施案を打ち出したことで動き出した。一つは深圳沖合の「深港現代サービス業合作区」の範囲拡大に関するもので、深圳が中心になって香港の人的在的パワーを吸収する内容だ。それに呼応する形で翌10月、香港の林鄭長官は「北部都市圏発展計画」を発表した。この都市圏には約90万世帯、人数的には200万～250万人が居住出来る住宅を開発する予定となっており、香港の総人口の3割近くに相当する大型ベットタウン、および深圳と経済面でより緊密な連携を図る構想だ。

より政治的制度的影響が大きいのは、現在珠海市に属する横琴島における「広東・マカオ深度合作区」の設置に関する発表である。横琴島はマカオの西側に位置し、面積は106平方キロメートルで、マカオ特区の陸地面積の3倍以上ある。09年8月14日、中国国務院は「横琴総体発展計画」を制定し、横琴を「一国二制度」の下で広東・香港・マカオの協力を模索するモデル区に指定した。その間、マカオが完全に管轄するマカオ大学横琴キャンパスにつながる税関が新たに設置された。この合作区は行政上、珠海市と同級に格上げされ、広東省とマカオが共同管理し、法律的には中国の「憲法」とマカオの「基本法」に従い、24、29、35年という3つの開発段階に分けて、民商事規則がマカオと連結し、国際ルールとドッキングする制度体系を段階的に構築していく目標が据えられている。

その狙いの一つはマカオ経済と政府の税収がカジノに強く依存する体質の脱却だが、「新一国二制度」の実験とも指摘されている。マカオ『愛瞞日報』の崔子釗元副編集長は21年9月10日、「これまでの『一国二制度』は香港・マカオに対して適用したものだが、今度は『二制度』を中国大陸に積極的に導いていく方向を示したもの」とBBC放送のインタビューで語った。

香港に関する日本国内の報道と異なる見方は、海外在住の日本人からも出ている。ベトナム国立フエ科学大学の近藤秀将特任教授（当時）は、香港国安法施行直後、「日本のマスコミやネットの論調は、『中国＝悪』という色彩で一辺倒に塗りつぶされて」いることに疑問を提起するネット記事を書き、「仕事柄、香港を含めたごく普通の『生活者』としての中国人と多く接します。中国人の視点でこの流れを見るとまた違った像が浮かび上がります」と指摘した。長い文章で小見出しだけを拾うと、「そもそも、イギリスが中国を不当に侵略した結果、香港が生まれた」「日本人にはわかりにくいが『一国二制度』と『香港独立』は矛盾する」「香港市民の怒りの本質は『格差社会』そのものにある」「コロナ禍の今こそ『島国根性』を捨て、汎アジアの視点で政局を見る」となっている（「『香港は死んだ』と聞いた中国人が言った。『なら、私たちはゾンビなのか？』」、OTONA SALONE 20年7月18日）。

アジアではたった一つの、中国の香港政策を批判する国、日本だが、やはりその歴史的流れ、内外事情をもっと理解して複眼的に見てほしい。

新疆は神秘な土地

次は新疆問題を取り上げる。ブリンケン米国務長官が新疆で「ジェノサイド（大量虐殺）が行われている」と発言したのに対し、中国は真っ向から反論し、孔鉉佑駐日大使は21年6月、都内での講演でそれを「世紀の大嘘」と呼んだ。新疆に関する見方は現地に行ったことがある人と、行ったことのない人との間で大きなギャップがある。

１９９０年代半ば以降、筆者は新疆をおおよそ10年置きに3度訪れている。95年、光明日報社のアレンジで初めて新疆の土を踏み、日本に帰ってから朝日新聞が発行していた月刊誌『論座』のコラムに風変わりな紀行文を書いた。その書き出しはこうだ。

夏休みに、新疆ウイグル自治区を2週間ばかり回ってきた。あなたは信じないかもしれないが、カシュガルからウルムチに戻る飛行機の窓から、筆者は砂漠の上空を飛んでいるＵＦＯを見た。また新疆最北端のカナス湖で、中国版「ネッシー」、正体不明の生物が頭かせびれを出して泳いでいるのを見、またそれをビデオカメラのレンズに収めた。

日本の5倍の面積に当たる新疆はこのように、どんなことが起きても不思議ではない、人に夢を与える土地だ。

ＵＦＯを見たのは錯覚だったかもしれないが、カナス湖で見た正体不明の生物は本物だ。10人くらいの同行者がいたし、撮影した動画は日本のテレビニュースに提供して放映された。

新疆には47の民族がおり、うち14の民族の主要生活圏が新疆にある。ウイグル自治区と呼ばれるのは、ウイグル族の人口が最も多いからで、各少数民族の自治を表す自治区の名称として使われた。広西チワン（壮）族自治区も新疆同様、十数の少数民族が暮らしているが、チワン族の名が自治区を代表する名称になっている。

広い新疆における民族の地域構成は主に三つに分けられる。東部には回族、ウイグル族、漢族など、北部には主にカザフ族、蒙古族など、南部にはウイグル族、タジク族などが住む。

ウイグル族が多数を占める南新疆の中心都市、古代シルクロードの名城カシュガルを最初に訪れた時の衝撃を忘れられない。街角で交通整理をする警官のほとんどがウイグル族だったからだ。制服は北京や上海と同じなのに風貌は中央アジア系。中国が多民族国家であることを実感する光景だった。

三回の訪問で見る変化

1970年代以前の新疆は経済が立ち遅れ、首府のウルムチですら3階建て以上の建物がなかったと聞く。自分の初訪問の時も、沿海地域と比べると経済発展に大きな差を感じた。

その10年後の夏、ツアーに参加し2度目の新疆に赴いた。カシュガルから隣国のキルギスタンとの国境にある出入国管理所まで車で行った。歩哨が温かく迎えてくれ、スイカを切ってくれた。寒暖差が激しい気候で、夜はストーブをたいて昼はスイカを食べるとの言い回しを実体験したが、このような気候は綿花やブドウの栽培に向くと教えられた。

この時、新疆での宗教勢力の急拡大を痛感した。90年代以降、汎イスラム主義が世界で台頭、ビン・ラディンなどの過激な宗教勢力が米国で9・11事件を起こし、その流れが新疆にも及んで多くのテロ事件が発生した。アフガン戦争とイラク戦争では、新疆の過激派も参戦し米軍と戦っ

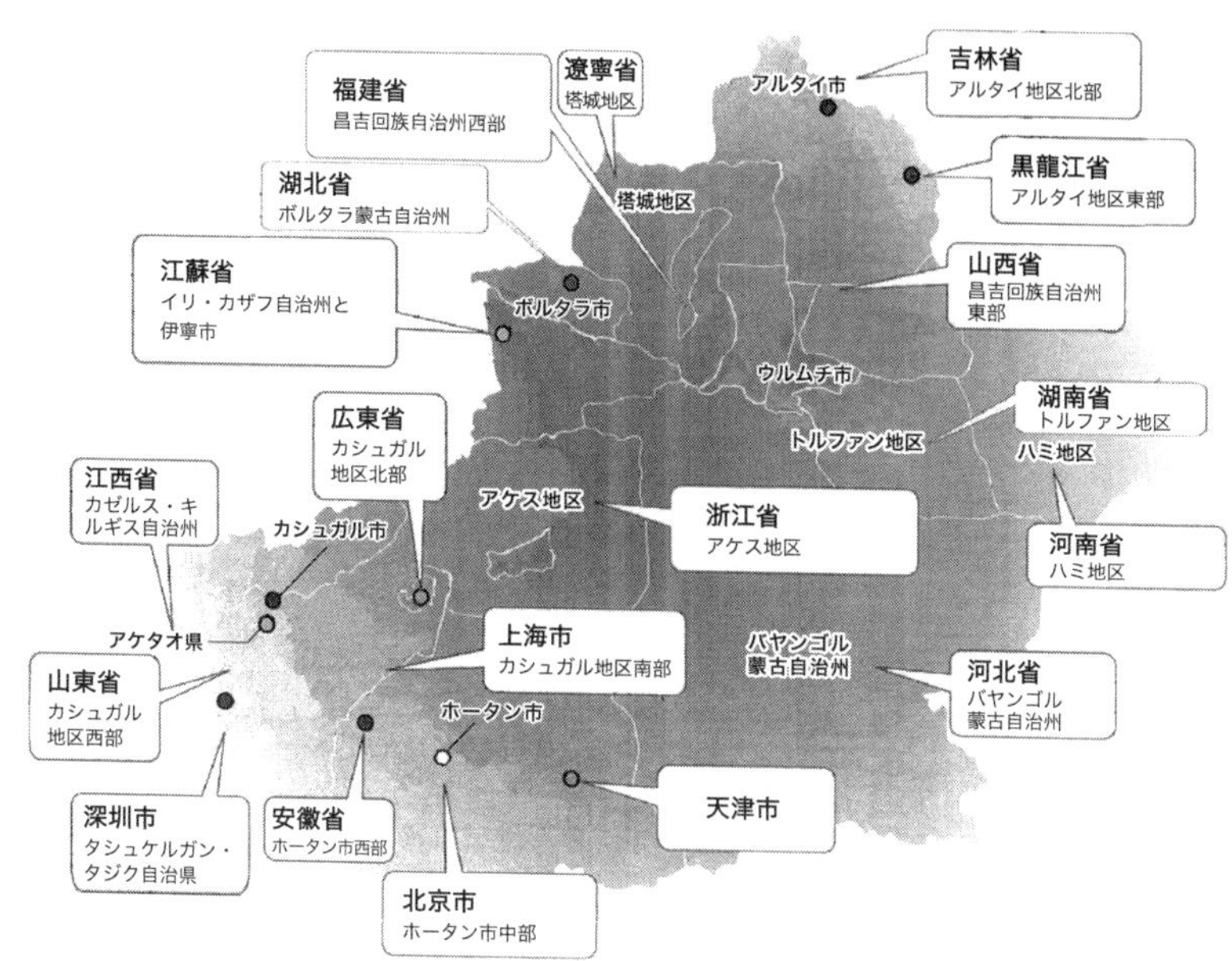

図表1　中国の沿海19省市が請け負って支援する新疆各地の見取り図。
出所：「知乎」サイト17年10月1日

た。02年、国連は新疆の中心的分離独立組織である「東トルキスタン・イスラム運動」をテロ組織に認定した（米国も賛成票を入れた）。新疆南部では小中学校の数が２６４４だったがモスクは１万３３３８あり、多くの子どもは学校に行かずイスラム寺院に送られて宗教教育を受けていたと現地で教えられた。

それからさらに10年以上過ぎ、コロナ感染症の流行前、日本在住の華人教授数人と連れ立って３度目の新疆訪問を果たした。まさに面目一新の感があり、高速鉄道が開通し、首府のウルムチは中国内陸部の他の首府同様に栄えている。90年代以降、中央政府は沿海部の19の省と市がそれぞれ現地ＧＤＰ総額の０・１％を拠出して新疆とチベットの発展を支援する政策を制定し、現地で病院、学校、高速道路を多数建設した（図表1参照）。

カシュガルの旧市街も再訪した。以前のごみごみした街並みが新たな姿へと生まれ変わり、民族の特徴を色濃く映した商業施設のかたわら、ウイグル族が経営する旅館が至る所にあり、観光業が盛んになっていた。

19年の一年間、中国全土から新疆を訪れた観光客は延べ2億人以上だった。これは新疆総人口の10倍だ。「ジェノサイド」が少しでも発生していたら、これほど多くの旅行者が心置きなく、押し寄せることがありえるだろうか。過激勢力の取り締まりと地域経済の発展により、テロ事件は近年一度も起こっていない。ちなみに、19年、新疆を訪問したカザフスタン人が200万人以上、という統計数字も出ている。コロナ感染症が続く中でも、21年上半期、各地から中国人観光客8００万人が訪れた。日本人の留学生や観光客がカシュガルなど新疆各地を訪れて撮った映像はYouTubeで多数見られる。「百聞は一見に如かず」という言葉がある。コロナによる制限を除けば、外国人旅行者は誰でも新疆に行ける。やはり自分の目で確かめたほうがよい。

貧困緩和支援のために自治区政府がさまざまな職級の幹部を各民族が住む村に派遣し、漢族と少数民族家庭を結び付けることで全民族が「共に豊かになる」手助けをする政策のことも知った。16年以降、自治区政府は幹部と職員100万人以上を動員して各民族の居住地に3か月から1年間駐在し、問題の解決や民族間の団結と交流を促進している。

手のひらを返したトランプ政権の対応

新疆が近年、問題になったのはやはり米中対立の背景がある。

それについて、ハーバード大学教授スティーブン・ケルマンが20年9月のオンライン国際学術会議で、面白い表現を使ってポンペオ国務長官（当時）らの「熱心さ」を風刺している。

「ポンペオはムスリムが嫌い。中国も嫌い。しかし唯一に、中国新疆のムスリムが好きだ」。

前出のボルトン回顧録では「新疆」の関連個所は複数回出たが、それによると、18年、トランプは著者に、「ほとんどがイスラム教徒であるウイグル族の扱いに関して、なぜ我々が中国に制裁を課すのか」と尋ねた、という。また、19年の大阪G20サミットで、習近平主席から新疆のテロ対策に関する説明を受けて、「遠慮なく収容所を建設すべきだ。中国がそうするのは当然だと思う」とトランプは伝えた、という。なお、「トランプ氏がほとんど同じことを17年11月の中国訪問でも話したということを、国家安全保障会議のアジア上級部長マシュー・ポッティンガー氏が私に教えてくれた」、とボルトンは証言している。

ちなみに、同回顧録によれば、トランプ大統領は香港のデモについても、「私は関わりたくない」「米国も人権問題を抱えているからだ」と話しており、大阪Ｇ20の際、「あれは中国の国内問題であり、ホワイトハウスの高官にはどんな形であれ、公の場で香港の問題を口にしないようにと命じている、とトランプ大統領は習氏に伝えた」という。

しかし、20年後半になり、「武漢発コロナ」で勝算あった大統領選挙の情勢が危うくなると、トランプ氏は手のひらを返すようにあらゆる問題で対中攻撃にゴーサインを出した。まさに前文で紹介したシンガポール元国連大使の言葉の通り、それ以降、新疆も香港も米国の「政治サッカーのボール」になった。

北京の新疆政策にこの20年間、大きな転換があったのは事実だ。国際的な汎イスラム主義の反乱を背景に、09年7月、ウルムチで漢民族に対する大規模な襲撃事件が起こり、192人死亡、1721人負傷（大半は漢民族）という大惨事が発生した。それ以後もテロ事件が多発し、14年4月30日、習近平主席が新疆訪問を終えて離れた当日、ウルムチ駅でまた暴力的襲撃事件が起こった。そこで翌5月28日から29日にかけて北京で開かれた第二回中央新疆工作座談会で、習主席は「社会の安定と長期的安定」という総目標を打ち出し、抜本的対策を指示した。16年8月、陳全国前チベット党書記が新疆党書記に転任してから対策を強化した。

「百万人監禁」の虚構

物議を呼んだのはまさに新たに導入した一連の措置だ。テロリスト容疑者に対する取り締まりが一段と厳しくなった。西側で流れる映像の一部は、これらの犯罪者を拘束・連行し、教育を行う場面だった。また、各少数民族住民のスマホに、テロ関連の音声と映像をブロックするアプリ「浄網衛士」のインストールを要求し、ネットとスマホによる海外との通信を一部制限し、長髭と公共場所でのガウン着用などを禁止した。少数民族の生徒が中心の小中学校では、母語と漢語を同時に教える「バイリンガル教育」が21世紀に入って普及しているが、近年、中学校以上は主要課目は北京語の教育を普及させるといった措置が取られている。

テロリスト容疑者に対する監視、盗聴、拘束などの措置が千件単位で取られたということに関しては、情報を結合すれば信憑性はあると思われる。しかしそれは反テロの闘いの一環であり、

「9・11」事件後、米国が本土で大幅に強化した「テロ対策」と軌を同一にしており、軽重の差はない。米軍刑務所でイスラム系容疑者を虐待ないしその信仰を侮辱するケースも告発されている。ただ欧米で問題とされたのはいわゆる「百万人監禁」のことで、これは実際に存在せず、欧米の一部の反中勢力と海外在住のウイグル分離独立勢力が何十倍、何百倍にも膨らませた「バブル」であり、複数の異なる対象に対する異なる措置をわざとごちゃ混ぜにした概念のすり替えである。

十万人単位で大規模に推進されたのは「職業技能教育訓練センター」の設置だ。欧米で「再教育キャンプ」と呼ばれたが、実際は主に共通語である漢語の学習と、農業技術や刺しゅう、裁縫など職業技能の無料訓練プログラムだった。政府側は、テロを根絶できない最大原因の一つは、現地住民の閉鎖的環境にあるとし、「(職場が必要とする漢語)言語と職業技能がない→就職できない→貧困→過激な宣伝に乗りやすい→極端に走る」という連鎖を断ち切る必要があるとして、職業技能教育を大規模に推し進めた。一部の地域では半ば強制的にやった事例も報告されたが、強制収容とは完全に性格が異なる。それを、最大1、2万人のテロ容疑者に対する強制施設と故意に混同して、「百万人監禁」と呼ぶのは明らかに意図的な世論誘導だ。

19年12月9日、新疆ウイグル自治区主席のシェクレティ・ザケル氏が記者会見で説明したところによると、職業技能教育訓練に参加する人数は流動的であり、出入りがあるが、海外の一部メディアが言う「百万人ないし二百万人」は「全くの捏造で、あり得ない」。その教育訓練の内容は「三学一去」(国の通用言語漢語、法律知識、職業技能の学習と脱極端化)にあり、研修はすべて修了し、今はそのような施設が存在しないと明言した。

自治区副主席エルケン・トニアジ氏は同じ会見で宗教関連の状況を紹介した。新疆には現在2万余りのモスクがあり、イスラム教教職者は2万9000人余りで、自治区・州・市、県の各級イスラム教協会は全部で103ある。イスラム教経学院およびカシュガル、ホータン、イリなど8つの分院、新疆イスラム教経文学校を合わせて10の宗教大学が開校しており、毎年一定数の本科、短大、中等専門学校の学生を募集しており、「イスラム教は新疆で伝承され、健全に発展している」、という。

日本人学者の検証

国連人権高等弁務官バチェレが退位直前の22年8月末、「中国政府がテロや過激派対策という名目のもとで、（新疆で）深刻な人権侵害を続けた」と批判する報告書を発表した。先進国の基準で測れば、新疆を含む中国各地で民族問題、人権問題があるのは事実だろう。「マジョリティ」の発展を性急に進めて「マイノリティ」の利益、主張を無視することは実際に起こっている。しかし新疆と言えば「民族抑圧」「人権問題」「強制労働」のレッテルが貼られるのは、米国発中国叩きのイメージ戦略によるものと言わざるを得ない。

「9・11」以後、米国政府は新疆の分離独立組織「東トルキスタン・イスラム運動」（ETIM）をテロ組織と認定したが、20年11月6日、米国務省は、ETIMのテロ組織認定を撤廃すると発表し、中国側から強く反発された。ちなみに、ETIMをテロ組織と認定した国連決議は依然有効である。

日本の主要メディアが米側と同じ論調を展開している中、少数派だが、一部の学者は自分の調査研究成果に基づき、客観的な発言をしている。

慶応義塾大学経済学部の大西広教授（当時）は、新疆での訪問調査が11度に及び、12年にはウイグル族の弟子と研究書を共著し、今も新疆各地にいる弟子たちと連絡を取っている。21年7月30日の国際シンポジウムで、全国各地への集団就職の「強制性」についてカシュガル付近のコナシェヘル県で行った調査結果を紹介した。それによると、各地の送り出し機関・政府は派遣先の労働条件を詳細に調べるようになっている。たとえば、イスラム用食堂や浴室、エアコンなどの設備の有無、食料補助金の有無、ウイグル人シェフを同行しているかどうか、外傷保険、医療保険、労災補償などの有無、試用期間や操業停止時の賃金を含む各種労働条件のチェック、8時間労働規定や週休規定の有無、工場までの旅費や親族訪問旅費を企業側が負担しているかどうか、などである。新疆の分離独立を求める海外の「世界ウイグル会議」は集団就職自体を辞めろと主張しているが、それで所得が下がり不利益を受けるのはウイグル族の側である。そして、実際、この送り出し県の人々が基本は喜んで派遣されていることを自分のウイグル族の弟子を通じて確認している、と話した。

大西教授は、「新疆に何の民族矛盾もないわけではない」と語り、「貧困脱却」を課題として設定された地方幹部が何が何でも目標を達成しようと、希望しない住民をも派遣していた可能性、昇進目的で地方幹部が一部で強制を行なうインセンティブが中国的官僚制にありうると指摘した。同時に、「世界ウイグル会議」の発信した情報に対して実例を挙げて検証し、「彼らの情報は1％正しいかもしれないが、99％は信用できない」とし、「その意味で、事実を確かめずに『ウイグル会議』情報が垂れ流されている昨今の学界状況に大きな危機感を感じている」との懸念を示した（「事実を確かめずにウイグル会議情報を流布」、「レコードチャイナ」サイト21年8月16日）。

東京大学社会科学研究所の丸川知雄教授は同じシンポジウムで、同僚H氏の書いた「これぞ動かぬ証拠〝新疆ジェノサイド〟示した中国統計年鑑」に対する反論を行った。H氏は19年版『中国統計年鑑』が挙げた18年の新疆自治区の少数民族人口数が、前年版年鑑の同数字に比べ156万人少ないことを「発見」し、これを「ジェノサイドの証拠」とした。実際は歴年の同年鑑を見れば、新疆の少数民族人口は09年の1317万人から15年の1412万人へ緩やかに増加した後、16年と17年に突然1571万人、1654万人に急増した。その後2018年は1498万人、19年は1493万人になっている。要するに16年と17年の急増した数字が異常で、それを除けば一貫したトレンドにあること、またそれは「少数民族」全体の数字であり、「ウイグル族の大量虐殺」の根拠とすること自体がおかしい（ほかの民族について「大量虐殺」の非難が出ていない）。異常値は単なる間違いか、就学や就職といった人口の社会的な増減がかなり多く、流入人口が十分把握されていなかったためだと丸川教授が推定した。

日本の三つの新聞は、新疆の不妊手術数が14年の3214件に対し、18年に約6万件と14倍、18から19倍と各自の推計で異なる「急増」の数字を割り出し、ウイグル族に不妊手術が強制されている疑惑を裏付けたものと書いている。それに対し丸川教授は、3紙とも同じ統計で19年の不妊手術数が9343件に急減した事実には触れておらず、新疆全体の手術数なのに、ウイグル族の不妊手術だけが「急増」したと印象付ける操作を行っていること、なお、『新疆統計年鑑』には新疆の不妊手術数が14年には14万件弱、18年には9万件弱と、数字が大きいが減少していることに「なぜか3紙ともこれには触れていない」ことに、疑問を提起した（「新疆『ジェノサイド』の証拠なし」、「レコードチャイナ」サイト 20年8月16日）。

米英学者も疑問の声を上げた

欧米でも新疆問題の政治利用を批判する声が上がっている。

米独立メディア「The Grayzone」に19年12月21日付で掲載された「米国が支援するNGOと極右研究者による北京に対する神がかり的主張の深刻な問題」と題する記事は、米議会が採択したウイグル人権政策法や、共和党議員が行った新疆批判のすべての根拠は、中国批判専門の人権組織「Network of Chinese Human Rights Defenders（CHRD）」が出した二つの「調査報告書」に頼っているが、「調査報告書」はいずれも偏り、極めて不十分と検証した上で、米議会が出資する「全米民主主義基金（NED）」がCHRDに資金を提供しつつ、米国政府はその「研究成果」に頼って中国批判に利用する、という「自作自演」を暴露した。

著名な経済学者で国連の持続可能な開発目標（SDGs）の主唱者でもある米コロンビア大学のジェフリー・サックス教授ともう一人の英国人教授も21年4月20日、連名で「新疆ジェノサイドの糾弾は不公正」と題する論文を発表し、以下のように米当局の対応を批判した。

当時のポンペオ国務長官は、トランプ政権の最終日（21年1月19日）にジェノサイド疑惑を提起した。彼は嘘をつくことは米国の外交政策の道具だとの考えを隠さなかった。現在、バイデン政権は、ポンペオによるひ弱い糾弾をエスカレートしているが、国務省のトップ弁護士もこの疑惑に懐疑的であると報じられている。（中略）我々は、中国の新疆における鎮圧行動の背景は、「9・11」事件後、米国が中東・中央アジアに進出したのとほぼ同じ動機、すなわちイスラム過激派によるテロを阻止するためということを理解しなければならない。（中略）実際、米国はアフガニスタンでウイグル人武装勢力と戦い、多くのウイグル人を拘禁していた。

中国に関する米国務省の報告書は、殺戮に関する「大量の報告」はあるとするものの、詳細については「ほとんどないか、ない」。唯一に引用されたのは17年以降に拘束されたウイグル族の男性1人が自然原因で死亡した事例だけである。

米国務省は、ジェノサイドの告発を立証できない限り、認定を取り下げるべきである。（The Xinjiang Genocide Allegations Are Unjustified, Jeffrey D. Sachs & William Schabas, Project Syndicate, 20年4月20日）

新疆の「再教育施設」問題をめぐって米当局が一番困惑するのは、批判したのは一部の欧米先進国（と日本）だけであり、途上国、特にイスラム諸国が加わっていないことだ。20年10月には20のアラブ諸国とアラブ連盟の駐中国大使と外交官が新疆を訪れ、現地の企業、学校、貧困脱却プロジェクト、一般市民の住む集合住宅、イスラム教経学院やモスクなどを訪れ、新疆の経済発展と社会の安定を高く評価した。21年4月、上海協力機構秘書長と中央アジア、南アジア、東南アジアの21カ国の北京駐在外交官も新疆各地を訪問し、同じ見解をそれぞれ自国のメディアに発表した。イスラム信仰の各国は歴史上、宗教が冒涜されたことで何度も戦争したが、新疆で「ジェノサイド」が行われているとすれば黙り込むはずはない。

19年9月26日付NYタイムズ紙の記事は、アフリカ、アジアと中東のイスラム国家とイスラム諸国会議機構がすべて公に新疆問題に関する中国の立場を支持し、120カ国以上が中国の人権状況を高く評価したこと、フランスや一部の東欧国家も沈黙を保っていることを認めた上で、「中国の巧みな外交と豊富な資金」の成功と解釈した。しかしアラブ諸国は中国より豊かで、簡単に「買収」されることは考えられない。

憂慮される日本の雰囲気

横浜国立大の村田忠禧名誉教授は、「ジェノサイド」説は「常識外れ」と指摘し、「新疆のウイグル族の人口は1100万人ほどで、もしそのうちの100万から300万人が強制収容されているとしたら、新疆は死神にとりつかれた重苦しい様相を呈するであろう」と批判した。21年12月19日に放映されたNHKスペシャル 中国新世紀（5）「〝多民族国家〟の葛藤」の新疆報道にも多くの不実があることを検証し、画面に映されたデモ隊が掲げる旗は現在は存在しない「東トルキスタン共和国」の旗で、それは前述の、国連がテロ組織として認定したETIMが使っているものだとの専門家の見方を紹介した（「新疆におけるウイグル族『人権問題』の真相」、第19回日中民間交流対話講座、22年1月20日）。

日本人は「シルクロード」に憧れがあり、新疆観光や現地の経済と文化・活動に参加する人が多い。企業社長、佛教大学客員教授を歴任し、今も新疆大学名誉教授である小島康誉氏は1982年より150回余り現地を訪れ、現地の教育事業などを長年支援し、現在でもウイグル自治区人民政府の文化顧問を務めている。日本社会は、新疆の真実について欧米よりもっと深く、客観的に把握しているはずだが、近年の新疆報道は明らかに欧米一辺倒になったように感じられる。

22年2月1日、日本の国会でいわゆる「新疆ウイグル等における深刻な人権状況に対する決議案」が可決された。西園寺一晃・未来日中研究会代表他が出した抗議声明はその主旨の自己矛盾を鋭く突いた。

「決議」は政府に対し、「この深刻な人権状況の全容を把握するため、事実関係に関する情報収集を行うべきである」と述べている。全体の状況も把握していないのに、いきなり中国非難をするのであろうか。あまりにも杜撰で、「先ず中国非難ありき」の決議である事を自ら暴露している。

決議の中で「南モンゴル」という表現が使われていることに関して、石井明・東京大学名誉教授は次のように分析した。「日本の学会では『南モンゴル』という言葉は使わない。内モンゴル自治区の存在を否定する意味あいがある。Wikipedia によると、1995年、内モンゴルで、中国からの独立を目指す南モンゴル民主連盟が設立されたが、その指導者は中国政府に逮捕され、国家分裂主義者として刑務所に送られている」。「21年4月21日、自民党有志により、『南モンゴルを支援する議員連盟』(会長高市早苗)の設立総会が開かれている。今回、日本の国会の『人権決議』が『南モンゴル』という言葉を使ったのは大きな問題だ」。村田忠禧教授も、「日本で活動するモンゴルの、あるいは新疆の分裂主義者の言葉を真に受け、それを国会の決議で採択するなど、日本の国会が分裂主義者に乗っ取られたようなものだ」と強い懸念を示した（「『ウイグル人権問題』の虚実」、人民中国ネット版22年3月3日）。

21世紀の「国民国家」形成の難しさ

新疆やチベット、内モンゴルなど中国の少数民族地域は反テロ、民族融合、生活向上など問題がないわけではない。世界各地を見渡せば大半の国々が同じ問題を抱えている。民族と宗教の問題は21世紀でも簡単な解決方法はない。

中国は毛沢東時代にスターリン型の民族政策（各少数民族に自治権を与えるが、実際はロシア人を指導的民族とするもの）を実施したが、問題は解決されなかった。現在は欧米先進国型の解決方法、すなわち「Nation State（国民国家）」の構築を目指している。「国民国家」とは、「国家内部の全住民をひとつのまとまった構成員（＝「国民」）として統合することによって成り立つ国家」のことだ。しかし中国は経済面では「中所得国の罠」を超える前の「新興国」（とどのつまり途上国の上級段階）であり、国家形態においてはまだ「国民国家」の形成まで程遠い。今はまさにそれを目指す国家統合の措置が次々と打ち出され、試行錯誤の途中にある。

日本は元琉球国住民を国民国家に統合するため、「方言札」といった「智慧」を使った。研究者によると、「１９０３年になると方言札が登場する。方言札とは学校内の学生同士の会話で現地語を使用した場合に、それが教師や同級生に見つかれば、罰として首にかけなければならなかった板のことであり、沖縄で作られた罰則である」「方言札はその後も沖縄の学校に受け継がれていき、一部の学校では戦後にも使用されていたことが確認されている」という（ウィーン大学ヨシムラさやか「外国語から国語へ 沖縄における日本語教育史」、ドイツ語圏大学日本語教育研究会論文集、2012年）。

21世紀に入って「国民国家」を仕上げていくことの内外環境は一層厳しさを増している。中国は、号令をかけて一斉に進行する運動方式で民族の融和を性急に推し進めるのではなく、時間をかけて現地の理解を得てじっくり進めるべきだ。また、コロナ感染症対策による制限が解かれた後、新疆に外国人観光客や文化交流を積極的に受け入れるべきだ。十数年前は「チベット抑圧騒ぎ」が盛んだったが、チベット鉄道の開通で外国人観光客が増え、非難が下火になった。米中対立の激化という新しい情勢下でも、個々の問題が存在しても、外部の批判への過剰な警戒心にとらわれることなく、完璧さを無理に追求する必要もない。平和と安定を保ち、矛盾を抱えながらも日進月歩する新疆の姿をもっと積極的に見せていけば、世界の「良識」に中国の苦悩、努力と真実が伝わるはずだ。

第十二章　2050年の中国──「現代化強国」でもカオスでもない

3割の可能性を持つ三つの未来像

これまでの11章は、中国の「超新星爆発」現象に至る背景と形成過程、およびこの5年から10年の変遷、更に今後5年から10年の推移の可能性について書いた。総じて見れば、この間の変化は因果関係に由来する連続性、一定の必然性を遡ることができる。しかし未来の30年を展望すれば、最大の可能性は今のままの延長に「未来の姿」が見えない、ということかもしれない。

超新星爆発の現象は、眩しく輝いた後、必ず質的な転換を遂げる原理で説明される。では30年後の中国──ここでは2050年と仮に設定する──の姿はどうなるかを一般の中国国民に聞いてみたら、おそらく大半は「分からない」と答えるだろう。

政権側は、2050年に「社会主義現代化強国」の実現を努力の目標に掲げている。17年の党大会で採択された政治文書では、30年後に向けて、物質文明、政治文明、精神文明、社会文明、生態文明という五つの方面の「全面的進歩」を遂げ、富強・民主・文明・調和・美麗という五つのキーワードからなる未来像が提示された。それが文字通りに実現できれば、政治体制が社会主義・共産主義だろうと、資本主義だろうと、国民から擁護されるに違いない。全世界も頭が下がるだろう。問題は大半の国民が、それが実現することを信じられるかどうかだ。現段階の中国は誰が見ても、欧米先進国、今の北欧社会（多くの国は「社会民主主義体制」と自称）に比べて、政治の民主化、言論の自由、法治、社会と個人の「文明度」などの面ではるかに及ばない。執政与党自身も「抜本的な改革」を進めないとそのような輝かしい未来が到来しないことを認めている。だがその「抜本的改革」はまだ実施されていない。成功を信じさせる「手応え」がない中で、今の体制、今のやり方の延長で、上述の五つのキーワードからなる「美しい中国」が確実に到来すると見る国民はせいぜい10％台程度であろう。

一方、海外では、中国の未来像について「分裂」「内戦」「混乱」と描く著作、論説が多い。確かにその前進する道に立ちはだかるものは多い。絶対的貧困の問題は解消されたとはいえ、地域間・都市と農村・個人所得という「三大格差」の是正は容易ではない。少子高齢化の趨勢は変わりようがない。民族問題も解決の見通しが付いていない。日増しに台頭する国民の「権利意識」と一党支配体制との間の軋轢も、大きくなるばかりだ。

しかしこれまで40年間の「改革開放」政策と国民全員の努力のおかげで、中国は簡単には崩れなくなった。経済大国と技術大国に到達した物質的・人材的蓄積と、初歩的ではあるが社会セイフティネット（全国民の医療保険、都市部の失業保険の普及など）が形成された。アヘン戦争以後の100年の内乱と外患、毛沢東時代の文化大革命という反面教師を見ているので、ほとんどの中国人はあのような過去の「悪夢」を二度と繰り返したいとは思わない。中庸思想を根底に持つことや、様々な問題に対処する歴史的智慧や経験を有することも、極端にぶれることへの強いブレーキになる。今日の社会構造と国民意識を踏まえて考えれば、中国が分裂、内戦といったカオスの状態に落ち込む確率は10％以下と見ていい。

三つ目のシナリオとして、中国がどこかの時点で欧米型政治体制に「見事」に転換して、それによって一気に、今日の先進国と同じかそれ以上の民主主義、法治、安定した社会、豊かな生活を実現するという未来像だ。これは中国民衆の多くが望むところだが、それが現実になると信じる人もまた10％以下であろう。

「西洋が中国を救う」ことを信じなくなった

近代以降の中国では、小農型経済と皇帝型政治の旧来の体制に愛想を尽かして、西洋モデルを丸ごと持ち込んで中国を一新させたいと考える人は後を絶たなかった。康有為(こうゆうい)、梁啓超(りょうけいちょう)、孫文、胡適(こてき)などの先駆者は、いずれもそうだった。最たる例は、帝政時代に終止符を打ち、アジア最初の共和国を打ち立てた１９１２年当時に作成された新しい国歌だ。「揖美追欧、旧邦新造」（米国の理想を共有し西欧に追い上げ、古国を新たに作り直す）という歌詞が盛り込まれた。欧米を真似て自国を徹底的に改造すれば、自ずと「斬新」な中国になるとの理想が託された。しかし弱肉強食の世界で志士たちが求めた夢は、次々と破れていった。その中で毛沢東ら革命家は、マルクス・レーニン主義といった西洋の理論を活用しながらも鵜呑みにせず、中国の現実に即した戦略と政策を模索し、それによって新中国を創立させた。鄧小平の指導する「改革開放」路線も、欧米から学べるもの（法律、経営、管理方法など）は何でも学ぶが、1992年以降、「中国の特色ある社会主義体制」という「中国の特色」を明記した発展の方向に固められた。

欧米のやり方を物まねし、その入れ知恵を鵜呑みにすれば大やけどする。中国のエリート層は、これに関する二つの教訓を覚えている。旧ソ連崩壊後のロシアでは、欧米の権威ある経済・金融面の「顧問」たちの改革案を信じて「ショック療法」（「ガイダール改革」）を実施し、500日間で歴史上のしがらみを一掃し、先進国型経済体制に脱皮することが期待された。結果的に天文学的インフレ、為替暴落、生産停止、失業者急増という「地獄」を見てしまった。

その数年前の1988年、中国の「改革開放」政策も、国定価格と市場価格という二重価格の併存という難題にぶつかっていた。同年9月に訪中したノーベル経済学賞受賞者で、レーガン政権の経済政策に大きな影響を与えたミルトン・フリードマンは、講演で「市場の全面開放」を力説した。その講演内容はさっそく中南海に届けられ、当時の趙紫陽（ちょうしよう）政権が「二重物価を一気に解消する」という中央突破の改革方針を決定するのに重要な影響を与えた。ところが、改革の強行は大幅な物価上昇を招き、民衆が買いだめに走り、全社会的な混乱と反発を招いた。そのような社会的不満と不安の蓄積が、翌年に起きた天安門事件に引火する薪材になったと後に振り返られる。

それ以後、中国指導部はあくまでも国の実態、実情に合わせた政策、改革を遂行すべきとの信念に至り、習近平主席もそれを継承して、「自分の足に合った靴が一番いい」という「靴論」を語った。

このような百年来の経験と教訓により、今後の中国ではどんなに深刻な問題に遭遇しても、欧米のやり方をそのまま真似るような道は選ばれないと思われる。

では、現行政策の延長、崩壊、欧米模倣という三つのシナリオを合わせても3割の可能性しかないとすれば、残りの70％の可能性は何だろうか。

実は筆者もこれという回答を持っていない。その行方に影響を与える要素が、あまりにも多くて大きいからだ。様々な歴史的偶然性も、未来的不確定性を増幅させる。ここでは断定的に、中国は30年後こうなるのだと予言する（「占う」）より、未来への道に決定的な影響を与えるいくつかのファクターを取り上げて検証し、その上で中国の一番ありうる可能性を展望したい。

新しい産業革命の影響

今、世界の主要国はみな、自国の未来を新しい産業革命と結び付けて考えている。内閣府が16年初頭に発表した「日本経済２０１６－２０１７」白書（題名：好循環の拡大に向けた展望）の第2章第1節で、「18世紀末以降の水力や蒸気機関による工場の機械化である第1次産業革命、20世紀初頭の分業に基づく電力を用いた大量生産である第2次産業革命、１９７０年代初頭からの電子工学や情報技術を用いた一層のオートメーション化である第3次産業革命に続く」ものとして「第４次産業技術革命」を紹介し、ＩｏＴ（モノのインターネット）、ビッグデータ、ＡＩ（人工知能）などがコアとなる技術革新だと定義し、そのインパクトを次のように分析した。

「こうした技術革新により、①大量生産・画一的サービス提供から個々にカスタマイズされた生産・サービスの提供、②既に存在している資源・資産の効率的な活用、③ＡＩやロボットによる、従来人間によって行われていた労働の補助・代替などが可能となる。」

第4次産業革命は、不可避的に現在の雇用構造に変化をもたらす。専門家の予測では、今後の10年間、現有の職種は3分の1しか残らず、ほかの3分の2の職種は新たに形成されるか、現在の職種からのバリエーションが生まれる。構造的変化はまた、巨大な経済的不平等ももたらし、地政学的な政治構造と安全保障にも深遠な影響を与え、これまで当たり前で常識と思われてきた倫理道徳のレッドラインも揺るがされると、各国の専門家は見ている。

新しい産業革命は今、加速度的に進行している最中である。2045年前後、シンギュラリティ（Singularity：技術的特異点）、すなわちAIが人類の知能を超える技術的特異点（転換点）を迎えると、世界的権威であるレイ・カーツワイル博士らが未来予測の概念を提示した。

中国は1990年代以降、次の産業技術革命が現れたら、必ずそれをキャッチして躍進を押し上げる追い風にしたいとの方針を決めていた。だから、インターネット時代が到来すると、いち早くそれに乗っかり、その後の高度成長と、ネット先進国、ハイテク技術大国そして経済大国の地位を築き上げた。今の中国では、AIとビッグデータの発展は、国をさらに発展させる次の「上昇気流」と見なされ、力強い政策面の支援、巨額の資金投下が行われている。同時に、それによる全社会への影響を認識し、積極的な応用と対策を試みている。

21年12月、母校華東師範大学が主催した第1回「特異点に向けた政治学研究」シンポジウムの開会挨拶で、科学者出身の銭旭紅（せんきょくこう）学長は、AIが人類の知能を完全に超越する2045年という「シンギュラリティ」による現実への挑戦を問題提起し、次のように述べた。

明日の世界は今日の単純な延長線ではなく、いわゆる１００年未曽有の大変局は、世界の政治構造、技術構造、文化構造の延長線上で交錯して核分裂する「シンギュラリティ」である。伝統的な理論が現在の国家統治と国際問題を十分、完全、有効に解釈し、解決できるか、高度に重視すべき課題だ。

シンギュラリティと量子は影のように伴うものだが、量子効果はビッグバンと宇宙観の世界だけではなく、現実のマクロ世界、ひいては人類の意識と社会の中にも現れている。

どのように量子思惟という破壊的な理念と方法を導入して新しい情勢下における伝統的な学科の限界を突破するか、これこそ我々が直面する挑戦である。（華東師範大学ＨＰ　21年12月４日）

「電脳社会主義」に未来はない

コロナの蔓延に対し、中国はＡＩ技術をいち早く応用し、感染者数、特に死亡者数を低く抑えることに成功した。そのような成功の延長線上で、第４次産業革命の技術を社会の「ガバナンス」に活用すれば、欧米流の「民主化」をする必要はなく、中国流の「社会主義現代化」を実現できるのではと考える役人ないし指導者も現れているようだ。

それに関して、習政権は「電脳社会主義」の実現を目指し、「人工知能（ＡＩ）の力を借りて『デジタル・リヴァイアサン』という怪物を飼い慣らし、官僚制を克服し人々の生活に奉仕させるもう一つの新しい可能性」を見出そうとしている、と矢吹晋・横浜市立大学名誉教授が指摘した（『中国の夢――電脳社会主義の可能性』、花伝社18年３月）。ただ、それはジョージ・オーウェルが『１

984年』で戯画化した監視社会、独裁者や少数の為政者がすべての情報を牛耳る社会と異なり、「さまざまの分野のビッグデータは、巧みなデータ処理により、有用なデータとすべく解析される。それらのデータ解析を担当するのは、やはりそれぞれの分野の専門家の分業と協業に依存し、「〈最大多数の最大幸福のために〉といった目標あるいは理想がデータ解析の導きとならざるを得ない」。これは「電脳を駆使したガバナンス（社会統治）社会であり、まさに電脳社会の誕生を意味している。電脳社会主義の可能性は大きい」とも展望された（矢吹晋「電脳社会主義序説」、21年12月）。

中国が力を入れている「ガバナンス」（「治理」）は「基層民主・協商民主・政治監督・責任政府・公共サービス・公共政策・社会治理」が内容で、公共利益の最大化、つまり善治（good governance）が目標とされているが、一党支配という「政治における権力、強制や暴力的側面への関心が希薄になる」問題があると、毛里和子・早稲田大学名誉教授は指摘する（『現代中国 内政と外交』、名古屋大学出版会21年8月）。中国の一部の役人は、「電脳社会主義」の徹底により、「善治」を実現するとともに、「政治における権力、強制や暴力的側面」も克服できると信じているようだ。ハイテク技術を活用して「計画社会」を実現することは果たして可能だろうか。

すでに中国の著名な学者から異論が提起されている。周為民（しゅういみん）中央党校元マルクス主義理論部主任は21年9月に保定市で開かれた中国経済フォーラムで講演した際、そのような試みを「ビッグデータ計画経済」と呼び、「機械的に工学技術の思考を経済社会問題の対処に当てはめるもので、物を扱う方式で人とその行為に対処して生まれた幻想である」と批判し、その問題点を五つ指摘した。

①ビッグデータ技術を有しても、無限の情報、知識を政府当局がすべて得るのに限界がある。
②計画経済と同様に、内在的動力メカニズムの問題を解決できず、個人と企業に対して経済効率の目標に合致する有効なインセンティブを形成することができない。
③ビッグデータを駆使した計画経済は根本的には企業家の役割、イノベーション活動を抑制してしまうものだ。
④一極集中的な政策決定が常に社会の利益に合致する方向に資源を配置できるか否かについて、過去も未来も保証できない。
⑤そのような議論はもともと、権力を崇拝する計画経済の思想に由来し、とどのつまり「経済、政治、社会、文化を含む各方面に対するある種の集中的な統制体制」である（『中国企業報』紙21年9月23日）。

「第三の政治構造」

ビッグデータの発展は世界各国の政治体制及びその相互の関係構図すら変えてしまうと、イスラエル人未来学者ユヴァル・ノア・ハラリ教授も予測している。

話題本『サピエンス全史』を出したハラリ教授は15年、続編『Homo Deus: A Brief History of Tomorrow』（邦訳『ホモ・デウス：テクノロジーとサピエンスの未来』、河出書房新社 18年9月）を世に問うた。著者は21世紀を「データ至上主義」の時代と捉え、次のように分析した。

データ至上主義では、森羅万象がデータの流れからできており、どんな現象ももの価値もデータ処理にどれほど寄与するかで決まるとされている。これは突飛で傍流の考え方だという印象を受けるかもしれないが、じつは科学界の主流をすでにおおむね席巻している。（中略）この見方によれば、自由市場資本主義と国家統制下にある共産主義は、競合するイデオロギーでも倫理上の教義でも政治制度でもないことになる。本質的には、競合するデータ処理システムなのだ。資本主義が分散処理を利用するのに対して、共産主義は集中処理に依存する。資本主義は、すべての生産者と消費者を直接結びつけ、彼らに自由に情報を交換させたり、各自に決定を下させたりすることでデータを処理する。（中略）資本主義が共産主義を打ち負かしたのは、資本主義のほうが倫理的だったからでも、個人の自由が神聖だからでも、神が無信仰の共産主義者に腹を立てたからでもない。そうではなくて、資本主義が冷戦に勝ったのは、少なくともテクノロジーが加速度的に変化する時代には、分散型データ処理が集中型データ処理よりもうまくいくからだ。共産党の中央委員会は、20世紀後期の急速に変化を遂げる世界にどうしても対処できなかったのだ。

しかし、科学技術が日進月歩し、特に膨大なデータ情報が溢れ出す今の時代ではまた新しい転換点に差し掛かっているとハラリ教授は喝破した。

これは、21世紀に再びデータ処理の条件が変化するにつれ、民主主義が衰退し、消滅さえするかもしれないことを意味している。データの量と速度が増すとともに、選挙や政党や議会のような従来の制度は廃れるかもしれない。それらが非倫理的だからではなく、データを効率的に処理できないからだ。（中略）
今やテクノロジーは急速に進歩しており、議会も独裁者もとうてい処理が追いつかないデータに圧倒されている。まさにそのために、今日の政治家は一世紀前の先人よりもはるかに小さなスケールで物事を考えている。結果として、21世紀初頭の政治は壮大なビジョンを失っている。政府は単なる管理者になった。

ここでハラリ教授は各国の政治体制が必然的に転換すると予測した。

21世紀に、旧来の政治の構造がデータを速く処理しきれなくて、もう有意義なビジョンを生み出せないのならば、新しくてもっと効率的な構造が発達してそれに取って代わるだろう。そのような新しい構造は、民主主義でも独裁制でもなく、以前の政治制度とは全く異なるかもしれない。

すなわち「データ至上主義」の観点から見れば、人類社会の未来は民主主義でも独裁でもなく、「第三の政治構造」になる、ということだ。

筆者はハラリ教授の本を精読して、現実世界と未来を見る視野が急に開けたような強い衝撃を受けた。少なくとも中国の未来を見るうえで以下のような複数のヒントを得た。

①勃興中の「データ至上主義」の大波が押し寄せる今後数十年間のうちに、「資本主義」と「社会主義」の間のイデオロギー闘争は無意味なものになる。地球規模で政治体制、価値観の相互浸透と融合が否応なしに進んでいく。

②現在、米国側は中国との競争に打ち勝つために、「民主主義対権威主義」とかのイデオロギー的な性格付けをしている。中国側も、コロナ対策の段階的成功などの事例を用いて「社会主義の優越性」を強調している。しかしこれらのスローガンは「トゥキディデスの罠」という競争の本質を覆い隠しているに過ぎない。世界的潮流を見渡せば、表現こそ違うが「グローバリゼーション」「普遍的価値観」「人類運命共同体」に向かう趨勢こそ、人類社会の未来である。

③中国が現行の政治体制のまま2050年という未来を迎える可能性も低い。中国を含め、大半の国々は「第三の政治構造」に移行していく趨勢である。

進藤榮一・筑波大学名誉教授は、現在の米中間の「民主主義」論争は本質的には、「西洋流民主主義」と「途上国型民主主義」の相違だと分析している（「米中『新冷戦』の背景とその行方（上）」、『月刊TIMES』22年第2号）。インタビュー記事だから十分に掘り下げていないが、本質を突いていると思われる。

中国側が近年主張している「全過程的民主主義」は、自国の現状を説明し、それに合わせて問題を解決する理論と方法を提示したものであるが、このような自国の「民主主義」モデルを世界に広げ、かつての二大陣営のような構図に持っていくことは考えていない。一部の途上国からの求めに応じて、中国の一部の「ガバナンス」の経験を紹介し助言することはあっても、「西洋流民主主義」への対抗軸とし、更に後者に取って代わることは大半の中国人自身も信じていない。むしろ経済と社会の更なる発展と変化に伴って「中国流民主主義」の中身は今後修正されていくことが期待されている。

筆者は19年の編著の中で、ビッグデータ等に代表される情報社会の波が中国の政治と社会に与えるインパクトについて、四つの深遠な影響を提示した。今でも意義あると思うので転載しておく。

①全国民の権利意識（知る権利と参加する権利）の向上を加速させていること、
②共通ルールの学習＝法治国家の基盤作りを実際に進めていること、
③情報化に拍車（スクープ・暴露のツール）をかけていること、
④10年スパンで見れば、民主化の地ならしになる。（『米中貿易戦争と日本経済の突破口』、花伝社19年）

日本を含む西側諸国も、中国の現状と進行中のことに対し、欧米の価値観、先進国に到達した発展段階で形成された物差しで当てはめて決めつけるべきではない。そのような決めつけは、これまでの数十年にわたって、中国の多くを見誤り続けてきた根源の一つである。

米中競争による影響

新しい産業革命以外に、ほかの二つの重要ファクターも中国の進路に大きく影響を及ぼしていくと思われる。

一つは米中競争の激化だ。トランプ政権時代からの中国叩きは、結果的に中国民衆の愛国主義感情を大いに刺激した。米国からのますます強まる(中国の崩壊を狙っていると信じられている)バッシングに対抗するには、現首脳部への権力集中もやむを得ない、というムードが形成された。18年頃、国家主席の任期撤廃を決めた憲法改正に、不満や冷ややかな見方が多数聞かれたが、21年11月に「歴史決議」が採択された際、習近平主席の主導的地位の確定にほぼ全員一致で信任票が投じられた。「米中競争の局面は当面続き、米側からの揺さぶり、圧力が一段と強まる。それに対抗し、凌いでいくには現体制の下で団結する以外に選択肢がない」というのが、現時点の中国社会の最大公約数と言うべきものだ。

では米中競争、(中国から見た)米国によるバッシングは、中国の進路にどういう影響を及ぼすだろうか。

まず、叩かれれば叩かれるほど、中国の国民は一層まとまり、体制側に立つということだ。20、30年前、中国の発展レベル(生活水準、治安、経済技術力など)が日米欧先進国に大幅に後れを取った段階で今のようなバッシングを受ければ、じり貧ないし大混乱に陥るのが見えていた。どうしようもない現実を前に、多くの知識人は、政権側のせいだと考え、批判の声を上げていたかもしれない。しかし今日に至り、事情は大きく違った。米欧が老衰現象を見せかけているのと対照的に、中国はまさに超新星爆発の段階に突入している。かつての「西洋かぶれ」の心理は、今の中国の若い世代ではかなり薄れている。自信過剰気味の中国に対し、米国などから、現行の政治体制が完全に否定され、経済的封じ込め、技術的締め付けが仕掛けられる(中国を排除した

ＱＵＡＤ・日米豪印４か国枠組み、ＩＰＥＦ・インド太平洋経済枠組みなどがその例）と、大半の中国国民は当局に様々な不満があっても、「中国の崩壊を狙った目論見」として対抗心に燃える。このような雰囲気の下では、内部の自発的民主化の動きは萎れ、失速するだろう。

大半の中国人は外部世界に対する好奇心が強く、外部のいいものを積極的に取り入れるオープン性がある。そのインテリ層の大半は、これまで数十年間にわたる海外留学、観光、滞在、および欧米との学術文化交流を通じて、西側の政治体制を内心では評価している。しかし今日の米国によるなりふり構わぬバッシングは中国インテリ層の気持ちを欧米から遠ざけている。中国に「南轅北轍」ということわざがある。願望は南に行くことだが、結果的に反対の北に向かってしまう。昨今の米国による中国バッシングはまさにこのような逆効果を招いているように感じられる。

米中競争の構図は今後の長きにわたって存続し、結果的にそれが中国社会の開放と民主化にとって阻害要因になるが、あるシナリオにおいて、プラスに転化する可能性もある。それは５年から10年後、中国の国力（経済・技術・軍事を含む）が米国とほぼ対等の地位に到達した段階で、中国の内部で民主化の動きが活発化した場合である。アメリカ人はもともと中国人と気が合うところがあり、歴史上これという怨念も持っていない。今は中国に追い抜かれたくないからやけっぱちで中国を罵り、叩いているが、中国の発展はもはや抑え込むことができないと悟った時点で、この国が「民主化」に向かっていると受け止めると、対中感情はがらりと変わる可能性がある。そうなれば米中交流は再び一気に拡大し、中国社会の開放・法治・民主化を加速する外部環境は再度生まれてくる。

「Z世代」が未来を決める

もう一つのファクターは、中国の「Z世代」による政治・社会の進路への影響だ。「Z世代」（ジェネレーションZ＝Generation Zの訳語）という概念は欧米でよく使われ、1995年から2009年までに生まれた年齢層を指すが、中国でいう「90後」（1990年代生まれ）、「00後」（2000年代生まれ）世代にほぼ相当する。この世代は社会的な認識・行動パターンとして、①ニュートラルな男女意識、②他人に合わせるのではなく、自分の物差しを持つこと、③対人関係を重視し、他人からの評価に敏感、④社会問題への関心が強い、といった共通した性質と価値観を持っていると指摘される（「Z世代とは？ 特徴や価値観が今後のマーケティング施策のヒントになる」、「TRANS」サイト21年9月30日）。

中国の研究者は、1995年以後の15年間に生まれ育った新世代中国人は2・2億強に達し、他国のZ世代よりも早くインターネットの世界と「親しく」接しており、よりオープンな頭を保ち、より創造的な思考を行い、新たに生まれたさまざまな物事を果敢に追求するとの共通性があると指摘している（王水雄論文、北京『人民論壇網』21年9月15日）。

もし1980年代以降、すなわち文化大革命後に生まれた世代を合わせると、すでに全人口の過半数に達している。更に5年10年経つと、中国の「Z世代」は経済・社会・言論をリードしていくに違いない。中国の政治の行方に対するこの世代の影響について、更にいくつかの特徴を見出すことができる。

一つは、権利意識が強く、「是々非々」の価値判断をすること。自分が正しいと思えば、大声でそれを主張し、間違いと思えば、また声を出して反対する。そして彼らの価値判断は、自由・平等・法治・民主・弱者配慮・環境保護などであり、西側諸国の若者とほとんど違わない。

二つ目は、特定のイデオロギーに囚われないこと。現時点では中国共産党の指導に一定の不満があるものの、その存在価値を基本的に認めている。コロナの発生後における内外の対応を見て、むしろ政権への支持率がさらに上がっている。しかしそれはそのイデオロギーを全面的に信奉していることとは別問題だ。内外情勢が変われば、この世代の政治姿勢も変わる可能性がある。

三つ目は、「愛国的」である。この国が様々な問題を抱えていることを承知しながらも、偉大なる中国の歴史と文化に強い誇り、プライドを持っている。だから、19年から20年にかけて、香港の混乱に関して、日本などでは主に「香港人の民主化運動とそれを抑え込む当局側」の図式で捉えられるが、中国の若者の大半は、トランプ政権による中国バッシングを背景に、香港でまず秩序を取り戻し、国家安全維持法を導入することに関して、アンケート調査では8割以上の人は支持を表明している。

22年6月19日付「The Diplomat」サイトに掲載された「中国Z世代の複雑なナショナリズム」と題する論文は、筆者の見解に近い。この世代は強い優越感と自信を持つという特徴を挙げ、その背景として、彼らが生まれて物事が分かるようになる過程で、有人宇宙飛行の成功、北京五輪、GDPは10年で4倍増（00年~10年）、「一帯一路」で世界に羽ばたくといった世界に誇れる成功を体験していることを紹介した。一方、この世代が憧れるのは政治指導者ではなく、ジャック・マー（アリババ元会長）のような民営企業家と科学者であること、彼らのナショナリズムも「成功」と結びついており、言い換えれば、「失敗」に対しては容赦なく批判もする。例えばコロナ対策としてのロックダウンがもたらした巨大な破壊、都市部の生活と育児コストの高騰、社会と経済の停滞などに関しては、不満を隠さない。無為よく、無気力、最低限の消費水準の生活に満足する「躺平（たんぴん）＝横たわり主義」と呼ばれる現象が近年の中国で現れているが、これも「競争過剰で社会的流動が阻害される」現状に対する一種の抵抗である。「過去十年間、政治権力の集中化が進んでも、中国の公民社会の個性化が確実に進んでいる」と指摘した（The Complex Nationalism of China's Gen-Z, Brian Wong, The Diplomat, 22年6月19日）。

高いプライドを持ち、イデオロギーを信用せず、普遍的価値観で物事を判断する、といった特徴を持つ新世代が中国社会の主流を占める時点で、伝統的な政治体制と手法は依然通用するのだろうか。大転換が迫られる時、彼らは何を選択するか。未知数のものが多いが、これも中国の行方を左右する一大要素であることは間違いない。

以上の各ファクターのうち、米中競争は主に今後5年間の中国の行方に大きく影響する。Z世代は10年から20年のスパンで中国の発展の軌道を左右する。そして第四次科学技術革命は30年スパンで、中国や全世界を根本的に改変していくのではないだろうか。

「中間層」の拡大が意味するもの

では以上に挙げた各ファクターはどのような組み合わせ、順序、軽重で変化して、未来の中国政治を演出していくか。筆者はこれという答えを用意していない。

ただ「分からない」でこの章を終われば、せっかく読んでくださる読者たちのがっかりした顔が今にも見えてくる。過度に失望させないため、ここで敢えて私論暴論で、今後5年から10年のありうる変化を推測し、その上で２０５０年の中国を展望してみたい。

第五章では、中国の理論派企業家が提起した「２０２５年転換説」を紹介した。同氏は中国政治の内在的サークルという見地から25年頃政治の転換点を迎えるとの見解を披露した。

畏友津上俊哉氏の持論「中国振り子」論も、別の角度から中国の自己調整の内在的リズムを分析している。個人集権型と集団指導型はそれぞれ経済と社会情勢、対外関係の推移で交代的に出現し、習近平主席は「危機的状況にあった体制を救うべくトップになって個人集権を復活させた」が、「個人崇拝や忖度など個人集権の弊害がまた目につき始めた」ので、「中国は再び西側価値観を否定しなくなり、市場経済に立ちかえろうと」「振り子がまた向きを右に変える日がやって来そうだ」と新著で指摘している（『米中対立の先に待つもの　グレート・リセットに備えよ』、日本経済新聞社、22年2月）。

筆者も20年代後半に最大の試練を迎えるとの説を唱えるが、推測の根拠は別にある。同様な東洋文化に属する韓国と台湾が、かつての「開発独裁」モデルから西側流の「民主化」に転換した。その大転換の過程と背景要因に、中国の政治の行方を見るうえでどのような示唆があるか、前から考えている。

韓国の朴正熙（パクチョンヒ）時代と台湾の蔣経国（しょうけいこく）時代（最晩年を除く）は「開発独裁」の政治体制を取っていた。経済は自由化を進めるが、政治は独裁という点において、鄧小平時代と共通する。鄧小平時代は広い意味では、江沢民時代（１９８９年〜02年）、胡錦濤時代（02年〜12年）も含まれる。

韓国と台湾の政治大転換が遂げられた共通の背景要因について筆者は、強い権利意識を有する中間層の拡大（ほぼ人口の過半数に達する）、経済が低迷期を迎えること、そしてストロングマンすら抑えられない、全社会が関心を共有する問題や争議が発生すること、という三つを挙げる。14億の人口をもつ中国において、所得など総合的指標で測る「中間層」の割合はどうなっているのだろうか。

国務院発展研究センターの研究員と北京師範大学所得分配研究院院長の共同執筆論文は、4種類の参照軸を使って18年時点における「中所得者層」の全人口に占める比率と総人数を試算した。全世界の200余りの国の平均所得の中位数の67%から200%に相当する幅、05年の購買力平価に基づく一日の家庭収入、および18年価格に基づく家庭年収という三つの基準で測れば、すでに全人口の半分以上か半分近くが「中所得者層」に入っている計算になる。ただそれらの基準は緩いとして、執筆者は特に28のEU加盟国の18年における家庭年収の中位数の60%から200%に相当する幅、という基準を採用した。この計算方法によって、18年時点で中国の「中所得層」は全人口の24・7%を占め、3億4000万人と割り出された（李実、楊修娜「中国中等収入人群到底有多少？」、『観察者網』サイト 21年4月30日）。

一方、寧吉喆（ねいきちてつ）国家統計局長の発表によれば、17年の時点で中国の「中所得者層」（3人家族、年収は10~50万元、マイカーとマイホームを持ち、レジャー観光の経験あり、といった基準で計算）は全人口の30%を占め、4億2000万人になったという（国家発展改革委員会HP 21年9月24日）。

以上の二つの推定から、今日における中国の「中所得者層」は4億人かそれ以上に達していると見ることができる。ただ、この物差しだけでは中国社会における「ミドルパワー」の拡大を説明しきれないと筆者は考える。

中国の政治と社会に対する「ミドルパワー」の影響を考えるうえで、日本で使われる「中間層」という概念も導入すべきだ。全社会の「中間層」には年収などの物的基準に裏打ちされた「中所得者層」＝「中産階級」以外に、「中流意識の持ち主」も含まれる。日本社会はかつて「一億総中流」と呼ばれたが、実際はこの両者を合わせた概念であり、そのうちの多くの人は真の中流の生活水準に到達しないが、「中流意識」を持っている。中国でも、本当の所得水準は中産階級に到達しないが、一人っ子世代、Z世代、都市部に定着した出稼ぎ労働者の第二世代などの大半は「中流意識」の持ち主で、前者とそう違わない生活と消費のパターンを有し、そして共通の強い権利意識を持っている。この層の人口は大雑把に見て、2億人は下らないと思われる。だから「中所得者層」と「中流意識の持ち主」の両者を足してなる「中間層」は、今日の中国ではすでに6億人以上に上っていると推定される。

中国では更に毎年、人口の1％すなわち１４００万人が中間層入りしているとも言われている。この趨勢でいくと、10年以内に、中国の中間層は全人口の過半数を占めるようになり、韓国と台湾がかつて経験した政治大転換の時代と似たような社会構造になる。権利意識を持ち、法治を主張し、相互の連携を重んじる過半数の人口の存在は、中国の政治と社会に、「中所得国の罠」（途上国が一定規模まで経済成長した後、発展が足踏みする現象）を突き破らせる最重要な土台になる。

大規模な市民運動が発生したら

韓国と台湾の政治変革を誘発したほかの二つの要因は、経済の低迷とストロングマンの後退だ。大体、経済発展が順調な時期に、政治の大変動は起きない。国民の大半は成長による利益を甘受し、政府側も、様々な社会問題に対してすぐ解決ができなくても金銭的方法で暴発させない手段を持っている（中国では「花銭買穏定」、金で安定を買うと呼ばれる）。しかし経済成長率が落ち、財政収入、国民所得の伸びがいずれも低下した場合、途上国の段階で構造的に存在する多くの社会問題は一気に表面化する恐れがある。それに「蓋をかける」財力がなくなると、社会的な不安定期が到来する。

それはちょうど指導部が弱体化する時期と重なる。建国世代など強いリーダーシップ、指導グループが健在であるとき、様々な問題に対し対処、あるいは抑え込むことができた。しかし今の中国では、建国世代の指導者はほぼ全員姿を消し、革命の第二世代も生き残りが少なくなっている。第三章で紹介したように、革命第二、第三世代の内部でも思想と立場の乖離が起きている。国民レベルからの強い突き上げ、経済の失速による対処手段と効果の低減、そして強いリーダーシップの不在、という三者が重なる時は要注意。これが韓国と台湾の現代史が残した示唆だ。

中国がこのような社会的転換期を迎えるのは20年代後半と見込まれる。その間に、１９８８年のような物価高騰、89年のような指導部内の路線闘争、あるいはほかの、全社会全国民が不満を共有し、関心が集中する問題が発生すると、どうなるか。民衆の不満が高まる過程で、「知る権利」（例えば、高級幹部の財産公開、天安門事件の深層究明を求める要求）と「参加する権利」（例えば、納税する有権者としての権利主張、直接選挙の要求など）が高揚し、全国的な運動になる可能性がある。そのようないくつかのファクターが重なるタイミングとして、27年の次期党大会前後、29年の建国80周年記念日前後に到来することが考えられる。

問題は、このような社会的ウェーブ、海外からは「民主化運動」と呼ばれるものが発生したら、当局がどのように対応するかだ。考えられるのは、①完全に抑え込む、②完全に受け入れて体制転換、③一進一退を通じて妥協点を見出していく、という三つのシナリオだ。

当局は社会的運動、市民運動が発生した時点で、条件反射的に、持っている権力と手段を用いて抑え込みにかかるだろう。抑え込むことに成功すれば、当分の間事なきを得るが、権利意識のマグマは消えない。次のはけ口を待つことになる。第五章で検証したように、ネット時代の世論という「津波」はますます抑え込めなくなっているし、一時的に抑えられても次の反動はもっと大きくなることが予想される。

二番目のシナリオとして、当局側が簡単に引っ込み、抗議運動の要求を次々と受け入れる可能性はどうか。ほぼ皆無だろう。体制はまだそのような柔軟性を備えていないし、市民側の多数の要求を受け入れていくうちに、要求が更に引き上げられ、体制側として我慢できないデッドラインに追い込まれる結末が見えてくるためだ。

結局、一進一退する形で妥協点を模索する駆け引きが始まる。ここで想像力を逞しくして細かいシナリオを想定しても意味がないが、どこかの段階で妥協して、その時点での最大公約数を見出せるかが分かれ目になる。

「下からの民主化」が加速するか

体制側として、国政選挙レベルの大改革は到底受け入れられないし、実際にそれを実施する現実的可能性も極めて薄い。14億人の国でどうやって総選挙を実施するか、どのような直接選挙による国会構成になるか。通常、審議・質疑が行える国会の議員数は300人から500人までだ。日本の衆議院議員数は465名、参議院議員数は248名。米国は上院議員100名、下院議員435名。ただ、イギリス議会の議員数は650人、フランス国民議会の議員数は577人だ。

仮に中国で直接選挙による国会議員の総数が500人だとする。14億人強の全人口から四捨五入して割り当てると、およそ300万人近くで一人の議員を選ぶ計算になる。しかし全世界の大半の国の総人口は3000万人以内だ。また、地域配分で見ると、新疆、チベット、青海省という国土の3割強を占める広大な西部地域の全人口は3000万人で、一人しか国会議員を選出できない。したがって、国政レベルで一気に直接選挙を導入することは現段階で無理であることを民衆側も分かっている。

一方、1990年代以降、中国は「下からの民主化」の実験を重ねてきている。村レベルでは「村民自治」制度が定着し、村長（「村民委員会主任」）の直接選挙が実現している。農村の郷鎮、都市部の区レベルでは住民の直接投票による「人大代表」（地方議員）選挙も導入されている。四川省と深圳市では、郷鎮の行政首長に対する直接選挙の「試点」も続いている。ただ、これらの「基層選挙」は名ばかりで、党によるコントロールが強まっていると近年、批判も出ている。

しかし、「基層選挙」の枠組みは存在している。恐らく、今後のありうる民主化運動はこのような「下からの民主化」をめぐってどこまで拡大するかが注目点になる。今のような有名無実な「基層選挙」に、民衆側は満足して妥協に応じる可能性が低い。一方、当局側は国政レベルの選挙、また省市自治区という一級行政区の行政首長や人民代表の直接選挙を当面受け入れない。そこで政党（あるいはそれに近い市民団体）の公認、一級行政区より下の市や地区、県の行政首長や人民代表の直接選挙が駆け引きの焦点になる。それでも民主化運動側が妥協しない場合、5年か10年後の一級行政区の行政首長や人民代表の直接選挙の約束、といったぎりぎりの妥協点が見出されると考えられる。そこで14億人の中国は世界的注目の下で、真の民主化への第一歩を踏み出すことになる。

ちょっと楽観過ぎだと言われればそれまでだが、5年、10年後の中国になれば、このような大変化を支える土台が整ってくる大きな流れを指摘したい。あとは様々な偶然性、力関係がもたらす具体的シナリオだ。

「習近平による民主化」はゼロか

現在の延長線上に、このようなシナリオはにわかに信じられないかもしれない。しかし中国に「時勢、英雄を造る」という言葉がある。大きい流れができてきたら、個人の意思と関係なく、その方向に押し寄せられていく。為政者たちは、権力の縮小ないし喪失を意味する「民主化」を簡単に受け入れるはずはない。しかし、経済や社会の危機をこれまでの手段で打開するすべがなくなったらどうするか。選択肢は狭められてくるものだ。

それでも拒否して真っ向から対決、抑え込みにかかる勢力はあると想像される。しかしそのような頑なな対応を、社会と経済がカオス的状態になる結末が見えてもやり通すか。近い将来に到来すると予想される政治と社会の最大の挑戦を前に、指導部内で対策をめぐって激しく対立し、ひいては政治闘争が一部起きることすら考えられる。しかし筆者の希望的観測で言えば、事態が制御不能になる崖っぷちの寸前で首脳部が踏みとどまり、妥協・「次善の策」を模索する可能性は実は一番高い。

中国共産党がこのような予想以上の柔軟性を持っていること、それは歴史で何度も証明されている。１９３６年頃、蔣介石政権に追い詰められた共産軍は「西安事変」をうまく利用して、「日本の侵略に一致団結で立ち向かう」という大義名分のもとで、赤軍を政府軍の「第18集団軍第8路軍」などに改編して「八路軍」として起死回生の道を見出した。１９７８年、経済の崩壊を回避するため、鄧小平ら指導者は毛沢東路線を一変させ、「改革開放」の時代に突入した。

政権側で誰がこのような「民主化」のプロセスに応じるだろうか。一般的には、「ポスト習近平」体制の指導部がそれに取り組むと考えられるが、弱いリーダーシップの下では、対立する各方面に最大限の公約数を見出させるのに力量不足になる。そこで習近平体制の存続中か、後継者にバトンタッチした直後かの時期に、驚きのシナリオが発生することもありうる。

それは、習近平主席が自らこの民主化のプロセスを主導することだ。

習氏は日本では頑な、強引とのイメージが定着しているが、意外と柔軟性を有する。鄧小平は三回も失脚し、また三度も復活して自らの時代を作ったが、習氏もそれに近い人生のどんでん返しを体験している。親譲りの一面もあって、あたかもコインの両面のように、強い信念と行動力とともに「どうしようもないとき、局面打開のための柔軟性と大胆さ」も持ち合わせている。このような観察は、かつて彼の至近距離にいた友人が語ってくれた。

この見方は筆者だけの突飛なものではない。まず党中央書記局所属の研究機関に籍を置いていたリベラル派学者の呉思(ごし)は、21年秋、あるオンライン講演会で似たような見通しを語った。「いざ経済・社会・外交など各方面で挫折し、民衆の支持が離れるというような危機になると、習政権は地方の直接選挙の導入と拡大という起死回生策を取る可能性がある。これで一気に人気を挽回する」と展望している。もう一人の中央党校出身のリベラル学者鄧聿文(とうしんぶん)も、19年夏に訪日した際、筆者に対し、「政治と社会情勢が制御不能になる前、習近平氏は民主化を支持するとのスタンスで起死回生策を取る可能性がある」と話したことがある。党内の力学と思考様式を熟知する二人の見方は、奇しくも一致している。

漸進的民主化のプロセスが中国でいったん始まったら、もはや逆戻りはできなくなる。21世紀の世界という外部環境、情報化時代という大波、そして中国社会で主導権を握るようになる権利意識を持つ中間層。このようなメガトレンドをまず認識する必要がある。

ただ、一、二年単位で見れば中国社会の改革は紆余曲折が避けられない。台湾でも１９８６年に「党禁」をやめて複数政党制を導入した後の20年余りの間、目に余るほどの金銭政治がはびこっていた。しかし民衆による真の政治参加が重なっていくと、近年の台湾では「民主」が本当に定着してきたと内外で評価されている。中国大陸でも、真の民主政治体制が定型化していくのに20年はかかるだろう。

2050年への道

次の10年、15年の間、共産党体制は国政を依然握っていくと予想される。地方選挙を拡大して実施しても、一般市民、農村住民の大半はある段階まで、現体制を支持・擁護していく。不満を発散した後に冷静に考えれば、中国を混乱・分裂から守れるのは現体制しかないとの考えを持つ者は少なくないはずだ。また、選挙制度の設計いかんによっては、与党に有利な態勢がしばらく続く可能性もある。昨今のシンガポールも民主的選挙を「厳正」に実施しているが、常に与党が大幅に勝つ仕組みになっている。かつて日本の自由民主党も万年与党の仕組みだったとして、21世紀初頭、中国共産党のチームが東京にやってきて、将来の選挙に備えて日本の選挙制度を研究したと聞いている。

そして漸進的民主化の過程において、「中所得国の罠」を越えられるどうかの経済改革が続くと見られる。民主化の方向が見えた中国と米国との和解の可能性、そして台湾との平和統一といった課題が浮上してくる。それも中国の進路に影響するだろう。

政治体制の民主化、法治化がある程度進んだうえで、多民族国家のアキレス腱でもある民族関係の問題に関しても、新しい枠組みの検討が始まる。これも紆余曲折が予想されるが、最終的には米国型の連邦制の導入で落ち着く可能性がある。香港の「一国二制度」、そして今後の台湾との平和統一の枠組みはいずれも、経験や教訓、知恵を残していくだろう。中国は民主化が進んでも、民族関係において必ずしも旧ユーゴスラビアのような内戦・分裂という結末に向かわない。92%が漢民族という重し、経済の発展、インフラの整備、増加中の人的流動などによって民族間の相る。

互認知と融合、併存がかなり前進している。何よりも分裂後の内戦に対する拒否感が共通している。

願わくば、２０５０年前後の中国が民主化の一般的基準をクリアし、米欧と真に和解し、同時に主要国の一つとして、地球規模の諸課題に取り組む中でリーダーシップを見せる段階に入っていてほしい。

この「楽観的」見通しに対しては、けん制要因、否定するファクターも少なくはない。仮に米中間で軍事衝突が生じ、世界が完全に二つの陣営に分かれてしまった場合、双方の相手に対する敵意が決定的になる。これで中国の民主化、自由化への道が閉ざされる。長期的に見て発展の勢いも削がれる。14億人の中国は少子高齢化が進み、国際競争が激化する中で、雇用問題、社会福祉、イノベーション能力の維持など構造的難題も多い。ラテンアメリカや東南アジアの多くの国のように、一時期、すさまじい発展の勢いを見せるが、結局ある段階で失速・停滞し、先進国、民族復興の夢が潰える前例も多々見られる。

ただ、中国がこのような「地獄」に向かう可能性は低いと思われる。何といっても、すでに経済・技術大国になった堅実な基盤を築き上げた。「豊かさ」「平和」と「世界に誇れる国」というありがたさを味わった大半の国民は、それを失いたくない。中国の分裂、内戦、大混乱は他の国にとっても嘲笑う対象ではなく、自分にも降り注ぐ地球規模の災難になる。グローバリゼーションと相互依存の深化、第４次産業革命の進展も、中国の独走、暴走を防ぐとともに、中国の失墜を防ぐクッションになる。

第十三章　日中関係――「座標軸」の漂流と迫られる「再選択」

来日当時に受けた強烈な印象

筆者は1986年に上海から来日したが、人生の大半を日本で過ごすことになるとは、当初は想像だにしなかった。振り返れば、来日当時の強烈な衝撃には人生や対日観を大きく変えるものがあった。

成田空港に到着した日、客員研究員として赴任するシンクタンクの担当者が迎えに来てくれた。近代的国際空港、初体験の高速道路、そして最初に宿泊した新宿の街を飾る眩しいネオンの夜景。当時の中国から来た者にとって「未来都市」を彷彿とさせるものだった。ちなみに、中国最初の高速道路の開通は来日して2年後のことだった。

日本をもっと知り、中国に紹介し、中国の手本にしたいとの一心で、日本ルポを中国の新聞雑誌に精力的に寄稿した。多くの日本人友人に暖かくお世話になり、感謝の気持ちに満ちた。しかし同時に、当時の日本のマスコミや学者の目線は、どこか中国を通り越して欧米に目線を集中しているような、中国を見下すようなものが敏感な神経に感受された。特に強い衝撃を受けたのは、同年に出版され、本屋の目立つところに山積みに置かれた長谷川慶太郎著『さよならアジア』（ネスコ、1986年）という文庫本を読んだときだった。

著者は「脱亜入欧」説の現代版を説き、戦後40年間で「日本と日本人は決定的にアジアを離れた」「周辺のアジア各国は『夢の島』（東京のゴミ処分場）だが、日本はその中に高く聳える超高層ビルだ」と書いている。日本は超高層ビル、中国を含むアジアはごみ処分場との比較は、自分に大きな刺激を与えた。

この本は日本人の傲慢、アジア蔑視の代表例として中国国内の対日観にも影響を与えた。後に大使を務めた王泰平（おうたいへい）氏は「彼のこの話は福沢諭吉の『脱亜論』を想起させるもので、アジアを見下す日本人のメンタリティーがありありと示されている」と述べている（「静かに変化するパワーバランス、中国観の調整を迫られる日本」、『人民網』11年1月10日）。

1990年代半ば、江沢民政権は「愛国主義教育」を進め、それが「反日教育」と日本で解釈された。反日のためではなかったが、政府首脳から知識人、民間人に至るまで、日本に対し、「先進国」（だから経済支援を求める）と「信頼できない国」（歴史の怨念とともに、上からの目線で見下されている）という両極端なコンセプトと感情を持ち合わせていたのは事実だ。

今から客観的に見て、当時の日本人社会の主流は故意にアジア隣国を馬鹿にしたわけではなく、欧米に並んだという興奮と自信に覆われていたため、配慮が足りなかっただけかもしれない。1985年、中曾根康弘首相がA級戦犯を合祀した靖国神社を公式に参拝したのに対し、中国の全国各地で反日デモが発生したが、日本の世論は中国への批判・反発に走らず、政府は冷静に妥協

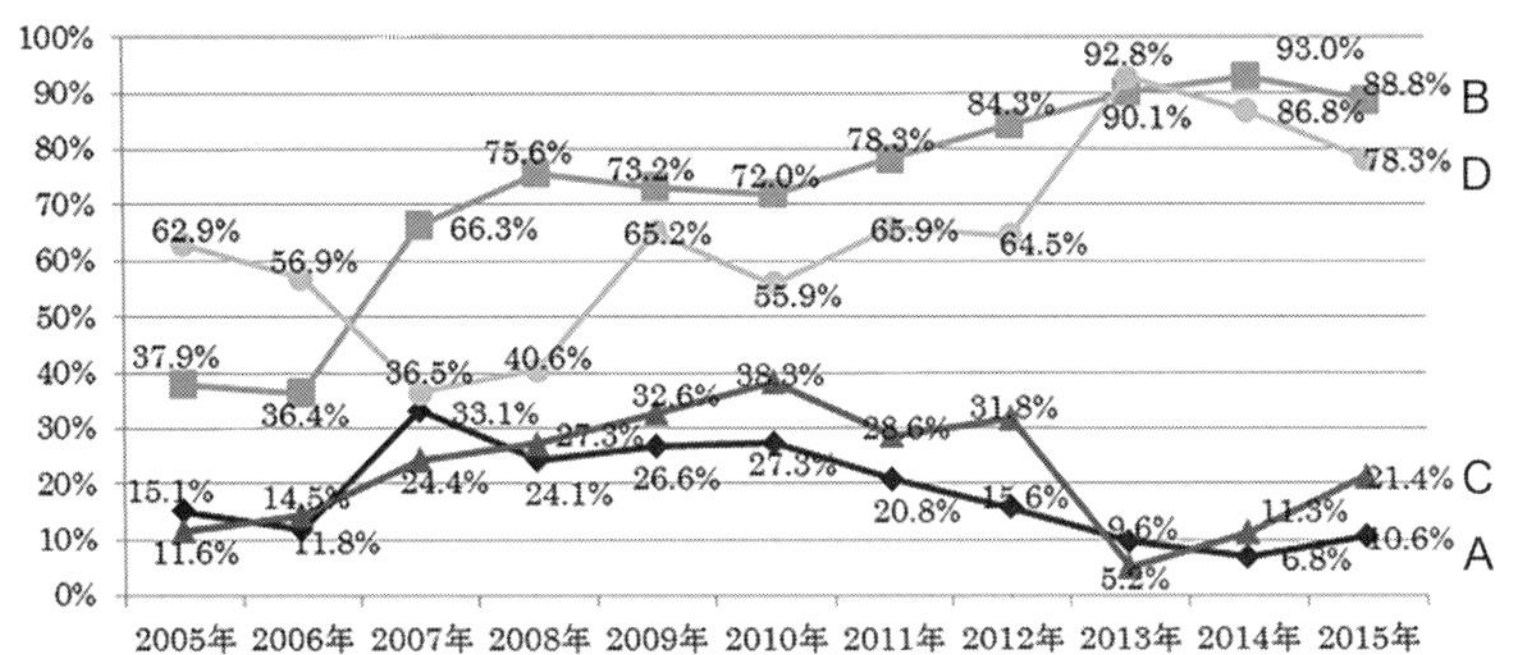

図表１　日中の世論の推移

策で対立を収拾した（後藤田官房長官は中国側と、首相、外相および官房長官の三役は在任中に参拝せずとの密約を交わしたと言われる）。対中ODAはそれ以後、更に拡大していった。89年に天安門事件が発生したが、対中経済支援は増え続け、民間人の対中イメージも、「良くない印象」を持つ比率はずっと3割台以下にとどまっていた。それが急上昇したのは21世紀に入ってからのことである。07年、6割台に一気に上昇し、それ以後の5年間は7割、8割台に伸び、13年以降はずっと9割前後を維持している。（図表1のBの線参照）

溝口雄三が描いた「中国の衝撃」

様々な原因と背景が考えられるが、日本人の対中感情が急速で大幅に悪化したのは、中国の急速な台頭による心理的な衝撃と、バブル崩壊後の閉塞感や内向きに転じる社会心理の変化が重要な背景ではないかと思われる。04年、東洋史大家の故・溝口雄三先生が著した『中国の衝撃』（東大出版会）の長い序論の中で、中国台頭の衝撃を近代史観と結び付けて次のように表現した。

かつて〝西洋の衝撃〟によって日本の突出した台頭をうながし、中華文明圏を舞台から退場させたと思っていた歴史が、〝中国の衝撃〟――ボディーブローのように鈍角的で、知覚されにくく、図式化しにくいが、ゆったりとした強烈な衝撃――によって反転されはじめた。われわれにとっての〝中国の衝撃〟は、優劣の歴史観からわれわれを目覚めさせ、多元的な歴史観をわれわれに必須とさせ、今後関係が深まるがゆえにかえって激化するであろう両国間の矛盾や衝突のなかに、「共同」の種を植え付させるものでなければならない。

欧米に羅針盤の指針方向を合わせていた日本にとって、中国の急速な台頭は、確かに全方位的な衝撃だった。中国の経済力、軍事力、国際的影響力で日本を凌ぐ勢いが伸びる中で、日本メディアの対中報道のスタンス、中国に対する社会的な容認度も、大幅に変化した。中国に理解を示すと「媚中派」ないし「売国奴」とのレッテルを貼られるが、中国批判なら度が過ぎても咎められない。急速に増強される中国の軍事力に接し、海洋国家特有の強い対外恐怖感による「増幅効果」も加わった。そのような一方的な雰囲気の中で、漁船衝突事件（10年）、尖閣（釣魚島）「国有化」（12年）などの「偶然」をステップに、中国に「よくない印象」を持つ人のパーセンテージが「必然的に」9割に膨れ上がっていった。

中国側にも一部の原因がある。「超新星爆発」の中国は、どのように「大国」として振舞うかを習得しておらず、かつての対日コンプレックスも裏返しに出てきて、日本に強い態度で接するように変わったところがある。中国の高速鉄道は日本の新幹線など海外の技術を多く導入したのに、「完全に独自の技術」だとある幹部が豪語した。それに対する日本の反発は、11年に温州市で発生した衝突脱線事故に関する「ざまを見ろ」というような（中国から見て）感情的な報道ぶりにつながった。近年の「戦狼外交」は、理由はさておき、コロナウイルスが最初に武漢で蔓延したことを背景に、もともと低姿勢を好む日本人の中国に対する目線を一層厳しくさせた。

実はこの間、中国人の対日観は一進一退があったものの、むしろ好転し始めていた。かつての対日憎悪は歴史上の侵略、現実の問題によるだけでなく、遅れたが故のコンプレックス、自信のなさの現れでもあった。だが、今は日本に対する劣等感が、特に40代以下の若者世代ではほとんど消え去り、自信や「未来がもっと良くなる」という期待が増えている。その対日目線も「等身大の日本」をもっと知ろうとの方向に変わりつつある。日本の良さに対して、かつて考えられないほど素直に評価するようになり、日本ともっと仲よくなろうとの意識も上昇している。だから、近年の中国人の対日感情は世論調査で大幅に改善した（近ごろはまた下がっている）。

10年の「漁船（と海保巡視船との）衝突事件」、12年の係争島嶼の「国有化」とそれに対する中国の強烈な牽制が民間感情を大幅に悪化させた転換点といえるが、その後、両国関係が改善し、「小春日和」を見せた時期もあった。中国は日本最大の貿易相手国となり、経済と文化交流も密接化し、コロナ直前の19年、中国からの日本訪問者は空前の1000万人近くに達した。同年夏の大阪G20サミットで来日した習近平主席を安倍首相（当時）が最高待遇でもてなし、両首脳は「日中新時代」を共に謳った。コロナ発生後も、最初は日本から武漢を支援する動き、続いて中国から何倍もの規模で日本を支援する動きが現れた。

北京冬季五輪開会式への採点で見えたもの

にもかかわらず、日本社会の対中感情は全世界で見ても突出してずっと悪いままである。「中国に好感を持たない」比率はこの10年間以上、ずっと9割前後で推移している。政界では、他の政党はさておき、日本共産党が中国批判の急先鋒になっている。「リベラル」学者の一部も、中国全面否定の流れに乗っている。両国の相互依存、交流拡大が続いているのに、対中観が一番厳しい状況に留まっていることを見ると、領土紛争、文化的摩擦など（中国とほかの国との間にもあるが）が主要原因というより、やはり日本側の「中国」を見る目と心理に何か決定的要因があるのではないかと考えざるを得ない。

筆者は、「9割の日本人は中国嫌い」という「世論調査」の結果を額面通りには受け取らない。大半の日本国民は中国に関する情報に直接に接することなく、ほとんど国内メディアの報道を受けて好き嫌いを導き出している。NHK含め、民放と主要メディア、更に週刊誌、夕刊紙、本屋の目立つところに並ぶ書籍など、中国批判一辺倒の「中国情報」に基づいて判断するなら、誰もが中国嫌い、反中になる。それを考えれば、これらの媒体で発信する日本のオピニオンリーダー層の見方、彼らによる取捨選択が世論の趨勢を形成したと言える。

それを裏付ける例が、北京冬五輪開会式に対する日本国民の反応である。22年2月4日から14

日までの期限で、ヤフージャパンは「開会式の満足度」に対するアンケート調査を行った。自由投票の結果、10点満点から0点までの11項目に対して、14日夜締め切りの時点で、10点満点は45・7%の23391票だが、0点をつけたのは25・2%の12934票だった。その中間の各項目は5点の5・2%を除いていずれも4・5%台以下だった（図表2参照）。

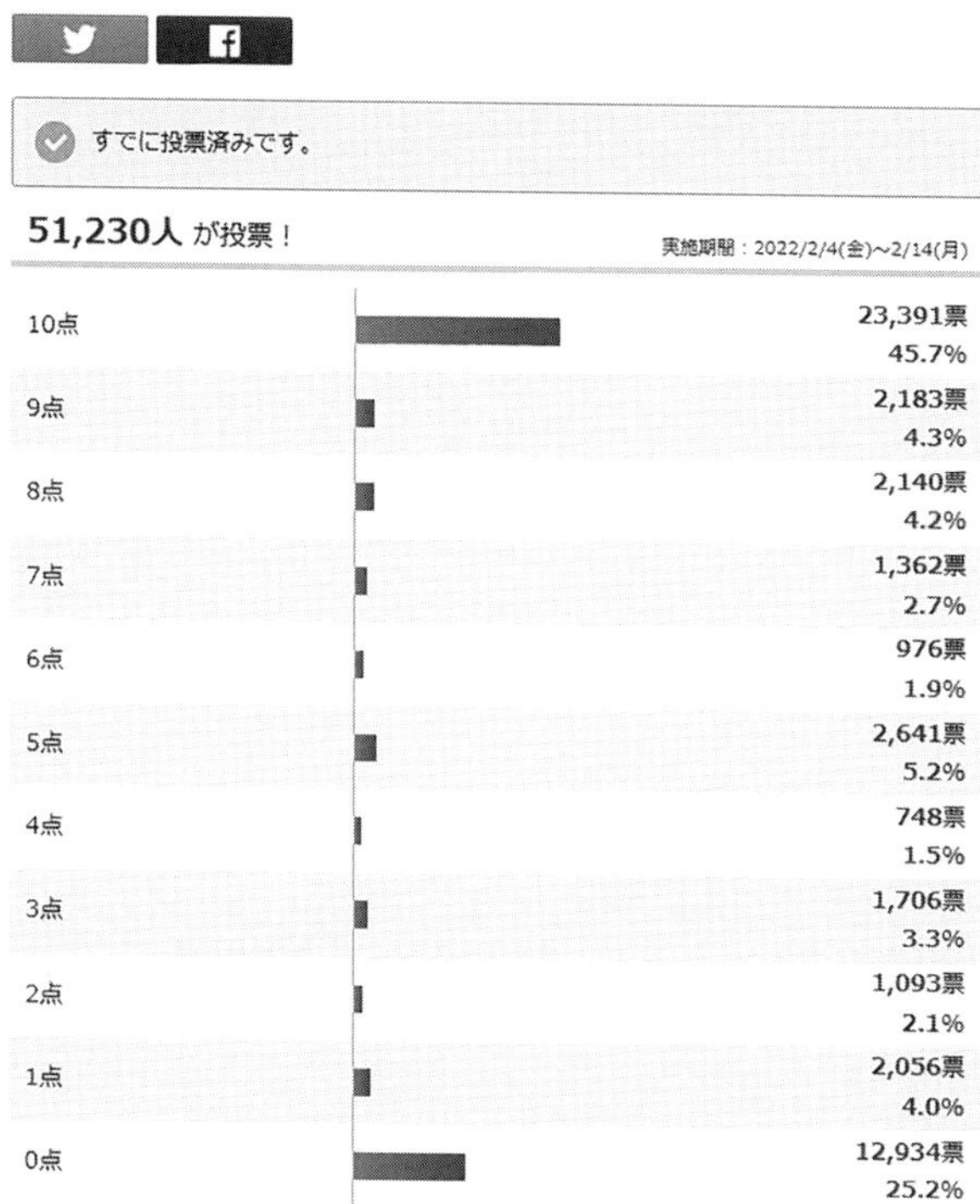

図表2　北京冬季五輪開会式への日本人の満足度

　アンケート調査開始直後からこの投票欄の推移に注目していたが、最初の2日間、10点満点と答えた者は60%前後で、0点をつけたのは20％だった。5日間ぐらい経ってから、どういうわけか0点をつけた者だけが急増し、25％台になった。

この調査結果に対しては、二つの解釈が可能だ。一つは、開会式を見た直後、日本メディアの報道・解説を経ず、すなわち先入観を持たずに個人の第一印象で投票した日本人のうち、6割近くが素直に10点満点をあげたことだ。その反面、一部の人は、どんなことやものを見せられても、中国に対する評価は「ゼロ」、完全否定と拒否を予め決め込んでいる。もっとも数字上はそれが2割を占めていても、ある日本人の友人によると、中国否定の固定観念を持つパーセンテージは実際はもっと低いという。

日本国内の報道だけを見て「中国が嫌い」と思った人の大半は、バイアスがかからずに相手を素直に見れば、「親近感」がもっと湧き、相互理解がもっと進む可能性がある。北京冬季五輪開会式というイベントは、普段の中国と異なるところがあるものの、それが「中国」であることに変わりはない。長年日本に在住している私も、北京五輪を通じて中国社会の進歩、国民心理の変化を強く感じるものがあった。

他方、2割前後の日本人は現在の中国を0点と決めこんでおり、もしオピニオンリーダー層の多くがこの部分に属するならば、対中感情の改善へのハードルは依然高いことも痛感した。

認識のギャップを生む諸要因

日本のオピニオンリーダー層の「中国嫌い」が顕著になった現象について、元駐日外交官の王泰平大使は次のように分析している。

前20世紀末から現在にかけて、日本人の中国観には4回目の変化が生じつつある。中国の経済発展と軍事力強化を前に、アジアのリーダーとしての地位の動揺を感じ、自信を失い、困惑し、中国とどう付き合えばよいかわからなくなっている人も多い。中国に対する納得のいかなさ、懸念、不安、恐れ、焦慮など複雑な感情が日本社会を覆っている。中国の将来に対して日本国内にはさまざまな見方があり、中国を中長期的脅威と見なす人も多い（「静かに変化するパワーバランス、中国観の調整を迫られる日本」、「人民網日本語版」11年1月10日）。

この見方には部分的に賛成だが、ほかに思考様式、相手国に対する心理などの構造的原因もあると感じる。

一つは日本人特有の、細かい数字・事柄をよく観察するが、大局を時々見過ごす、という観察の仕方にも関係する。振り返れば、この20から30年、日本の主要メディアはずっと「経済失速」「経済過熱」「銀行危機」「不動産バブル」「バブル崩壊」などなどの「中国崩壊論」を書いてきた。個々の現象は確かにあるが、一本の「木」なのか「森」全体のことか、その見分けに苦労してきたように感じられる。

また、日本人の大半は中国人より、ある対象を把握するのに「理屈」にこだわるような気がする。理屈に納得すれば素直に受け入れるが、納得しなければ新しい現象・動向をなかなか受け入れず、古い「理屈」での解釈に閉じこもりがちになる。ところが、今の中国に関しては、日本側の見る目や心理にも問題があるが、中国自身も外部を納得させるような「理屈」を説明していない。中国の官製メディアは、国内向けの「宣伝工作」のつもりで対外説明をしている。外交部は中国の立場を必死に語るが、「中国政府の言説」で信用が割引されるし、海外の事情、心理、目線をよく理解した上で行う「中国ストーリー」の説明も弱い。少なくとも現時点で日本のオピニオンリーダー層を納得させられていない。

もう一つは、自分が常に講演などの場で説いていることだが、日本人と中国人の間の、他の国同士ではめったに見ない特殊な相互心理の問題がある。両者ともプライドが高い代わりに、共に相手に対して複雑な心理的葛藤を抱えている。日本人は文化・思想面で中国を評価するが、明治時代以来、欧米の物差しで中国を見下ろしてきた思考様式がこびりついている。今日の急速に台頭する中国を内心素直に認めておらず、一方また怖いと感じるところがある。したがって、その対中観は、「中国脅威論」と「中国崩壊論」の両極端にぶれやすい。それに対し、中国人も内心、日本に対して歴史的優越感、近代の侵略を受けた屈辱感、全般としてまだ将来の道を固めていない自信の欠如などの混合により、日本を素直に見ることができていない。だから、日中とも、「あなたにだけは負けたくない」という潜在的意識が衝突しがちである。

そのような背景の下で、中国や中国と関係する問題に関して、日本主要メディアの理解と説明の仕方は、中国の本音と実情をあまり理解しない解釈ないし決めつけが多いように感じられる。

「島」の紛争を「玉虫色」にしてきた歴史

最近の日本人の「中国嫌い」には、いくつかのきっかけがあるようだ。12年の尖閣（釣魚島、以下は「島」と略称）の「国有化」に対する中国の一部の民衆による現地日本企業への攻撃や日本製品ボイコット（これには報道の誇張があり、ベトナム、韓国でも発生）、香港と新疆問題（第十一章参照）、南シナ海問題と「戦狼外交」（第八章参照）、政治体制の違いなどが挙げられる。日中のパーセプションギャップ（認識のずれ）は、特に「島」問題に典型的に現れている。日中国交正常化の過程とその後の長い時期において、両国政府とも、国内向けに「自国領土」を主張しながら、相手との交渉では突き詰めず、紛争を事実上棚上げにすることで暗黙の了解を交わしていた。

国交樹立2か月前に訪中した公明党の竹入義勝書記長（当時）は、72年7月28日、周恩来首相（当時）との会談の関係内容について、「島」問題を自ら切り出し、「棚上げ」という周恩来首相の回答を得たことを後に証言している。

尖閣列島の帰属は、周首相との会談で、どうしても言わざるを得なかった。「歴史上も文献からしても日本の固有の領土だ」と言うと周首相は笑いながら答えた。「竹入さん、我々も同じことを言いますよ。釣魚島は昔から中国の領土で、我が方も見解を変える訳には行かない」。さらに「この問題を取り上げれば、際限ない。ぶつかりあうだけで何も出てこない。棚上げして、後の賢い人たちに任せましょう」と強調した。（朱建栄他編『記録と考証 日中国交正常化・日中平和友好条約締結交渉』、以下は『記録と交渉』と略称、204頁）

竹入氏の報告を詳しく聞いた田中角栄首相は、国交正常化交渉のために訪中した際も、このような「棚上げ」に関する中国側の意向を再確認したくなった。9月27日に行われた3回目の首脳会談で「島」の問題を進んで切り出し、ここで「触れないでおこう」と合意したことを、当時の外務省中国課長は後に証言している。

こんな雑談のあと、周首相が「いよいよこれですべて終わりましたね」と言った。ところが「イヤ、まだ残っている」と田中首相が持ち出したのが尖閣列島問題だった。周首相は「これを言い出したら、双方とも言うことが一杯あって、首脳会談はとてもじゃないが終わりませんよ。だから今回はこれは触れないでおきましょう」と言ったので田中首相の方も「それはそうだ、じゃ、これは別の機会に」、ということで交渉はすべて終わったのです。（前出『記録と考証』２２３〜２２４頁）

「日中平和友好条約」批准書交換のため来日した鄧小平・副首相が78年10月25日、日本記者クラブで記者会見した際の談話は、中国側の一貫した認識と立場を示した。

中日国交正常化の際も、双方はこの問題に触れないということを約束しました。今回、中日平和友好条約を交渉した際もやはり同じく、この問題に触れないということで一致しました。我々の、この世代の人間は知恵が足りません。この問題は話がまとまりません。次の世代は、きっと我々よりは賢くなるでしょう。そのときは必ずや、お互いに皆が受け入れられる良い方法を見つけることができるでしょう（日本記者クラブ「会見詳録」）。

78年4月、中国の200隻以上の漁船が「島」海域に集まったことに、日本側が抗議し、双方が水面下で交渉して事態を平和裏に収拾した。続いて翌79年5月、日本側が「島」で灯台を設置しようと現地調査に入ったことに中国側が抗議した。それについて園田直外相（当時）は、5月30日衆議院外務委員会で次のように答弁した。

ことさらに中国を刺激するような行動、これ見よがしに有効支配を誇示するようなことをやれば、やはり中国は国でありますから、自分の国であると言っている訳でありますから、これに対して異論を出さざるを得ないであろう。そうでない状態が続くことを私は念願しております。（第87回国会衆議院外務委員会会議議事録第13号）

当時の日本の主要メディアも「棚上げ」を支持した。日本側の灯台建設、現地調査などの動きに対し、同年5月31日付読売新聞が「尖閣問題を紛争のタネにするな」と題する社説を掲載し、次のように棚上げの「暗黙の了解」を解説した。

尖閣諸島の領有権問題は、一九七二年の国交正常化の時も、昨年夏の日中平和友好条約の調印の際にも問題になったが、いわゆる「触れないでおこう」方式で処理されてきた。つまり、日中双方とも領土主権を主張し、現実に論争が〝存在〟することを認めながら、この問題を留保し、将来の解決に待つことで日中政府間の了解がついた。
それは共同声明や条約上の文書にはなっていないが、政府対政府のれっきとした〝約束ごと〟であることは間違いない。約束した以上は、これを順守するのが筋道である。

その後、日本政府は「島」での灯台、ヘリポートの建設などの動きを全部止めた。
朝日新聞も1992年4月8日付朝刊の、宮澤喜一首相の訪中で行われた日中首脳会談、天皇訪中に関する社説で「懸念された尖閣諸島の領有問題は、事実上の『たな上げ』が再確認された」と述べた。

1982年、鈴木善幸首相が来日したサッチャー英首相に対し、「島」の領有権に関しては日中間に「現状維持する合意」があると明かしていたことが、14年末に機密解除されたイギリスの公文書で明らかになった。「鈴木氏の発言は、日中の専門家らが指摘する『暗黙の了解』の存在を裏付けている」と、共同通信の同年12月30日付記事が解説した。

「玉虫色」をできなくした「国有化」

実は70年代末からの約10年間、「島」周辺では石油共同開発を進める多くの動きもあった。（左頁：読売新聞 79年1月3日朝刊の記事）

共同開発の交渉が80年代末まで政府間の了承を得て続けられた。その後も、「島」をめぐる齟齬が何度か発生しても両国政府間で東洋の智慧を生かして「玉虫色」的に処理され、長きにわたっ

中国に共同開発を打診
領土タナ上げで
「尖閣」周辺の油田
政府にも要請
環境好転と業界

て先鋭化せず、両国関係に深刻な影響を与えるまでに至らなかった。

「島」の問題が衝突寸前まで激化したのはやはり、2012年だった。

同年4月16日、石原慎太郎都知事（当時）はワシントンのヘリテージ財団主催のシンポジウムで講演した際、「島」を東京都が購入し、港湾施設などを整備して「日本の有効支配を確たるものにする」と語った。東京都による購入計画に、丹羽宇一郎現役駐中大使は6月7日付けFT紙によるインタビューで、「購入が実行されれば日中関係に重大な危機をもたらすことになる」として反対を明言した。にもかかわらず、夏以降、民主党の野田内閣は国内のナショナリズムに押されて、中国の反対を押し切って「島」の「国有化」方針を示し、更に「島」で施設を作ることを検討していた。

17年9月12日付朝日新聞朝刊に、野田首相（当時）は12年8月19日、石原知事との間で都による購入から「国有化」への方針転換を話した場で、魚釣島で「船だまり」すなわち小型港を作るという後者の要求を受け入れたことを後に認めている。

漁船とかいろんな船が来ていた。嵐になり、船だまりがあって停泊時に（乗組員に）上陸されたらどうするかを考えたほうがいいのではないかというのが私の意見だった。石原さんは、国が買うなら国がやってもいいとも言っていたが、条件として船だまりをつくらないとだめだとのことだった。

12年9月10日の関係閣僚会合でついに、魚釣島、南小島、北小島の3島を地権者より購入し正式に国有化するという方針が決定され、翌11日、3島を20億5千万円で購入し、国への所有権移転登記を完了した。それに対し、中国は「島」の領土基線を公表して国連にも提出し、海域の天気予報を発布するようになり、公船が「島」領海内を定期的に「巡航」するなど、一連の対抗措置を取った。前から存在する潰瘍だったが、ここで一気に傷口が広げられ、日中関係は「国交正常化以来最悪」の状況に陥った。

皮肉なことに、14年3月、日本維新の会の共同代表を務める石原慎太郎は東京都内の日本外国特派員協会で講演し、12年の「国有化」について「民主党政権が人気稼ぎで買ったのは間違いだった。国のマター（問題）にして、相手（中国）を刺激してしまった」と述べている（「尖閣国有化は間違い＝維新・石原氏」、時事通信14年3月26日）。

中国はなぜ「国有化」に強く反発したか

日本の友人の多くから、国有化の閣議決定は「東京都の購入を阻止するための措置」「中国がなぜあんなに激しい反発をしたのか理解しかねる」といった声を聴いたが、そこまで踏み切る中国側に三つの認識と判断があったことが調べてみて分かった。

第一に、「初めて」の「重大」な一歩と受け止められたこと。中国は、「島」は日清戦争で台湾が割譲されたことの一環として日本の支配下に入ったもので、第二次大戦後、台湾の返還に伴って返されるべきとの主張である。日本政府はその領有の手続きとして1895年1月の「閣議決定」を挙げているが、その閣議決定はその後、数十年にわたって公表されていなかった。すなわち長きにわたって、国際的に承認される政府の手続きを履行していない。実は、1895年の日清戦争開戦中のその閣議決定には、列島に属する久米赤島（赤尾嶼）への言及がなかった。それについて、専門家の村田忠禧・横浜国立大学名誉教授は次のように指摘した。

後にそれに気づいた沖縄県は「沖縄県管内全図」（1906年）では黒く隠してごまかす。しかし1919年末に福建漁民の遭難救助事件が発生し隠蔽しきれなくなり、20年2月に久米赤島としてではなく「大正島」として編入する。釣魚嶼も魚釣島、久場島、和平島、和洋島といろいろ名前を変えている。いずれも窃取の事実を中国側に気づかれないようにするための小細工である。

これらの事実が明らかにする通り、無主地先占論は成り立たない。（アジア記者クラブ主催のシンポジウムでの報告用配布資料、16年11月26日）

よって今回の「国有化」の閣議決定は、日本の領有手続きを補強したものと受け止められ、絶対看過できないとして中国が対抗措置に出た。

第二に、今回の「国有化」措置は国際法上の争いにおいて無視できない重大な意味合いを持つと判断されたこと。直後の9月14日、楽玉成外交部部長助理（当時）は公式見解として次のように述べた。

両国間の領土紛争の存在と、両国の前世代の指導者が達成した「係争棚上げ」という重要な共通認識が否定され、世界の反ファシズム戦争の勝利の成果に対する公然たる否定と戦後の国際秩序に対する深刻な挑戦であり、中日間の政治的相互信頼の基礎をひどく揺るがした。（中略）閣議決定は「やむを得ず」、いわゆる「平穏、安定」を保つためと釈明されているが、政府と石原氏が演じた「二人バネの芝居」に過ぎず、目的は釣魚島問題における日本側のいわゆる「法理的地位」を強化することにある。

なお、張海文国家海洋局海洋発展戦略研究所副所長（兼中国海洋法学会秘書長、当時）も9月16日、上海で開かれた会議（筆者も参加）でこう述べた。

（国有化は）国際法上重要な意義を持つ。もし中国が黙認すれば、日本政府が釣魚島に対して平和的、持続的、安定的な管理を実施することになり、もともと国際法上存在した抜け穴を埋めたことを意味する。これまでこの一歩が達成されていないので、現在それをやり遂げようとする思惑が見えており、これは中国側が断固として同意できないものだ。

いわば、「国有化」措置は日本の国際法上の立場を強くするための重要な一歩であり、それに対抗措置を取らないと、万が一国際裁判所の仲裁に提訴された場合、日本の主張にかなり有利になる、との認識だ。

第三に、「国有化」をめぐる説明不足、タイミングの悪さもあった。12年9月28日付毎日新聞の記事によると、唐家璇（とうかせん）前外相が前日、訪中した加藤紘一・日中友好団体会長らと会談した際、閣議決定前日にＡＰＥＣの会場で野田首相が胡錦濤主席に僅か15分間の立ち話で説明し、〝直後（の11日）に国有化することはないだろう。メンツをつぶされた〟と強い不満を表明した、という。もう一つのタイミング上の問題もあった。直後に首脳陣の一新（胡錦涛指導部から習近平体制へ）を決める第18回党大会が控えていたため、首脳部の誰もがこの時期に「弱腰」を見せられず、最も強硬な姿勢を取る結果に結びついた。

「四項目合意」で関係が緩和

12年の正面衝突に至る過程で伏線があった。日本側は、中国の国力上昇により「偽装民兵の上陸」などで仕掛けてくることへの警戒感を高め、様々な「対処措置」が公に議論されていた。それに対して中国側は、日本があれこれ口実をつけて「島」に対する実効支配を強めようとしていることにいら立ちを募らせていた。このような認識のずれと相互警戒の心理は、10年9月に発生したいわゆる「漁船衝突事件」ですでに表面化していた。この年はちょうど日中ＧＤＰが逆転した年で、日本社会の対中心理はかつてのような自信と余裕を失っていた。民主党政権はそれまでの、「島」紛争を玉虫色に扱う歴史的継承も外交的智慧もなく、国内の支持基盤が弱いため、ナショナリズムの動きに流されやすかった。中国も首脳人事交替の季節に突入していた。また国交正常化以来、両国関係の潤滑油の役割を演じた、水面下の意思疎通を行う人脈も薄れていた。様々な「偶然要因」が、日中関係の「大火事」につながった。

その後、二期目に登場した安倍首相は靖国神社に公式参拝し、「自由と繁栄の弧」という中国包囲網的な構想を提唱した。中国は一時期、韓国と連携して日本に対する「歴史問題の共同戦線」を作ろうとした。日中関係は「島」・歴史・外交・国民感情など、あらゆる面で対立が激化した。ようやく2年経ち、この摩擦がそれぞれの内政・経済・外交にもたらすマイナスの大きさを認識した双方は14年11月7日、外交当局の間で以下の四項目の合意に達した。

1 双方は、日中間の四つの基本文書の諸原則と精神を遵守し、日中の戦略的互恵関係を引き続き発展させていくことを確認した。

2 双方は、歴史を直視し、未来に向かうという精神に従い、両国関係に影響する政治的困難を克服することで若干の認識の一致をみた。

3 双方は、尖閣諸島(「釣魚島」)等東シナ海の海域において近年緊張状態が生じていることについて異なる見解(「主張」)を有していると認識し、対話と協議を通じて、情勢の悪化を防ぐとともに、危機管理メカニズムを構築し、不測の事態の発生を回避することで意見の一致をみた。

4　双方は、様々な多国間・二国間のチャンネルを活用して、政治・外交・安保対話を徐々に再開し、政治的相互信頼関係の構築に努めることにつき意見の一致をみた（外務省HPによる。括弧中は中国語文書の表現）。

この四項目合意は、高度な外交テクニックをとりいれた傑作だと言える。第1項は原則論、第4項は努力方向を示したものだが、第2項は歴史問題の克服について、第3項は「島」の係争について初めて公文書に明記され、ともに「危機管理メカニズム」の構築で一致と合意がなされたもので、後の経過から見ても対立・紛争の更なる拡大を封じ込めた重要な文書である。それ以後、コロナの感染拡大、安倍内閣の退陣まで、日中関係は大幅な改善に向かった。この四項目合意が露払いし、前進の土台を作ったと言える。

20年5月以降、「島」をめぐる日中の緊張が再度高まった。そのきっかけは、「尖閣諸島を守る会」代表世話人の仲間均石垣市議が借りて乗った漁船「高洲丸」が、1年ぶりに「島」領海内に二日間連続で入ったことだった。日本側が行動すれば、中国側も立場上、反応せざるを得ない。しかし中国公船の「漁船」に対する追跡行動は各メディアで「追尾」と報じられた。「追尾」は本来、「後をつけて行く」「尾行」の意味だが、「武装した中国公船が弱小の日本漁船にぶつけようとした」とのイメージで騒がれ、対中感情が一気に悪化した。

実際は近年、中国公船の「島」領海に入る回数は減っていた。20年5月に「高洲丸」を追跡して中国公船が領海入りした回数について、各メディアは（連続二日間で）「今年の8回目と9回目」と伝えたが、19年末まで中国公船が毎月3回から4回の頻度で入ったのに対し、20年は5月前半まで7回しかなく、月平均だと1・7回だった。習近平主席の訪日（予定）、コロナの蔓延、東京五輪を意識して対日改善の雰囲気を醸し出そうという北京の思惑が込められていたが、「守る会」の漁船はその緩やかで難しい「緩和」の流れを一気に断ち切ってしまった。

中国軍が「島」に来ない三つの理由

中国側はその後も、日中関係の「大局」が「島」の問題に引きずられてこれ以上悪化しないよう働きかけていた。外交部報道官は7月6日、「漁船」の領海入りを止めさせるよう日本政府に申し入れたことを明らかにした。その前、石垣市議会で尖閣諸島の字名を「石垣市登野城」から「石垣市登野城尖閣」に変更する議案が可決されたことに対しても、政府による公の批判を抑え、日本政府への申し入れに留めた。11月に訪日した王毅外相は、（政治意図が強い）「正体不明の漁船」が領海に入らなければ中国公船もそれに合わせて入る必要がないとのニュアンスで日本人記者に話した。22年1月末、日本側の民間調査船がまた「島」領内に入り、中国公船二隻が並走した。調査船の領海入りを許可したのは菅前内閣だったことの説明を受け、中国側の反応も限定的なものにとどめられた。

中国からすれば、「島」の緊張をエスカレートさせているのは日本側だ。中国公船が「島」の接続水域に長く滞在するのは国際法上別に問題がなく、日本側からの「仕掛け」（突然の領海内や上陸の活動）を警戒・牽制する態勢である。今や「島」をめぐって日本と白黒をつける理由はなおさら薄れている。島周辺の海底石油資源は究明されておらず、化石エネルギーの重要性そのものも下がっている。中国海軍の太平洋進出のためにこの島を奪取しにくるとの解釈があるが、中国軍がこれを「占拠」すれば日本側は何もしないはずはないし、その海域の緊張を高め、日米両軍の連携を一層緊密化する、という「望まない」逆効果しかない。

軍事行動の有無を判断するのに、「能力」も重要だが「意図」の評価はもっと重要である。中国から見て、政治・外交・経済のあらゆる面において、日本との係争地をめぐって軍事力を行使することは「下の下の策」である。「島」を武力で占拠することはかえって「中国にとってマイナスが大きい」と理解される理由は三つある。

一つ目、中国軍が奪取に出動した瞬間に、日本だけでなく周辺の国はみな中国が怖くなり、米国による対中包囲網に加わる。これで中国は周りの国々をすべて敵に回し、決定的に孤立する。

二つ目は、ロシア軍によるクリミア占領、ウクライナ侵攻に見られるように、一方的な武力行使は世界主要国、特に西側諸国から経済制裁を受けるのが必至。対外依存度が高い中国経済はこれには堪えられないし、「中華民族の偉大なる復興」という夢、米国経済に追いつく可能性も永遠に失われる。

三つ目に、「島」は台湾の政治経済の中心地である台北から東に約二百キロメートルの洋上にある。仮に解放軍が占拠し、常駐した場合、一番怖がるのは台湾だろう。これで台湾と米国ないし日本との軍事的連携が公然化すれば、北京が掲げる平和統一への道を、自ら閉ざすことになる。

中国の論理で言えば、軍の出動によって得られるものに比して、失うものの方が圧倒的に多い。にもかかわらず、どうして中国軍侵攻説が有力なのか。中国側専門家は、米国が日中の接近を望まないがために煽っているという理由以外に、日本の中でも「島」をめぐる中国の脅威を誇張し、日本自身の軍備拡張を正当化しようとする一部の勢力が存在するからだと分析している。

実は、「島」紛争の解決を阻害する最大のネックは「固有領土」論と、それを根拠に煽られる両国のナショナリズムであると、筆者が参加する「アジア島嶼研究会」（通称：島研）はその歴史的経緯と問題の本質を検証した共著を出したところだ。書名『東アジア国境紛争の歴史と論理』（藤原書店、22年9月）という分厚い学術本だが、日中の「島」をめぐる争いを新たに「棚上げ」するための「紛争解決ロードマップ試案」も提起している。ぜひ読んでいただきたい。

「海警法」批判の的外れ

21年2月、「中華人民共和国海警法」が成立した。それについて日本の一部から、「管轄海域の範囲が曖昧」、「武器使用の許可」、「外国船舶に対する強制措置の容認」、「海洋警察の『準軍組織』の性格」などが問題とされ、「中国は一段と危険な国」になったとメディアで騒がれ、これも一般国民の対中感情を悪くした典型的な出来事の一つだった。

中国現代国際関係研究院の専門家（胡継平、徐永智両氏）が、各国との比較を行った寄稿（『環球時報』21年3月30日）を紹介する。

「管轄海域」の範囲規定は「海警法」の立法趣旨と無関係だ。日本など多くの国の同類の法律も具体的な法執行範囲を明確に規定していない。ベトナム、フィリピンの「海警法」は「管轄海域」と概括するだけだが、米国沿岸警備隊の法執行海域はより広く、その規定によれば、「公海又は米国が司法権を有する海域及びその上空」が含まれている。

海上法執行において必要な場合に武器を使用することは、国際的に通用するやり方だ。海上保安庁は、警察官職務執行法に基づいて一般警察と同様に武器が使用可能で、更に２００１年の海上保安庁法改正で、船舶が停船検査命令を拒否して抵抗し、逃走する場合、他に阻止する手段がないと判断された場合にも条件付きで武器を使用できるようにした。

強制措置については、国連海洋法条約第30条は、沿岸国は自国の法律や規則の要求に従わない外国軍艦に領海からの退去を要求することができると規定している。日本の海上保安庁法（第18条）と米国の沿岸警備隊法にも同様の規定がある。

海上法執行力が軍隊の編成に組み入れられ、戦時中に軍事任務を担うことも、国際的によく見られる。英国、フランス、イタリアなどの国はもともと軍が海上法執行を担当している。米沿岸警備隊は武装力の一部であり、陸海空軍、海兵隊に次ぐ「第5の軍種」と呼ばれる（中略）。日本は法律上、海上保安庁が警察であるとしているが、防衛行動と安全保障行動を取る際、首相の権限に基づいて防衛相の統制下に置き、海上保安庁長官が具体的に指揮することになっている。

同記事はむしろ、米日の海上法執行力による「過度な武力使用」を批判しており、日本に触れた箇所は次の通りだ。

日本は「武器の使用を慎重かつ自制している」と自称する（中略）が、海上保安庁の法執行実践に多くの問題と疑問点が存在する。２００１年12月22日に中国の排他的経済水域で武器を使用して「不審船」を沈没させ、乗組員15人を死亡させたのがその一例である。この件は、数十年来東シナ海で発生した最も深刻な武器使用の悪質な事件だ。

ここでいう01年12月の「不審船」事件は、その2年半前に日本領海に侵入した「能登半島沖不審船事件」とは違い、米軍情報に基づいて海保が公海上の「不審船」に対し、日本の「排他的経済水域（ＥＥＺ）」内における規定違反の無許可漁業等を行っている疑いがあったとして、停船命令、立ち入り検査を求めた。当該船は、東シナ海の中間線を越え、中国寄りの海域に入ったところまで逃げたところで撃沈された（九州南西海域工作船事件）。事件の是非をここで論じないが、東シナ海での「最も深刻な武器使用」の事件であることは否めない。

米国が１９９３年、公海上で強引に中国貨物船「銀河号」を停泊させ臨検を行った事件は、前述した通り、これこそ公海上での超法規的、覇権的行為である。ちなみに、香田洋二元自衛艦隊司令官も、日本メディアの中国海警法騒ぎに苦言を呈し、「海警法が定める武器使用の条件と程度が警察官職務執行法のそれと同等か否か」であり、「尖閣諸島周辺の海域における海上保安庁の装備は、現時点においては、中国海警局の装備に見劣りするものではない」と指摘した（「中国海警法への日本の対応は国際法違反の恐れ～九段線より独善的」、日経ビジネス電子版21年3月18日）。

連想されるのは、21年2月8日、海上自衛隊の潜水艦「そうりゅう」が高知県沖で「民間船」と衝突した事件だ。潜水艦の安全確認を怠ったことによる浮上で、衝突されたのは中国香港籍の貨物船だった。そのニュース報道を見てふと思った。仮に人民解放軍の潜水艦が中国沿岸沖で日本の「民間船舶」と衝突していたら、どんな脅威論が煽られていたのだろうか。

「小春日和」後に襲ってきた寒波

一進一退はあるものの、17年から20年ごろまで日中関係の「小春日和」の時期が続いた。

17年5月、二階俊博自民党幹事長の率いる日本代表団(今井尚哉首相補佐官が同行)が北京で「一帯一路国際協力サミットフォーラム」に参加し、習近平主席と会見した際、安倍首相の親書を手渡し、その訪中を要請した。翌6月、安倍首相は「第23回国際交流会議『アジアの未来』晩餐会」で行ったスピーチで、条件付きだが「一帯一路」構想への協力を表明した。7月のG20ハンブルク・サミットでは日中首脳会談が行われた。続いて9月28日、ホテルニューオータニ（東京）で開催された国交正常化45周年・中国建国68周年記念レセプションで祝辞を述べた安倍首相は、翌年にまず李克強首相の来日を迎え、続いて自身が訪中し、それを受けて習主席の来日を招待するとの三段階プランを披露し、関係の改善・強化に意欲を見せた。同年11月のベトナム・ダナンでのAPEC首脳会談で習・安倍両首脳が両国の国旗を背景に笑顔で撮った写真は、日中関係の「雪解け」を象徴した。

18年5月、李克強首相は中国の首相として6年ぶりに日本を公式訪問し、政府間で「第三国における日中民間経済協力に関する覚書」を交わし、米国への配慮で「一帯一路」の言葉を使わなかったが、実際はそれをめぐる協力の推進に関する合意だった。同年10月後半、安倍氏は日本の首相として7年ぶりに中国を公式訪問し、「日中関係が歴史的な転換点を迎えた」と発言した。それに合わせて開催された「第1回日中第三国市場協力フォーラム」に両国首相、外務・経済担当大臣が出席し、総額が180億ドル超に上る52件の協力覚書が署名交換された。

19年6月の大阪G20サミットでの首脳会談は、近年にない「蜜月」ぶりを演出した。習近平主席は特別扱いの接待を受け、安倍首相は「習近平主席と手を携えて日中新時代を切り開いていきたい」と述べ、「来年の桜の咲くころ、習主席を国賓として日本にお迎えしたい」、「日中関係を次の高みに引き上げたい」と語った。習主席も「中日関係は新しい歴史的スタートラインに立っている」と応じた。

20年初頭、武漢をはじめ、中国でコロナウイルスによる感染拡大が最初に発生した際、日本各地から中国へ医療物資を支援する活発な動きがあり、それが中国で大きく報道され、対日好感度は近年の最高水準まで上がった。4月以降になると、感染者が急増した日本に対し、「滴水之恩，湧泉相報（一滴の水の恩を、涌き出る泉をもって報いる）」との伝統的考えを持つ中国は全国各地から日本に医療物資が5倍も10倍も多く贈られてきた。筆者自身も、北京の企業家からの数千着の防御服の寄贈、深圳企業の50万枚のサージカルマスクの日本各地への寄贈を手伝った。

しかし5月以降、前述の「正体不明の漁船」の領海進入に対する中国公船の「追尾」に関する報道が過熱した。「コロナが中国で発生し、日本に伝わり、大迷惑」との社会的雰囲気を背景に、「中国覇権主義が日本を圧迫」「尖閣を奪いに来る」といった非難がエスカレートした。これで一年前の「蜜月」ぶりや、数か月前の医療物資の相互支援といった友好的雰囲気がすべてふっ飛んだ。

中国語に、年配者が「病気にかかる時、山崩れのように急速に悪化するが、治る時は蚕の繭から絹糸を引き出すように細々と時間がかかる」という意味の「病來如山倒、病去如抽絲」という言い回しがある。歴史上の恩讐、複雑な国民感情、くすぶりかねない発火点を複数抱える日中関係にはまさにこのような特徴があり、好転するのに時間がかかるが、悪化は一気に到来する。「不進即退」（進まなければずるずると後退）という表現もよく使われる。常に配慮、意思疎通、妥協、マネジメントが必要で、それを怠ればとことんまで落ちていく。コロナ感染の拡大や経済対策に追われたこと、安倍内閣から菅義偉内閣へ交代して政治的指導力が弱まったこと、保守勢力の突き上げを放任してしまったことなどが重要な内部原因で、トランプ政権末期の米中関係の急激な悪化が外部環境になり、日中関係、国民感情は一気に大幅に後退した。

情報化時代の「落し穴」

中国の古典『列子』に「疑人偸斧」（「人斧を盗むを疑う」）という話がある。相手を悪者と決めつけたら、相手の言動のすべてが怪しく見えてしまい、そう信じ込んでしまうとの意味だ。

今の日本社会に中国をそのように懐疑的、ないし否定的に見せるもう一つの思い込みが、「情報繭室（せんしつ）」と呼ばれる問題である（「繭室」とは蚕を飼うための密閉する部屋のこと）。

筆者はいつも講演後の質疑応答で、「中国の若者は海外の動きを本当に知っているか」と聞かれる。日本は自由の国だから何でも知っているが、中国では情報・言論統制があるから、一般民衆は真実を知らされず、特に海外の情報から遮断されている。だから、中国当局の話はプロパガンダに過ぎず、信用できない。よってこの国も信用できない、との結論に至るようだ。

中国に厳しい情報と言論の制限があるのは事実だ。問題は、情報化時代において果たして完全にコントロールできるかどうかということだ。第五章で紹介した通り、知識人や若者は、様々な方法で海外情報を入手している。「情報不足」と認識しているため、政府発表と違う情報ソースを積極的に追い求める。更にそれらの情報を互いに転送する。結果的に中国人社会は「予想以上に」内外情報を持っている。

ここで問題としたいのは、日本や米国などの「自由国家」のことだ。トランプ前大統領が嘘、脱税、外国との不正行為で弾劾を受けたにも拘らず、大統領選挙では依然国民の4割以上の支持票を獲得した。支持者の73％は「あの大統領選挙では勝ったはずの結果が盗まれた」と言い、45％は暴徒の国会突入が合法だと後にも信じている。情報が最も自由なはずの米国では、誰も情報源を独占しておらず、さらに誰もトランプ支持者たちに特定の情報だけを信じろと強制していないのに、彼らはひたすら自己洗脳し、情報を自己制御し、「自覚的に」いかなる不協和音もブロックしている。これが「情報繭室」、「情報のパラレルワールド」の現象である。

「情報繭室」は、1997年に死去した中国の人気作家で思想家の王小波氏が初めて使った表現だが、情報化社会の「落とし穴」を指摘している。一人の人間がアクセスできる情報の量は限られるため、結果的に、不快感を持つかもしれない情報を無意識的に排除し、好きで信じたい情報を好んで入手し、いつの間にか居心地の良い「情報繭室」に自らを閉じ込め、現実から離れた「パラレルワールド」に入り込んでいる。

中国の人気ライターはこの現象を説明した上で、「今日のソーシャルメディアはこの問題を一層エスカレートさせている」「相互の無理解こそ恐怖と偏見の源である」と指摘し、「いかにして情報の繭を破り、ネット空間がつくり出すイメージから抜け出すかが重要」と問題提起した。

「情報繭室」の視点を借りて見れば、「情報が制限されている」と思う中国人は「ファイヤウォール」と突破して意欲的に幅広い情報を入手しており、結果的に内実はかなり多様性を呈する社会を作り出している。これに対し、昨今の日本は「すべて知っている」と錯覚しているうちに、14億の中国人社会の実態からかけ離れていくことはないか、自問すべきだ。

レッテルを貼る現象

先入観で相手にレッテルを貼る現象は各国にあるが、日本でもよく感じられる。ある国や人間についてイメージが固定化し、レッテルを貼ったら、それ以上の理解を進めようとせず、逆に思考停止による偏った行動に走ってしまう場合がある。

筆者は日本の言論界で割に多く発言をするので、「中国政府の代弁者」ないしスパイとされたりして、少なからぬ嫌がらせを受けた。ある市の教育施設で講演をしたとき、会場外の街宣車の大音量スピーカーで「抗議」された。所属大学の新入生入試の日に、校門外で私の名前をプラカードに書き、「中国に帰れ」と叫ぶ妨害活動が行われた。匿名の嫌がらせ書簡を何通も受け取った。うちの一通は私のフルネームで発信し、ある暴力団の組長宛に挑発的な内容を活字で入力した書簡だった。それが届け先に受け取りを拒否されたため、筆者の大学住所に戻され、こんな汚いやり方もあることを知らされた。コロナの蔓延中にも、一連の罵倒の表現とともに、筆者はマスコミで発言する際、中国大使館の指示を受けていると書いた匿名の書簡を受け取った。友人にこの件を話したら「ネットでこのことが書かれているよ」と言われ、ウィキペディアの自分の名前の項目を調べたところ、確かに「テレビ番組に出演する直前、携帯電話で駐日大使館関係者と発言内容と程度を相談する姿が目撃され」と書いてあった。

これについて心当たりがあった。12年頃だと思うが、日本政府が東シナ海の中間線より中国側の水域に関しても権利があるとの新しい主張を表明したため、ある民放の討論番組で、それをめぐる討論に招かれた。確か岡崎久彦元外務省国際情報局長・大使（故人）が討論相手だった。日本のマスコミでも、東シナ海の排他的経済水域（EEZ）問題に関して、「日本は中間線を主張し、中国は200カイリ、すなわち沖縄トラフまで主張する」と表現しているので、なぜ主張が変わったのか。これについては自分も知識不足だったので、友人である中国大使館のH公使（当時）の携帯電話にかけて、中国側の認識を教えてもらった。大使館にこのような問題を問い合わせたのは、ただこの一回だけだった。

そもそも、「大使館と発言内容等を相談する姿が目撃され」ることはありえない。「電話内容」が「目撃」されているとすれば、大声でみんなの前で聞こえよがしに話す以外に考えられない。「目撃」という表現を使ったのは、盗聴をカモフラージュするためだろう。盗聴の事実とその内容を知っている人のリークだと考えられるが、自分も日本でこのようなことをされているのだと思うと、嫌気がさした。

実は逆に複数の在日中国人の友人に、「大使館に一々意見を仰がないほうがいい」と忠告したことがある。理由は二つだ。外交官は必ずしも専門的なことに詳しいとは限らないこと。もう一つは万国共通だが、官僚は意見を求められて「見解」を話すと、それを受けた人が従わない場合、かえって恨まれてしまう。そもそも筆者は大使館の方と対等に付き合っているつもりであり、自分が大使館員より格下とは思っておらず、指示を受けるつもりもない。筆者の知っている限り、在日中国人学者のほとんどはそのような距離感を保っている。

一方、筆者を含め、在日中国人学者の一部は日本で「活躍」しているため、日本政府の各部門との関係を疑われ、母国で一時拘束され「行方不明」を経験した。我々は日本と中国の懸け橋を志すが、同時に双方から懐疑的な目で見られる宿命もある。それがゆえに、文化、国の立場を超えて客観的な研究に徹し、真の相互理解に少しでも役立ちたいと考えている。

台湾問題への肩入れを危惧

相互理解のギャップが広がり、国民感情が悪化する中で岸田内閣が誕生した。中国側は新内閣にさっそく祝意を表し、岸田首相は就任4日目に習近平主席との電話会談をし、歴代首相の中でもコンタクトをとるのが一番早かった。22年1月17日の最初の施政方針演説でも日中関係について、「主張すべきは主張し、責任ある行動を強く求めていく」とともに、「諸懸案も含めて、対話をしっかりと重ね、共通の課題については協力し、本年が日中国交正常化五十周年であることも念頭に、建設的かつ安定的な関係の構築を目指す」と語った。

だが権力基盤の弱い岸田内閣は、外交面では米国に過度に肩入れし、また国内政治にも足を引っ張られる形で展開しているように見える。ウクライナ紛争をめぐって米国にある程度歩調を合わせたのは当然の選択肢かもしれないが、北方領土問題でも一括返還という従来の強硬路線に戻り、これまで培ってきたロシアとの信頼・協力関係を白紙に戻し、敵対に近い構図を作ったのは果たして長期的国益に合うか。韓国で保守系の最大野党が推薦したユン・ソギョル（尹錫悦）氏が僅差で次期大統領になったが、選挙期間中に対日改善を公約したユン氏に対し、岸田内閣は難しい歴史問題を打開することへの意欲と真摯さを示せるか。韓国の反対を押し切って佐渡島の金山をユネスコ世界遺産へ推薦する決定をしたことから見て、早期の打開と改善は見込めない。日中関係は特に台湾や安全保障政策面で新しい火種を抱えることになった。

安倍晋三元首相は21年12月1日、台湾とのオンライン会議で、「台湾有事はすなわち日本有事」「日米同盟で対処」と発言し、中国で厳しく批判された。首相時代に中国と「蜜月」ぶりを演出した本人だが、日米両政府が使った「台湾海峡有事」との表現ではなく、「台湾有事」と口にし、台湾の運命と日本の運命をリンクしたことは北京で驚きをもって受け止められただろう。その発言は、日本がかつて台湾を50年にわたって植民地にしたその「未練の現れ」として警戒され、反発されるとともに、「有事」すなわち戦争を中国とすることは、日本国憲法に違反しないか、日本国民の人命を真に考えているか、問われることになる。

14億の中国人の悲願である台湾との統一の大勢は、外部から軍事力や妨害によって阻止できるものではない。国内の一部から喝采を受けるような威勢のよい発言は、逆に中国人全体の敵愾心を呼び、もっと対抗手段を開発する方向に走らせる。安全保障の観点から、どこの国の軍隊も最悪のシナリオを想定しており、万が一台湾海峡で米中衝突が発生すれば、同盟国としての日本が後方支援、あるいは一部参戦することは中国でも当然想定され、対策が練られている。率直に言って中国は日本に攻撃する理由がないし、ウクライナ戦争を見て、誰でも大量の民間人を巻き込んだ戦争は絶対してはならないとの結論を見出しているはずだ。一方、ここまで成長した中国に対し、脅しをかけると受け止められるような言動は慎重にすべきだ。50基以上の原発を持つ狭い国土で、どんな場合でも戦争を選択できない。侵略戦争の歴史に立った反省で世界に誇る平和憲法を持っている。真摯に「台湾」をめぐる戦火を防ぐためなら、米中間の意思疎通のパイプ役をつとめるとともに、中国大陸と台湾の直接対話・交渉のお膳立てをし、サポートすべきである。十年、数十年後、台湾海峡両岸いずれの民衆からも感謝されるような、地道で堅実な努力を期待したい。現実に米国は、アフガンからの撤退やウクライナ戦争への対応からも対処のパターンが見られるが、台湾問題に関して、自らと中国との衝突を回避することを優先しつつ、日本を衝突ないし戦争の最前線に引き出そうとしている。

にもかかわらず、「台湾有事」と騒ぎ立てる狙いは何だろうか。岡田充氏（共同通信客員論説委員）は次のように分析している。

米国や日本の中国専門家も、中国側の論理をよく知っており、台湾有事が決して切迫しているわけではないことは理解しているはずだ。にもかかわらず、日米当局者が「有事論切迫」を宣伝する狙いはどこにあるのだろう。
日米首脳会談の共同声明は「日本は同盟及び地域の安全保障を一層強化するために自らの防衛力を強化することを決意した」と、日本が軍事力を強化する姿勢を強調した。狙いをまとめれば、①自衛隊の装備強化と有事の国内態勢の準備、②自衛隊の南西シフト加速、③日米一体化と共同行動の推進、だと思う。（岡田充【海峡両岸論】21年3月19日）

日中関係が昇華する三段階

今や、日本在住の中国人は80万人以上、コロナ前の19年の来日中国人観光客が1000万人近くに達した。在中国の日系企業総数は3万2887社、在留邦人は11万人以上（いずれも外務省、19年の調査）に上る。中国は日本の最大の貿易相手国である。にもかかわらず、両国間に多くの難しい問題が顕在化し、互いの国民感情が最悪の状態にある。このねじれ現象をどう見て、その先をどう展望すればよいか。

学問を進める上で、学習、苦悩、そして悟り、という三段階があるのと同じように、国家間関係も、最初の知り合い、途中の戸惑い、更に「不打不成交」（雨降って地固まる）の三段階があると思われる。今の日中関係は、互いに未知・無知・想像だった50年前から、関係が密接化したがゆえに感情が複雑化するという第二段階にある。

東洋人同士は顔形が似ており、衣食住の文化が近いがゆえに、知り合った当初、親近感を持ちやすい。だが、互いに千年以上独自の発展を重ねたため、表面上が似通っていてもかなり異なった内面を持ち、更に発展段階と社会体制の相違も存在する。そこで旧来の相手に対する認識が関係の密接化に追いつかず、無意識的に自分の物差しだけで相手を測るようになると、「違うな」「何でそうだろう」という戸惑い、それに続いて疎外ないし反発の感情が、むしろ現れやすい。かつて中嶋嶺雄氏がこれを「近親憎悪」と呼んだが、近親であっても、相互理解の努力を怠れば、赤の他人同士より対立がもっと激化する場合があるのだ。

その意味で、日本と中国、あるいは韓国も含めて、まずは現実的問題に真剣に取り組み、解決できるものは解決し、すぐ解決できないものはガードレールを設置して、それが感情的対立を招き、関係全般に悪影響を及ぼすのを避けるよう、緊迫感をもって対処しなければならない。

一方、日中関係はすでに切っても切れないものになっており、喧嘩すれば共倒れの結果しかない。世界二位と三位の経済大国同士として、それぞれ自国の安定と安全だけでなく、アジア地域ないし世界の平和と繁栄、そして共通のルール作りに向かって行動する責任もある。

実はこの方向を目指す基本的な土台を、両国は共有している。東洋文明である。家族、環境、平和を大事にする意識。白黒をつけるより、「小異を残して大同につく」紛争解決の智慧。そして欧米の長を吸収しつつも、その短を補う使命感など、より大所高所に立って見れば、共通点が多いはずだ。

日中関係の昇華という第三段階について、中国人ならほとんど詠める漢詩の傑作が示唆する。南宋詩人辛棄疾（しんきしつ）の「青玉案・元夕」だ。（原文後の和訳は、「古代文化研究所」ＨＰに掲載されたものを少し書き直した）

東風夜放花千樹、更吹落、星如雨。
宝馬雕車香満路、鳳簫声動、玉壺光転、一夜魚龍舞。
蛾兒雪柳黄金縷、笑語盈盈暗香去。

（元宵節の夜、春風が吹き、町中に花火が此処彼処に打ち上がり、更に春風は、星が降るかのように、花火の煙火を吹き下ろす。飾り馬や飾り車が町中の道を充たし、鳳簫が鳴り響き、満月が光り輝き、一晩中、龍灯が町中を練り歩く。蛾兒や雪柳や黄金縷などの頭飾りを付けて、

女達の歓笑する声と仄かな香りが通り過ぎる）

これら数句は、詩人が最初に目にした元宵節祭りの豪華絢爛さを描写している。日本人と中国人が国交正常化当時、初めて相手を間近に見て交流し始めた頃の新鮮感、親近感、好感に似ている。続いて、

衆裏尋他千百度、

（人混みの中に貴女を千度百度捜し回ったが）

これは、長く見ているうちに次第に現れる、「自分の期待するイメージ、姿」が見えない戸惑い、焦り、沈む気持ちを表している。現在の日中関係に当たるかもしれない。

そして最後の一句は、中国近代の文化大家王国維（おうこくい）が言う「人生の最高の境地」である。

驀然回首、那人却在、燈火闌珊処。

（ふと振り返ったところ、思い掛けずに、貴女が、眩しい灯りの中に佇んでいる）

絶望しかけたところへ、思い切って見直してみると、まさに灯火の影のところに、心躍る相手、共通して求めるものがあるのに気づく。

日中50周年の次に、我々はともに「ふと振り返る」意識と覚悟をもって、根底にある共通性、

東洋の智慧と責任感を自覚しなければならない。

米中という二大惑星にどう対処するか

20年、30年スパンで見れば、日本は国家戦略ないし文明の選択において、再度の難しい選択を迫られると予想される。ここで再度、「中国の衝撃」を文明論で捉えた溝口雄三先生の指摘を引用したい。

旧中華文明圏とは異なったかたちでの、日本に対する中国の位相の上昇という局面に否応なく想到する。にもかかわらず、まだ大半の日本人はこのことの深刻さに気づいていない。そして日本＝優者、中国＝劣者という構図から脱却していない。その無知覚こそが日本人にとっての〝中国の衝撃〟である。衝撃として自覚されないがゆえに、衝撃は日本人にとって深刻なのである。かつて、清末の〝西洋の衝撃〟が、中華＝優者、外夷＝劣者という古い構図に囚われている中国知識人に自覚されなかった時のように。政府中枢から国民一般までが無自覚であることの、またそうであるがゆえの、何重もの鈍重な衝撃。（中略）

繰り返しになるが、これまでの近代過程を先進・後進の図式で描いてきた西洋中心主義的な歴史観の見直しが必要である。次に、もはや旧時代の遺物と思われてきた中華文明圏としての関係構造が、実はある面では持続していたというのみならず、環中国圏という経済関係構造に再編され、周辺諸国を再び周辺化しはじめているという仮説的事実に留意すべきである。とくに明治以来、中国を経済的・軍事的に圧迫し刺激しつづけてきた周辺国・日本――私は敢えて日本を周辺国として位置づけたい――が、今世紀中、早ければ今世紀半ばまでに、これまでの経済面での如意棒の占有権を喪失しようとしており、日本人が明治以来、百数十年にわたって見てきた中国に対する優越の夢が覚めはじめていることに気づくべきである。現代はどのような歴史観で捉えたらいいのか、根底から考え直す必要がある。（前出『中国の衝撃』、15－16頁）

尊敬する東洋史の大家溝口先生が指摘した、日本が中華文明か西洋文明かの再選択を迫られるという事態は、「今世紀中、早ければ今世紀半ば」と予想されたが この間の米国のドタバタから見て、もっと早く到来するかもしれない。この過程は苦痛を伴うものだ。西洋の物差しで優劣をつける価値観は一世紀半以上続いたため、その相対化は簡単ではない。

振り返れば、日本の歴史上、似たような苦痛を極めた大転換は何度もあった。1400年前、白村江の戦いを経て大化の改新に踏み切り、中華文明はその後長く日本の価値観の指標となった。文久3年（1863年）、東洋的価値観に基づく尊王攘夷を信念とした長州藩が下関海峡を通過する外国船を無差別に砲撃し、間もなく四カ国連合艦隊の攻撃を受け、和議を申し入れた。その後、一転して尊皇倒幕、文明開国の先頭に立ち、明治維新を引っ張った。第二次大戦を経て、「鬼畜米英」からの大転換もあった。いずれも簡単なことではなかった。

太陽系にある二つの巨大な惑星が再度、軌道接近する事態が始まった。150年前、A惑星（中国）の周りを回転していた日本が激動を経て、もっと引力の大きいB惑星（欧米）の軌道圏に入ったが、今やA惑星のエネルギーが急拡大し、B惑星の力が徐々に衰える「百年未曽有」の状況が、好き嫌いとは関係なく目の前に出現した。

A惑星の軌道に簡単に「復帰」することはないだろう。しかし太陽系の中の力均衡の変化、その行方を冷静に、感情抜きに見極める必要はあるのではないか。

日本としての課題は、一つは、150年も信奉し続けてきた西洋のモデルを無条件に受け入れたままにすることではなく、根本的に21世紀の新しい道、生き方をもう一度考えることだ。コロナの発生で米国が100万人もの死者を出したことの重みをどう考えるか。中国でその十分の一でも死者を出していれば、「体制」「人権」の問題とされただろう。トランプ氏が歴然とした違法行為ないし犯罪行為で二回にわたって、議会で弾劾の手続きが進んだが、党派闘争と議席数によって否決され、それで不問になり、「みそぎ」になった。このことも、制度上の構造的欠陥と見るかどうか。欧米諸国で蓄積された人権意識や、LGBTの尊重などの普遍的価値観は全人類の財産で、当然継承され普及されていくべきだ。中国は発展途上の段階に由来する多くの問題点を克服すべきであり、その更なる発展に伴い、大きく脱皮していくと信じる。問題は、このような複雑な諸要素が交わる中で、欧米をいかに相対化し、世界の地殻変動のメガトレンドを客観的に見て適応していくかということだ。

一方の中国は経済発展、貧困解消、格差の是正、技術の追い上げ、環境対策等の分野で一定の成功を収めたものの、今のままでは、日本や東南アジアなどの国々に尊敬され、進んで懐（ふところ）に飛び込んでこられる巨大惑星の軌道圏を形成できない。国内では政治、社会、民族問題などクリアしていかねばならない課題が多いだけでなく、世界のリーダー国として必須の心構え、気概、胸襟を備えなければならない。外部の一部から「覇権国家」と批判されるが、筆者から見て、一番の問題はリーダー国になる自覚を持っていないことだ。中国が再び得た巨大なハードパワーを、伝統的文明をベースにリニューアルし、新しいソフトパワーに転化できるかどうか。これも今後10年、20年の中国の自己改革にかかっている。

二者択一ではない日本の未来に期待

中国は数千年にわたってユーラシア大陸の東方で文明を育んできたが、現代世界に適応し、そのシステムの一員になってからの日は浅い。懸命に学習中だが、プライドが高く、メンツにこだわる癖もある。それで過度な批判（リーダー国にはそのような批判がつきもの）を受けるとつい言い返したくなる。それで「戦狼外交」と呼ばれる。最近の中国では、「声を出さなければレッテルを張られるし、声を出せば『戦狼』と呼ばれる。ではどうすればよいのか」との苦悩の声も出ている。

真の大国化に向けて中国は今、「生みの苦しみ」の真っただ中にあるが、紆余曲折があるにしろ、米中という二大惑星が一段と接近していくという大きな流れ、趨勢は変わらないと思う。この過程において、日本は戦略的再選択の心構えが必要と提起したが、同時に、日本の能動的役割も提言したい。

東洋文明の共有者とし、古かった東洋の文明を、西洋文明の試練の中で再生させたことに一番の貢献をした日本。現在も東洋文明の根底的合理性、その深層にある理念、価値観をよく理解しているはずだ。一方、アジア最初の近代国家として日本自身の先進国への脱皮過程の経験を踏まえて、欧米世界との付き合い方、東洋文明と西洋文明を融合させて再発展することにおいて中国に助言できることは多々ある。中国は口ではあまり言わないが、何かあれば（改革開放政策、経済運営、一帯一路など）すぐ「日本の経験と教訓」を調べ学んでいる。本音としては日本に助言を期待するところも多い。その意味で日本は中国に対する建設的なアドバイザーになれる。過去の経験から見ても、日本からのアドバイスに中国は案外耳を傾けている。日本は国土面積、少子高齢化などの制限によってもう一つの巨大惑星になる可能性は残念ながら小さいが、「ミドルパワー」としての強みは健在であり、近い将来も消えることはない。

米中という二大惑星の接近という太陽系のパワーシフト現象が発生している中で、日本はもしかして今後は二者択一ではなく、二大惑星の間で均衡を図ること、世界、特にアジアで米中が衝突するといった事態を回避するために果たせる役割、更に東西両文明を全世界で融合・再編することにおいて、全世界を見渡しても一番可能性がある。20年近く前に添谷芳秀・慶応義塾大学教授が出した著書『日本の「ミドルパワー」外交：戦後日本の選択と構想』（筑摩書房、２００５年）の提言の多くは依然示唆的だと筆者は思う。

拙著の趣旨を踏まえて展望すれば、日本の内政外交共々において、もっと時代の流れを掴み、国際関係に関する思考停止を打破し、未来の可能性を見極めて自己変革していくことが求められていると強く感じる。未来は過去の延長線上になく、自己改革なしには未来はないという危機意識は全社会で共有されなければならない。そのようなことを分かっている日本人も結構いる。重要なのは、明治維新前のような、国を挙げての活発な討論、世界の未来を見通す広い視野、そして議論に終わらず、内政外交の両面で未来に向けたステップを踏み出すことだ。

あとがき

ＳＦ映画が好きな筆者は、スターウォーズシリーズをよく見る。エピソード1で、ジェダイ・マスターのヨーダが話した言葉が印象に残っている。

「恐れはダークサイドに通じる。恐れは怒りに、怒りは憎しみに、憎しみは苦痛へ」（Fear is the path to the dark side. Fear leads to anger. Anger leads to hate. Hate leads to suffering.）。

まさにその通り、私たちの外部に対する認識、イメージは個人の心情、感情に左右されやすく、特に恐れ、憎しみのような感情は判断を誤らせる。日本で中国のイメージが大幅に悪くなったのは21世紀初頭で、米国は近年だ。いずれも国力が急速に追い上げられ、「恐れ」出した段階に当たる。「超新星爆発」の中国に対するショック、「怖い」という感情はいつの間にか、脅威感、「嫌い」にエスカレートしていった。

このような心理的バイアスを克服し、等身大の中国を伝えるのが本書の仕事と考えた。ロングスパンで中国を捉えれば、今の中国は「伝統の中国」から「世界の中国」に転換する真っただ中にある。東洋的政治社会構造をベースに、14億の民を「世界の中国」にシフトしていく転換期に、

「秩序」を優先にし、ある程度自由を制限するのは、20世紀以来の歴代中国指導者の発想だった。孫文は1924年に書いた「建国大綱」の中で、国を建設する順序として軍政（すべてを統制）、訓政（党国体制で民衆を教育）、最後に民主的憲政、という3段階を提示した。紆余曲折を経て、小さな台湾は第3段階に入ったが、巨大な中国は第2段階からの脱皮中である。経済躍進後の政治社会の転換は、なおさらデリケートだ。自由を野放しにすれば国家秩序が壊れ、内戦に発展しかねない懸念を、少なくとも7割から8割の中国人は共有している。しかし第十二章で検証したように、この「訓政」の構造は、もはや長続きできない時期に来ている。

中国の「一党独裁」を、いつまでも正当性あるものとして肯定することに問題がある。筆者は、「超新星爆発」を起こした後に必然的に到来する政治的社会的変化を、中国自身がもっと直視し、「ソフトランディング」を図るべきだと考える。他方、米国流の、相手を叩くためにイデオロギーの相違を強調することの「偽善」にも警戒を提起した。日本が半導体技術で米国を凌駕する勢いを見せた1980年代、米国も日本が「異質」な国と決めつけて、バッシングする大義名分とした。今日の中国バッシングの言い分とどこか似ている。米中競争の本質はやはり「トゥキディデスの罠」にハマっていることだ。

日中関係に関しても、心理的バイアスが客観的な相互理解を阻害している。中国の対日観には「過去」を引きずっている問題がある。日本の中国観には「未来」への恐れが先走りしている。中国人の日本に対する評価は、自信喪失に陥りがちな日本人の自己評価よりも、実はかなり高い。先進国への脱皮において今後も日本から学ぶものが多い。世界で最も活気あるアジアの発展をリードしていくには、日中協力が不可欠だ。そして東洋と西洋の懸け橋になるのも日本が一番ふさわしい。コロナ禍直前の19年、中国の来日観光客は1000万人近くまで急増した。これも日本への肯定的評価の現れだ。ゆえに、本書は中国の各側面、裏表を検証するとともに、中国の未来に対する日本の役割も提言している。

本書の構想は数年前から練り始めたが、青灯社の辻一三氏からの誘いで決意した。25年前、NHK出版の編集長だった辻氏から勧められて、『中国2020年への道』を、「時代の半歩先を読む」と訴える「NHKブックス」から出版した。深い縁を感じている。また、田中清行氏に構成でお世話になった。つい先月、『東アジア国際紛争の歴史と論理』という共著を出した「アジア島嶼研究会」の仲間からも多く教示をいただいた。併せて感謝の意を申し上げる。

可愛い初孫京香ちゃんが、ちょうど一歳を迎えた。自分は来年春、定年を迎える。家族に支えられて、この本を執筆し続けられたことに一筆触れたい。

2022年10月1日

朱　建榮

朱建榮（しゅ・けんえい）東洋学園大学教授。１９５７年上海市生まれ。華東師範大学卒業。学習院大学大学院で政治学博士号を取得。学習院大学・東京大学・早稲田大学非常勤講師、米国ジョージ・ワシントン大学客員研究員、英国ロンドン大学東洋アフリカ学院客員研究員を経る。著書『毛沢東の朝鮮戦争』（岩波書店、アジア・太平洋賞受賞）『毛沢東のベトナム戦争』（東京大学出版会）『江沢民の中国』（中公新書）ほか

中国 超新星爆発とその行方

2022年10月30日　第1刷発行

著　者　朱　建榮

発行者　辻　一三

発行所　株式会社青灯社

東京都新宿区新宿 1－4－13

郵便番号 160－0022

電話 03－5368－6923（編集）

　　 03－5368－6550（販売）

URL http://www.seitosha-p.co.jp

振替　00120－8－260856

印刷・製本　モリモト印刷株式会社

Printed in Japan

ISBN978－4－86228－123－4 C0031

小社ロゴは、田中恭吉「ろうそく」（和歌山県立近代美術館所蔵）をもとに、菊地信義氏が作成